GRANDES OBRAS DA CULTURA UNIVERSAL

(Clássicos de Sempre)

1. A DIVINA COMÉDIA — Dante Alighieri — Ilustrações de Gustave Doré — Tradução, nota e um estudo biográfico, por Cristiano Martins.
2. OS LUSÍADAS — Luís de Camões — Introdução de Antônio Soares Amora — Modernização e Revisão do Texto de Flora Amora Sales Campos — Notas de Antônio Soares Amora, Massaud Moisés, Naief Sáfady, Rolando Morel Pinto e Segismundo Spina.
3. FAUSTO — Goethe — Tradução de Eugênio Amado.
4. LÍRICA — Luís de Camões — Introdução e notas de Aires da Mata Machado Filho.
5. DOM QUIXOTE DE LA MANCHA — Miguel de Cervantes Saavedra — Com 370 ilustrações de Gustave Doré — Tradução e notas de Eugênio Amado — Introdução de Júlio G. Garcia Morejón.
6. GUERRA E PAZ — Leon Tolstói — Com índice de personagens históricos, 272 ilustrações originais do artista russo S. Shamarinov. Tradução, introdução e notas de Oscar Mendes.
7. ORIGEM DAS ESPÉCIES — Charles Darwin — Com esboço autobiográfico e esboço histórico do progresso da opinião acerca do problema da origem das espécies, até publicação da primeira edição deste trabalho. Tradução de Eugênio Amado.
8. CYRANO DE BERGERAC — Edmond Rostand — Com uma "Nota dos Editores" ilustrada por Mario Murtas. Tradução em versos por Carlos Porto Carreiro.
9. TESTAMENTO — François Villon — Edição bilingue — Tradução, cronologia, prefácio e notas de Afonso Félix de Souza.
10. DOM QUIXOTE APÓGRIFO — Alonso Fernandez de Avelaneda — Tradução, prefácio e notas de Eugênio Amado — Ilustrações de Poty.
11. GARGÂNTUA E PANTAGRUEL — Rabelais — Tradução de David Jardim Júnior.
12. AVENTURAS DO BARÃO DE MÜNCHHAUSEN — G.A. Burger — Tradução de Moacir Werneck de Castro — Ilustração de Gustave Doré.
13. O PARAÍSO PERDIDO — John Milton — Ilustrações de Gustave Doré — Tradução de Antônio José Lima Leitão.
14. SHAKESPEARE - Peças Escolhidas - (Romeu e Julieta, Hamlet, Macbeth) - William Shakespeare
15. GIL BLAS DE SANTILLANA — Lesage — Em 2 volumes. Tradução de Bocage — Ilustrações de Barbant — Vinheta de Sabatacha.
16. DECAMERON — Giovanni Boccaccio — Tradução de Raul de Polillo — Introdução de Eldoardo Bizzarri.
17. QUO VADIS — Henrik Sienkiewicz — Tradução de J. K. Albergaria — Ilustrações Dietricht, Alfredo de Moraes e Sousa e Silva — Gravuras de Carlos Traver.
18. MEMÓRIAS DE UM MÉDICO — Alexandre Dumas (1. José Bálsamo — 2. O Colar da Rainha — 3. A Condessa de Charny — 4. Angelo Pitou — 5. O Cavalheiro da Casa Vermelha).
19. A ORIGEM DO HOMEM (e a seleção sexual) — Charles Darwin — Tradução Eugênio Amado.
20. CONVERSAÇÕES COM GOETHE — Johann Peter Eckermann — Tradução do alemão e notas de Marina Leivas Bastian Pinto.
21. PERFIS DE MULHERES — José de Alencar
22. ÚLTIMOS CONTOS — Hans Christian Andersen
23. ANNA KARÊNINA — Leon Tolstói
24. CONTOS — Machado de Assis
25. E O VENTO LEVOU — Margaret Mitchell

O PARAÍSO PERDIDO

GRANDES OBRAS DA CULTURA UNIVERSAL

Diretor editorial
Henrique Teles

Produção editorial
Eliana Nogueira

Arte gráfica
Ludmila Duarte

Revisão
Mariângela Belo da Paixão

Tradução
Antônio José Lima Leitão

Capa
Cláudio Martins

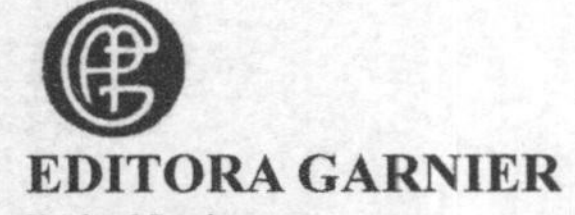

EDITORA GARNIER
Belo Horizonte
Rua São Geraldo, 67 - Floresta - Cep.: 30150-070 - Tel.: (31) 3212-4600
e-mail: vilaricaeditora@uol.com.br

JOHN MILTON

O PARAÍSO PERDIDO

GARNIER
desde 1844

Dados Internacionais de Catalogação na Publicação (CIP) de acordo com ISBD

M662p Milton, John

O Paraíso Perdido - John Milton - 2ª ed. - Belo Horizonte, MG : Garnier, 2020.
488 p. : il. ; 16cm x 23 cm.

Inclui índice.
ISBN 978-85-7175-167-5

1. Literatura inglesa. 2. Poesia. I. Título.

CDD 821
CDU 821.111-1

Elaborado por Vagner Rodolfo da Silva - CRB-8/9410

Índice para catálogo sistemático:

1. Literatura inglesa: Poesia 821
2020-303 2. Literatura inglesa: Poesia 821.111-1

SUMÁRIO

PREFÁCIO

Com o *Paraíso Perdido*, John Milton conquistou, indiscutivelmente, o lugar de primeiro poeta épico da língua inglesa. O Poema, no entanto, deve considerar-se mais como produto da cultura latina do que como expressão do gênio inglês.

Shakespeare não pode ser comparado a nenhum outro, porque é o maior e mais famoso escritor teatral da Inglaterra; as suas obras refletem a época em que viveu e encarnam o espírito da era de Elisabeth. Milton, porém, não é um inglês típico. O que escreveu denota mais pontos de contato com a obra de Dante ou de Camões, do que com as obras de Shakespeare ou dos seus próprios contemporâneos; o seu plano de fundo é europeu e não nacional.

Paraíso Perdido é o mais conhecido dos poemas épicos da língua inglesa e os grandes poetas épicos do mundo são tão poucos que se podem contar pelos dedos de uma única mão. Esta forma particular do estilo artístico, tal como a conhecemos hoje, surgiu pela primeira vez, no campo da literatura, com as obras de Homero, atingindo a plenitude da sua pujança em Virgílio. Se bem que se possam encontrar na literatura anglo-saxônica e islandesa outros exemplos de poesia épica, a verdade é que a tradição clássica foi mantida na *Divina Comédia* por Dante Alighieri que compôs a sua obra no mesmo país, e, substancialmente, na mesma linguagem de Virgílio. De fato, o guia escolhido por Dante, para conduzi-lo através do seu "Inferno", foi justamente Virgílio.

Mais tarde, a tradição da poesia épica foi exemplificada por Camões em *Os Lusíadas*, poema que é ainda uma expressão do gênio latino.

Milton, desde muito jovem, decidira dedicar-se à composição de um grande poema que se tornasse posteriormente uma das obras clássicas da literatura inglesa; e ao realizar o seu intuito, elegeu um ambiente conforme com a tradição clássica, mas instilou nele um tema inspirado na sua própria natureza religiosa.

O autor do *Paraíso Perdido* nasceu em Londres, em 1608, quando Shakespeare ainda vivia, e em que Portugal, sob o domínio dos Filipes, fora integrado temporariamente no Império Espanhol e quando apenas o litoral do Brasil era conhecido. Cresceu numa época em que o latim era a língua internacional dos homens cultos, ao tempo em que "civilização" era um conceito europeu não contaminado ainda pelas limitações do nacionalismo estreito. Da mesma forma que outros homens cultos desse período, leu e escreveu não só em latim, mas também em italiano, e percorreu a Itália para completar a sua instrução, Milton gozava já, então, de relativa fama como poeta, após a publicação da sua obra *Lycidas*, lamento sobre a morte de um amigo, de dois poemas líricos, *L'Allegro* e *Il Pensieroso*, e de um certo número de sonetos em inglês e italiano. Em 1639, porém, Milton foi chamado novamente à Inglaterra, por motivo da guerra civil que estava então grassando na sua pátria. O Parlamento, cuja inspiração religiosa se alicerçava profundamente na seita dos Puritanos à qual Milton pertencia, achava-se combatendo a prerrogativa real exercida pelo rei Carlos I. John Milton, o estudioso e o erudito, dedicou-se então à vida pública durante o período de vinte anos, tornando-se secretário do Conselho da *Commonwealth*, Conselho que passara a governar o país depois que o Partido Parlamentar derrotara e decapitara o rei. Só mais tarde, depois que os realistas triunfaram novamente e que o rei Carlos voltou a sentar-se no trono, em 1660, foi que Milton retornou à sua vida particular e retomou o velho projeto de compor o grande poema épico da literatura inglesa.

É pelo estilo e pela forma que o poema épico se distingue dos outros tipos de poesia. Só depois de compreendermos o veículo utilizado por Milton, poderemos apreciar a beleza dos seus versos. A *Ilíada* e a *Odisseia* de Homero, são, sem dúvida, as mais famosas poesias épicas do nosso patrimônio literário. Os seus temas são heroicos e relatam proezas e aventuras de deuses e homens famosos. A *Ilíada* narra a história de Aquiles, a sua ira, os seus sofrimentos e o seu arrependimento, atingindo o seu ponto culminante na descrição do assassinato de Heitor, diante das muralhas de Troia. A *Odisseia* canta as viagens de Odysseus no seu regresso da guerra de Troia; o poema constitui, por excelência, uma grande história de aventuras. Estes poemas épicos não se destinavam a ser escritos ou lidos, sendo aprendidos de cor e declamados nas cortes dos reis e dos chefes da antiga Grécia. Nestes poemas, os bardos narravam as façanhas dos heróis diante de grandes guerreiros, em ocasiões solenes. A pompa e cerimonial constituem, por consequência, a nota tônica da poesia épica; o seu estilo é solene e a sua linguagem grandíloqua.

Virgílio amplificou a esfera do poema épico, alargando o seu campo limitado às aventuras individuais de heróis, de modo a abranger a história do seu país. A *Eneida* descreve a fundação de Roma por Eneia e seus companheiros, quando buscavam novas terras para colonizar, após o saque de Troia. Virgílio serviu-se de uma lenda nacional, mas projetou-a num plano mais vasto, narrando não só a origem de Roma, mas também a sua futura grandeza. Atribuem-lhe algumas vezes a predição do advento de Cristo, na IV Écloga; compondo este poema simbólico sobre o destino de Roma, Virgílio simbolizou, simultaneamente o destino do Homem. A contribuição especial de Virgílio para a evolução do poema épico consistiu, pois, em alargar ou elevar o seu tema, transportando-o da perspectiva individual para a perspectiva nacional. Um tema grandioso, servido por um estilo solene e uma linguagem exaltada, era considerado, portanto, o ingrediente essencial do poema épico.

Na *Divina Comédia*, Dante mantém esta tradição. Dante narra a história da estranha peregrinação de uma alma através do Universo, passando pelo Inferno, pelo Purgatório e pelo Paraíso. No "Inferno", o vate examina a vida e obras dos grandes homens da História; no "Paraíso" discute o problema filosófico e religioso que obsidia a alma humana. Nos *Lusíadas*, Camões segue igualmente a tradição de Virgílio. Se bem que o seu poema relate a viagem de Vasco da Gama à Índia, durante a qual as caravelas portuguesas dobraram o Cabo da Boa Esperança, o seu poema é, na verdade, um hino à grandeza de Portugal, em que o poeta exalta a fama e a glória da sua Pátria, naquela época em que o Império Português compreendia não só o Brasil e as regiões então conhecidas do continente africano, mas se prolongava ainda para a Ásia, de Aden a Singapura.

Inicialmente, durante um certo tempo, Milton pensou estruturar o seu poema com um tema patriótico: a lenda do rei Artur; acabou, porém, desenvolvendo o assunto de modo a abarca um campo que concerne a todo o gênero humano: a história da tentação e a da queda do Primeiro Homem.

SOBRE O TEMA DO POEMA

Milton anuncia o tema da sua obra, nos três primeiros versos:

Do homem primeiro canta, empírea Musa,
A rebeldia — e o fruto, que, vedado,
Com seu mortal sabor nos trouxe ao Mundo...

A queda do Homem, devida à desobediência de Adão e Eva no Jardim do Éden, residiu no pecado original no qual resultou o sofrimento da Humanidade que se prolongou até aos nossos dias. Os pontos essenciais do tema foram tirados do Livro do Gênesis; o interesse capital da narrativa do *Paraíso Perdido*, reside na maneira como John Milton desenvolve o tema.

Não é Adão, mas Eva, quem comete o pecado original, desobedecendo a Deus. E é em consequência da transgressão de Eva que Adão infringe igualmente o mandamento divino. Eva é tentada por Satã a provar do Fruto Proibido. O espírito do Mal convence-a com lisonjas e promessas especiosas. Satã enaltece a sua beleza, promete-lhe que todos os anjos a adoração, e insinua que Deus pretende manter a Raça Humana à margem da Onipotência Divina; Satã diz-lhe que Deus, ao interditar-lhes que provassem da Maçã, promulgara um veto arbitrário destinado a mantê-los sujeitos à sua vontade. Movida pela curiosidade, pelo orgulho e pela ambição, Eva aceitou e saboreou o Fruto Proibido. É difícil distinguir o motivo predominante ao qual devemos atribuir a sua fraqueza, como é difícil precisar as causas determinantes das ações humanas; existe nelas um complexo de razões diversas que se pode definir, em resumo, como impulso dos desejos ou paixões sobrepondo-se à voz da razão.

As consequências da sua queda são admiravelmente descritas no poema. Invadida, ato contínuo, pela sensação da culpa, Eva tenta iludir-se a si própria, com a esperança de que Deus se não tenha apercebido do seu ato. Logo depois, lembra-se de Adão, e decide aproveitar os poderes superiores que supõe ter adquirido ao saborear o Fruto Proibido, para dominá-lo. A seguir, o medo apodera-se dela. Pensa que vai morrer, talvez. E esta hipótese, sugere-lhe interrogações: se morrer, qual será o destino de Adão? Continuará a viver e a ser feliz, talvez na companhia de outra mulher? O ciúme penetra no seu coração, e Eva resolve agir por forma que, se o seu destino for a morte, Adão morra com ela. Vai então contar ao companheiro o ato que praticou, e é nesta contingência que culmina o absurdo de usa argumentação. Como se não tivesse dado origem a uma suficiente subversão das coisas com a sua própria transgressão, na qual Adão ficara irremediavelmente envolvido, Eva tenta demonstrar que a responsabilidade do pecado que cometera cabia inteiramente ao companheiro, que a deixara perambular sozinha pelo Jardim Edênico. Diz-se, com verdade, que, após a queda, Adão e Eva se tornaram realmente humanos!

A Queda de Adão é de natureza completamente diversa. Logo que Eva lhe conta o que fizera, Adão tem, imediatamente, a noção exata de que ela cometera o grande pecado de infringir o único mandamento imposto por Deus ao criá-los, mas decide, sem hesitar, partilhar o destino da Primeira Mulher, se ela estiver perdida. Na Queda de Adão, não se nota a influência de qualquer interesse próprio, de ambição, de orgulho, ou de pecados similares, mas apenas o motivo cavalheiresco inspirado pelo seu amor por Eva. Este amor é descrito em versos de grande beleza no Livro VIII do poema, e a maneira como John Milton trata a Queda de Adão revela-se cheia de nobreza e também de generosidade. Adão não é movido por impulso ou paixão alguma, mas pelo seu livre-arbítrio que o leva a saborear igualmente do Fruto Proibido, sabendo embora que Deus lhe interditara fazê-lo, porque preferiu sofrer junto com Eva a permanecer sozinho no Paraíso. Milton descreve esta passagem, no Livro IX, com os seguintes versos:

Então ele, de escrúpulos despido,
Sabendo bem o que fazia, come
Não enganado, mas louco e vencido
Pelo poder dos feminis encantos.

Para o leitor moderno, afigura-se demasiado severo que este procedimento cavalheiresco de Adão pudesse ter sido considerado como um grande pecado e constituir motivo para a sua expulsão do Paraíso. Na verdade, num romance da atualidade, o procedimento de Adão seria o de um herói galante que permanecesse fiel ao seu amor e sofresse com a sua amada, nas mãos de um tirano a cujo despotismo absurdo recusasse submeter-se. Existe, realmente, um conflito fundamental entre a nobreza do procedimento de Adão, sacrificando-se ao amor que dedicava a Eva, e o pecado irremissível que cometera, desobedecendo ao mandamento de Deus. Alguns críticos são de opinião que Milton não conseguiu resolver este conflito e que por essa razão, sob este ponto de vista, o seu poema fracassou, não conseguindo impor-se à convicção do leitor. Milton afirma, no primeiro parágrafo do *Paraíso Perdido*, que o seu desejo é "defender a Providência Eterna e justificar, perante os homens, os caminhos de Deus". Milton teria, de fato, fracassado no seu intento, se a sua narrativa da Queda do

Primeiro Homem nos levasse a nutrir por Adão simpatia capaz de sobrelevar-se à reprovação condenatória que o seu ato nos merece.

Para compreender o poema, contudo, devemos refletir sobre a descrição, não como o faríamos ao considerar um romance moderno, mas colocando-nos no ambiente inerente às crenças correntes na época em que foi escrito, e acima de tudo, analisando-o à luz da crença religiosa do seu autor. Milton e a maioria dos seus contemporâneos depositavam na Bíblia uma fé indiscutível. O tema central do seu argumento baseia-se nos ensinamentos de Santo Agostinho e na doutrina da Igreja, segundo os quais a Obra de Deus é uma Obra Perfeita em que só existe o Bem; o Mal é a perversão do Bem, e o Pecado consiste na desobediência à vontade de Deus. O essencial na Queda do Primeiro Homem reside simples e exclusivamente na desobediência e foi sintetizado pelo crítico Addison, ao afirmar: "A grande moral que preside à obra de Milton é a mais universal e mais útil que é possível conceber, e segundo os seus preceitos, a obediência à vontade de Deus proporciona aos Homens a Felicidade, enquanto a desobediência os torna miseráveis".

Tal é o tema central do *Paraíso Perdido*, e tal foi o princípio que Milton procurou justificar perante os homens. Isto não significa que a proibição determinada por Deus de tocar a maçã se possa considerar como interdição arbitrária de um tirano, visto que a obediência à Sua Vontade consitui o preceito básico no esquema global do Universo.

Quando Milton compôs o *Paraíso Perdido*, no século XVII, acreditava-se que a Sociedade Humana e o próprio Universo tinham sido criados por Deus, dentro de uma ordem hierárquica, na qual o próprio Deus representava, evidentemente, o Todo-Poderoso. Durante muitos anos se aceitaram os ensinamentos da Igreja, que afirmam ser a obediência à Vontade Divina o primeiro dever de todos os homens. Aceitava-se, igualmente, o conceito de que, em assuntos mundanos, todos os homens devem obediência aos seus superiores humanos naturais. Nesta época, faltava ainda meio século para surgir a doutrina herética de Rousseau, segundo a qual todos os homens nascem livres e iguais. A crença corrente era ainda a mesma que foi expressa por Aristóteles, de que justiça significa igualdade para os iguais e desigualdade para os desiguais. Platão, por seu turno, definira Justiça como a concessão a cada ser humano daquilo que lhe é devido. O que devemos a Deus, acima de todas as coisas, é respeito e obediência à Sua Vontade. O pano de fundo do conceito de Milton relativo ao Pecado Original da Humanidade, reside, pois, na crença que há dois mil anos prevalece, no princípio da obediência aos superiores. Assim como este princípio era a base da sociedade, considerado no ambiente humano, assim, em relação a Deus, o referido conceito era o fecho da abóbada da Fé.

O Pecado de Adão, portanto, consistiu no fato dele não ter sabido reconhecer que o seu primeiro dever era obedecer a Deus, e em ter-se deixado dominar por motivos puramente humanos, fossem, embora, aqueles motivos louváveis determinados pelo amor e pelo cavalheirismo, para infringir esta vassalagem. Adão e Eva transgrediram os limites do seu dever conforme às leis do Universo, e, tendo agido desta sorte, cometeram o Pecado Original da Humanidade.

Em contraste com esta opinião, outros críticos são de parecer que a Queda de Adão e Eva, tal como é apresentada no poema, se baseia mais no código moral dos filósofos gregos do que na narrativa do Velho Testamento. Aristóteles apresentou a exposição mais evidente da teoria grega da moderação na sua *Teoria das Médias*, segundo a qual todas as virtudes consistem na média ou no curso médio do meio caminho entre dois extremos. Uma outra expressão desta mesma ideia está resumida na epítome inscrita no mármore do Templo de Delfos: "Nada em excesso".

Milton, todavia, não é um aristotélico; e supor que tal fosse o seu pensamento ao descrever a Queda do Primeiro Homem afigura-se-nos uma interpretação forçada das suas palavras. Verifica-se, pelo contrário, muito maior semelhança entre o pensamento de Milton e o pensamento de Platão. A definição de Justiça dada por Platão, segundo a qual a Justiça consiste em conceder a cada um aquilo que lhe é devido, ecoa no ensinamento do Novo Testamento: "Daí a César o que é de César, e a Deus o que é de Deus". A primeira coisa que cumpre dar a Deus, é obediência, — a obediência das suas criaturas; e, desobedecendo, Adão e Eva transgrediram tanto a moral platônica como a moral cristã.

OS PERSONAGENS DO POEMA

O personagem que mais incisivamente foi descrito por Milton, foi Satã. O poeta não pintou inteiramente o Anjo do Mal como um objeto de ódio e abjeção. Milton repeliu a ideia de apresentar o diabo como um ente desprezível. Na verdade, a consistência dramática da obra inibia-o de adotar esta orientação. Seria absurdo retratar como antagonista medíocre, o ser que se rebela contra o Todo-Poderoso, e seria lançar demasiado descrédito sobre Adão e Eva, fazendo-os sucumbir à tentação de semelhante criatura.

Satã é descrito sob a figura de um anjo, muito embora de um anjo caído. O poema abre imediatamente após a sua derrota, em seguida à rebelião que comandou contra a autoridade de Deus. Quando era ainda um anjo, no Céu, atormentava-o a tortura de um orgulho obsidiante e, ao ver que Deus designava seu próprio Filho para governar sobre os anjos, não pôde suportar uma situação que se lhe afigurava insultante para o seu prestígio. Satã levantou então um exército rebelde para combater a Autoridade Divina, e foi vencido pelo Arcanjo São Miguel. Quando o poema começa, Satã e os seus sequazes encontram-se jazendo no Inferno, desbaratados e vencidos, mas ao fim de algum tempo recobram alento e conspiram para recomeçar a sua luta contra o Céu e contra a autoridade de Deus. Milton atribui a Satã o poder e a majestade de um Arcanjo, e, de início, sob certos aspectos, não podemos furtar-nos a admirá-lo. Mas quando começa a dirigir-se aos seus sequazes, a sua alocução revela uma tal distorção da verdade, os seus argumentos deturpam a lógica de tal maneira, e o seu interesse fundamental manifesta-se tão concentradamente dentro de si próprio, que a mediocridade do seu caráter aflora por entre a nobreza dos seus outros atributos. É o próprio Satã que relata as supostas afrontas que recebeu de Deus, as quais são o produto do seu orgulho ferido, e daquilo que ele próprio classifica como "a noção do seu mérito injuriado". O seu caráter está sintetizado no pensamento que confessa, de que "é melhor reinar no inferno do que ser vassalo no Céu".

Embora, no início do poema, Satã manifeste alguns atributos de nobreza, embora pervertidos pelo seu critério, o seu verdadeiro caráter revela-se no desenrolar do poema. Cada alocução que pronuncia é uma exaltação do conceito em que se tem e do seu amor-próprio. No dizer de Mr. C. S. Lewis,

Satã evolui "de herói para general, de general para político, de político para espião, depois assume o aspecto de qualquer coisa que espreita pela janela do quarto de dormir ou da sala de banho, a seguir para um sapo e, finalmente, para uma serpente". Alguns críticos pensam que, no início do poema, Milton imprime a Satã um aspecto demasiadamente nobre, esforçando-se depois em corrigir seu erro, degradando-o subsequentemente. Apreciar-se-ia mais exatamente a verdade, se se dissesse que Milton atribui a Satã, no princípio da sua obra, as qualidades do orgulho e do conceito próprio, que por si mesmas são a causa da sua progressiva degradação e aviltamento.

Descrevemos mais detalhadamente a maneira como John Milton apresenta Satã, porque este personagem é o mais notável do poema, e também o que mais diverge das nossas ideias preconcebidas. Os outros personagens podem ser analisados mais rapidamente. Adão e Eva no Paraíso carecem, um pouco de colorido. O poeta foi compelido e pintá-los no seu ambiente de imaculada inocência que é sempre difícil de tornar interessante. A descrição de Eva, no momento da tentação e da Queda é, porém, magistral, como igualmente magistral é a maneira como o autor trata a figura de Adão ao expressar o seu amor por Eva. Quanto ao retrato que Milton traça do Padre Eterno, deve confessar-se que não é realmente convincente. Mas onde existe um mortal capaz de descrever Deus de maneira adequada? Já a forma como é apresentado o Messias se nos afigura muito mais feliz, embora devamos frisar que se trata da Segunda Pessoa da Trindade, e não do Cristo dos Evangelhos.

CONCLUSÃO

A melhor opinião que alguém pode emitir acerca do *Paraíso Perdido*, — como, aliás, de todas as grandes obras literárias, — é ler e reler o próprio poema, e não perder tempo a ler o que outros escreveram a seu respeito. Como em todas as obras longas, há trechos em que o alto nível das passagens mais belas se não mantém. Nota-se em especial, este fato, na parte central do poema e nos dois últimos livros. Convém lembrar ainda que o leitor vai apreciar um poema épico cuja tradição aprofunda as suas raízes nas antigas épocas de Homero e Virgílio. A sua linguagem é grandíloqua, a maneira como o assunto é tratado pode considerar-se monumental, e o tema universal. Terminaremos, reproduzindo as palavras do maior crítico moderno de Milton:

"O *Paraíso Perdido* arquiva uma passagem real, irreversível, que se não pode repetir, da História do Universo; e, mesmo para aqueles que não creem nessa passagem, encarna, (sob um aspecto que para eles corresponde a uma fórmula mítica), a grande transição de cada alma, de um estado de dependência feliz para uma asserção da própria personalidade miserável, e, daí, também, para o isolamento final, como no caso de Satã, ou, como no caso de Adão, para a reconciliação e para uma felicidade diferente."

NOTA. - A citação final deste prefácio é da autoria de Mr. C. S. Lewis e encontra-se na pág. 29 da edição de abril de 1942, da sua obra *Prefácio para o Paraíso Perdido.* O autor desta introdução, como todos os estudiosos de Milton, está imensamente grato à obra erudita de Mr. Lewis. O autor recorreu muito, igualmente, à obra *O Paraíso Perdido e os seus críticos*, do Professor A. J. A. Waldock, edição de 1947.

O PARAÍSO PERDIDO

Poema em doze cantos

ARGUMENTO DO CANTO I

Proposição do assunto do poema: a desobediência do homem, resultando-lhe daqui a perda do Paraíso em que fora colocado; a Serpente, ou antes Satã dentro da Serpente, motivou esta desgraça, depois que ele, revoltando-se contra Deus, e metendo em seu partido muitas legiões de anjos, foi expulso do Céu e arrojado ao Inferno com toda essa multidão por ordem de Deus. Depois lança-se logo o poema para o meio do assunto, e mostra Satã com seus anjos dentro do Inferno, descrito não no centro da criação (porque Céu e Terra devem então supor-se ainda não feitos), mas nas trevas exteriores mais propriamente chamadas Caos. Ali Satã, boiando com seu exército num mar de fogo, crestados todos pelos raios e perdido o tino, afinal torna a si como de um letargo, chama pelo que era o seu imediato em dignidade e poder, e que ali perto jazia; conferem ambos acerca de sua miserável queda. Satã brada por todas as suas legiões que até então se conservavam na mesma confusão e letargo: levantam-se elas; mostra-se o seu número e ordem de batalha; dizem-se os nomes de seus principais chefes que correspondem aos ídolos conhecidos depois em Canaã e países adjacentes. Satã dirige-lhes a palavra, anima-os com a esperança de ainda reconquistarem o Céu, e ultimamente noticia-lhes que vão ser criados um novo mundo e nova qualidade de criaturas, atendendo a uma antiga profecia ou rumor em voga pelo Céu (pois que, segundo a opinião de muitos antigos Padres, existiam os anjos muito antes da criação visível). Para achar a verdade desta profecia e o que se há de fazer depois, ele convoca uma plena assembleia. Procedimento de seus sócios. O Pandemônio, palácio de Satã, ergue-se subitamente construído no Inferno; os pares infernais ali se assentam em conselho.

CANTO I

o homem primeiro canta, empírea Musa,
A rebeldia — e o fruto, que, vedado,
Com seu mortal sabor nos trouxe ao Mundo
A morte e todo o mal na perda do Éden,
Até que Homem maior pôde remir-nos
E a dita celestial dar-nos de novo.
Do Orebe ou do Sinai no oculto cimo
Estarás tu, que ali auxílios deste
Ao pastor que primeiro aos escolhidos
Ensinou como do confuso Caos
Se ergueram no princípio o Céu e a Terra?
Ou mais te agrada Sião e a clara Siloé
Que mana ao pé do oráculo do Eterno?
Lá donde estás, invoco o teu socorro
Para este canto meu que hoje aventuro,
Decidido a galgar com voo inteiro
Muito por cima da montanha Aónia,
De assuntos ocupado que inda o Mundo
Tratados não ouviu em prosa ou verso.

E tu mais que ela, Espírito inefável,
Que aos templos mais magníficos preferes
Morar num coração singelo e justo,
Instrui-me porque nada se te encobre.
Desde o princípio a tudo estás presente:
Qual pomba, abrindo as asas poderosas,
Pairaste sobre a vastidão do Abismo
E com almo portento o fecundaste:
Da minha mente a escuridão dissipa,
Minha fraqueza eleva, ampara, esteia,
Para eu poder, de tal assunto ao nível,
Justificar o proceder do Eterno
E demonstrar a Providência aos homens.

Dize primeiro, tu que observas tudo
No Céu sublime, no profundo Inferno,
Dize primeiro a causa irresistível
Que mover pode os pais da prole humana,
Em tão próspera sina, ao Céu tão caros,
A apostatar de Deus que o ser lhes dera
E a transgredir a lei que lhes ditara,
Sendo só num objeto restringidos,
No mais senhores do universo Mundo:
Quem lhes urdiu a sedução malvada
Que os lançou em tão feia rebeldia?
O Dragão infernal. Com torpe engano,
Por inveja e vinganças instigado,
Ele iludiu a mãe da humana prole,
Lá depois que seu ímpeto soberbo
O expulsara dos Céus coa imensa turba
Dos rebelados anjos, seus consócios.

Confiado num exército tamanho,
Aspirando no Empíreo a ter assento
De seus iguais acima, destinara
Ombrear com Deus, se Deus se lhe opusesse,
E com tal ambição, com tal insânia,
Do Onipotente contra o Império e trono
Fez audaz e ímpia guerra, deu batalhas.
Mas da altura da abóbada celeste
Deus, coa mão cheia de fulmíneos dardos,
O arrojou de cabeça ao fundo Abismo,
Mar lúgubre de ruínas insondável,
A fim que atormentado ali vivesse
Com grilhões de diamante e intenso fogo
O que ousou desafiar em campo o Eterno.

Pelo espaço que abrange no orbe humano
Nove vezes o dia e nove a noite,
Ele com sua multidão horrenda,
A cair estiveram derrotados
Apesar de imortais, e confundidos
Rolaram nos cachões de um mar de fogo.

Sua condenação, porém, o guarda
Para mais fero horror: e vendo agora
Perdida a glória, perenal a pena,
Este duplo prospecto na alma o punge.
Lança em roda ele então os tristes olhos
Que imensa dor e desalento atestam,
Soberba, empedernida, ódio constante:
Eis quando de improviso vê, contempla,
Tão longe como os anjos ver costumam,
A terrível mansão, torva, espantosa,
Prisão de horror que imensa se arredonda
Ardendo como amplíssima fornalha.
Mas luz nenhuma dessas flamas se ergue;
Vertem somente escuridão visível
Que baste a pôr patente o hórrido quadro
Destas regiões de dor, medonhas trevas
Onde o repouso e a paz morar não podem,
Onde a esperança, que preside a tudo,
Nem sequer se lobriga: os desgraçados
Interminável aflição lacera
E de fogo um dilúvio alimentado
De enxofre abrasador, inconsumptível.
A justiça eternal tinha disposto
Para aqueles rebeldes este sítio:
Ali foram nas trevas exteriores
Seu cárcere e recinto colocados,
Longe do excelso Deus, da luz empírea,
Distância tripla da que os homens julgam
Do centro do orbe à abóbada estrelada.
Oh! como esse lugar, onde ora penam,
É diverso do Céu donde caíram!
Logo o monstro descobre a turba vasta
Dos tristes que na queda tem por sócios
Arfando em tempestuosos torvelinos
Do undoso lume que hórrido os flagela.
Próximo dele ali coas vagas luta
O anjo, imediato seu em mando e crimes,

Que foi chamado nas vindouras eras
Belzebu, nome à Palestina grato.
Então o arqu'inimigo, que no Empíreo
Foi chamado Satã desde esse tempo,
O silêncio horroroso enfim quebrando,
Nesta frase arrogante assim lhe fala:
"És tu, arcanjo herói! Mas em que abismo
Te puderam lançar! Como diferes
Do que eras lá da luz nos faustos reinos,
Onde, sobre miríades brilhantes,
Em posto tão subido fulguravas!
Mútua liga, conselhos, planos mútuos,
Esperanças iguais, iguais perigos
Uniram-nos na empresa de alta glória;
Mas agora a desgraça nos ajunta
Deste horrível estrago nos tormentos!
Caídos de que altura e em qual abismo
Nos achamos aqui tão derrotados!
Co'os raios tanto pôde o que é mais forte.
Té'gora quem sabia ou suspeitava
Dessas armas cruéis a valentia?
Mas nem por elas, nem por quanta raiva
Possa infligir-me o Vencedor potente,
Não me arrependo, de tenção não mudo,
Posto mudado estar meu brilho externo.
Rancor extremo tenho imerso na alma
Pela alta injúria feita a meu heroísmo:
Ele impeliu-me a combater o Eterno,
E trouxe logo às férvidas batalhas
Inúmera aluvião de armados Gênios
Que dele o império aborrecer ousaram.
E, a mim me preferindo, opor quiseram
Nas planícies do Céu, em prélio dúbio,
As forças próprias às opostas forças
Fazendo-lhe tremer o empíreo sólio.
Que tem perder-se da batalha o campo?
Tudo não se perdeu; muito inda resta:

Indômita vontade, ódio constante,
De atrás vinganças decidido estudo,
Valor que nunca se submete ou rende
(Nobre incentivo para obter vitória),
Honras são que jamais há de extorquir-me
Do Eterno a ingente força inteira raiva.
Perdão de joelhos suplicar-lhe humilde,
Acatar-lhe o poder, cujo alto império
No âmbito inteiro vacilou há pouco
Pelo impulso e terror das minhas armas,
Fora abjeta baixeza, infâmia fora,
Muito piores que este infando estrago.
Já que, segundo ordenam os destinos,
Não pode ser em nós aniquilada
Esta empírea substância e empírea força,
Já que pela experiência desta ruína
Muito ganhado em previsão nós temos,
Condição que na guerra é de alta monta,
Tentar podemos com mais fausto agouro,
Por fora ou por ardis, sem fim, sem pausa,
Contra o excelso Inimigo eterna guerra,
Ele agora que, em júbilos nadando,
Nímio se ufana, vencedor soberbo,
Porque dos Céus no Sublimado trono
Administra absoluto a tirania!"

Deste modo o anjo apóstata se expressa;
Alta jactância as penas lhe não tolhem:
Mas atroz desespero o rala e punge.
Logo assim lhe responde o ousado sócio:

"Príncipe, chefe dos imensos tronos
Que às batalhas trouxeste em teu comando
Tu que, por feitos da mais nobre audácia,
Querendo conhecer a quanto avonda
Do Rei dos Céus a grã supremacia,
Em p´rigo lhe puseste o império e a glória,

Vejo, e punge-me assaz, o atroz sucesso
Com que o Céu (seja força, acaso, ou sorte)
Em tão pesada perdição nos lança
Com tamanha vergonha e tanto estrago;
Vejo, e punge-me assaz, que a tal baixeza
Chegasse nosso exército tão forte,
A ponto de sofrer quanto é possível
Que substâncias do Céu e Deuses sofram.
Porém, quanto ao valor e aos brios da alma,
Invencíveis nós somos; dentro em breve
Recobraremos o vigor antigo,
Inda que extinta jaz a nossa glória,
E aqui a nossa dita se sepulte
Nesta horrível miséria interminável.
Mas, se o Conquistador (que hoje não posso
Deixar de reputá-lo Onipotente,
Pois que com força pôs em plena ruína
Nossas forças, que invictas eu julgava),
Se ele, digo, nos quis deixar quais eram
Nossos grandes espíritos e forças
Para podermos suportar o peso
Dos flagícios cruéis com que nos punge,
Para podermos a medida toda
Encher-lhe da vingança em que se abrasa,
Ou fazer-lhe um serviço mais penoso
Como cativos seus por jus de guerra
(Seja aqui trabalhar em vivo fogo
No doloroso coração do Inferno,
Seja levar-lhe as hórridas mensagens
Pelas mansões do tenebroso Abismo),
Então... aproveitar-nos como podem
Nossos grandes espíritos e forças,
Posto que tais quais eram as sintamos,
Eternas só para castigo eterno?"

O arqu'inimigo prontamente o atalha:
"Degenerado querubim! Faz pejo

Não ter constância na paciência e lidas.
Podes seguro estar que jamais, nunca,
Fazer um bem qualquer nos é possível;
Mas que sempre será da essência nossa
Fazer todos os males que atormentam
A alta vontade do Opressor ovante.
Se acaso intenta a Providência sua
Algum bem extrair dos males nossos,
Busquemos perverter-lhe o fim proposto
Fazendo de tal bem fonte de males.
Muitas empresas destas são possíveis
Que hão de por certo o coração ralar-lhe,
E muitas vezes no estudado plano
Hão de turbar-lhe o entendimento irado.
No entanto vê que o Vencedor lá chama
Para as portas do Céu esses ministros
De seus furores, da vingança sua:
A sulfúrea saraiva que impelida,
Qual tufão torvo, atrás de nós correra,
Acalma-se e minora os ígneos jorros
Que desde os altos Céus nos flagelavam;
O alado raio rubro, ardente, iroso,
Talvez que exausto tendo agora as farpas,
Suspende o seu horríssono estampido
Que através troa do infinito vácuo.
Seja desprezo do Inimigo nosso,
Seja que de furor se creia farto,
Não deixemos fugir tão fausto ensejo.
Vês além essa tétrica planície,
Mansão de ruína e dor, só manifesta
Pelo fusco clarão que hórrido exalam
Estas lívidas chamas truculentas?
Vamo-nos para ali, saiamos fora
Do furor destas ondas abrasadas;
Descansemos ali, se ali descanso
Pode encontrar-se algum: eia! tornemos
A juntar nossas foras profligadas;

Busquemos modo como de hoje em diante
Faremos ao tremendo Imigo nosso
O maior mal que esteja ao nosso alcance,
Como repararemos nossas perdas,
Como suplantaremos nossos danos;
Indaguemos que auxílios nos compete
Ganhar pela esperança, — e, em caso oposto
Qual a resolução que achar podemos
Do desespero nos terríveis lances."

Assim falou Satã ao companheiro
Que ali mais perto estava. Sobre as ondas
Alevantava então a fronte enorme,
E dos olhos vertia horrendo lume:
O mais corpo, boiando ao longo, ao largo,
Por essas ígneas águas se estendia
Muitos estádios, sendo no volume
O que a Fábula diz das vastas moles
De Briareu e de Tifon (que ocupa
Junto da antiga Társea um antro ingente),
Filhos da terra que investiram Jove;
Ou como o Leviatã, marinho monstro,
Que Deus fez o maior dos entes vivos
(O qual, dormindo da Noruega em mares,
Ilha o crê o piloto de chalupa
Colhida em vendaval noturno, — e lança,
Como é dos nautas voz, no escâmeo dorso,
Da âncora o dente, e a sotavento escapa
Enquanto é noite e pelo dia almeja).

Tão vasto assim, o arqu'inimigo alonga
Seus membros encadeado ao lago ardente,
Donde nunca teria erguido a fronte
Se do grão Deus a permissão suprema
Lhe não desse azo aos infernais desígnios
Para que, à força de contínuas culpas,
Toda a condenação a si chamasse
Enquanto males para os outros busca;
Para que, ardendo em raiva, percebesse

Como sua malícia inteira e astuta
Servia só a patentear do Eterno
A bondade, o favor, o amparo imensos,
Vistos no homem que pérfida enganara,
E no seu próprio coração maldito
Ira, vingança, confusão tresdobres.

Logo a monstruosa corpulência eleva
Vertical sobre o lago; as fluidas chamas,
Lançadas para trás, eis que se inclinam
Em agudos debruns de novo ao centro,
E desabando encapeladas formam
Um vale, todo horror. Abrindo as asas
Dirige para cima um leve voo,
Equilibrado em ferrugíneos ares
Que sob o peso não usual gemeram;
Depois se foi pousar na seca terra,
Se era terra o que ardia em duro fogo
Como ardia a lagoa em fogo fluido.

Neste comenos se afigura o monstro
Penedo enorme que tufões subtérreos
Expelem do Peloro derrocado
Ou do horríssono bojo do Etna em fúrias,
Cujas entranhas, que abrasadas dentro
Té'li ferviam em cachões de fogo,
Erguem-se agora de tufões pungidas
Furibunda explosão jogando aos ares,
Crestando largo espaço que povoam
De mefítico cheiro e negro fumo;
Tais os malditos pés ali pousaram!

Seu imediato sócio logo o segue,
Gloriando-se ambos por se verem salvos
Do lago Estígio, como deuses que eram,
Sem permissão do onipotente Nume,
Mas pela própria força recobrada.

"Eis a região, o solo, a estância, o clima,
E o lúgubre crepúsculo por que hoje

Os Céus, a empírea luz, trocado havemos!
(O perdido anjo diz). Troque-se embora,
Já que esse, que ficou dos Céus monarca,
O que bem lhe aprouver mandar-nos pode.
É-nos melhor estar mui longe dele:
Se a sublime razão a nós o iguala,
Suprema força o põe de nós acima.

Adeus, felizes campos, onde mora
Nunca interrupta paz, júbilo eterno!
Salve, perene horror! Inferno, salve!
Recebe o novo rei cujo intelecto
Mudar não podem tempos, nem lugares;
Nesse intelecto seu, todo ele existe;
Nesse intelecto seu, ele até pode
Do Inferno Céu fazer, do Céu Inferno.

Que importa onde eu esteja, se eu o mesmo
Sempre serei, — e quanto posso, tudo?...
Tudo... menos o que é esse que os raios
Mais poderoso do que nós fizeram!
Nós ao menos aqui seremos livres,
Deus o Inferno não fez para invejá-lo;
Não quererá daqui lanar-nos fora:
Poderemos aqui reinar seguros.
Reinar é o alvo da ambição mais nobre,
Inda que seja no profundo Inferno:
Reinar no Inferno preferir nos cumpre
À vileza de ser no Céu escravos.

Mas os amigos nossos, que tão fidos
Nosso hórrido infortúnio partilharam,
Não deixemos assim jazer às tontas
No olvido destas ondas inflamadas;
Chamemo-los dali, não para serem
Nesta mansão conosco desditosos,
Mas para uma vez mais, todos reunidos,
Ver o que recobrar no Céu podemos,
Ou minorar de horror nestes abismos."

Assim falou Satã. E assim lhe torna
O fero Belzebu: "Augusto chefe
Destes vastos exércitos brilhantes
(Que só Deus, mais ninguém, prostrar podia!)
Assim que tua voz eles ouvirem,
(A tua voz que, nas batalhas todas,
Nos mais feridos e arriscados lances,
A seu valor marcou da glória a estrada,
Foi de sua esperança o firme esteio),
Assumirão de pronto um novo brio,
À vida voltarão, posto que jazam
Neste ígneo lago, como nós há pouco,
Atônitos, estáticos, imersos,
Baqueado havendo de tão grande altura."

Disse; e já para a margem segue altivo
O monarca infernal. Do ombro lhe pende
O escudo que enrijou têmpera etérea.
Largo, pesado, orbicular, maciço,
E que assemelha a lua (quando a encara
Pelo óptico instrumento, à prima noite,
Do Fésolo no tope ou no Valdarno,
O hábil Toscano para ver se pode
No maculado globo descobrir-lhe
Novos rios, mais terras, mais montanhas).
Empunha a lança (junto à qual seria
Tênue vara o pinheiro o mais gigante
Que da Noruega em montes é cortado
Para mastro de altiva capitânia),
E nela os passos trabalhosos firma
Por tão ardente chão, mui diferentes
Do que eram percorrendo os Céus cerúleos:
Para abatê-lo mais, concorre o clima
Sobrepondo-lhe abóbada de fogo.

Contudo ele os suporta e às praias chega
Do ígneo mar. Seus angélicos guerreiros
Chama então, que sem tino ali jaziam,

Bastos como do outono as folhas juncam
De Valumbrosa as plácidas ribeiras
(Sobre as quais densa arcada sempre enramam
Da bela Etrúria os altos arvoredos),
Ou qual no Rubro-Mar boia o carriço
Quando Órion lhe fustiga iroso as margens,
Capitaneando os ventos iracundos
(No Rubro-Mar que em si tragou inteira
De Busíris a audaz cavalaria,
Indo com atraiçoado e ardente impulso
De Gássen sobre os fidos viajantes,
Que salvos viram da fronteira praia
Flutuar, presa das ondas, morto o inimigo
E os carros todos seus desmantelados):
Tão bastos por ali jazendo abjetos
Cobriam esse mar, cheios de espanto,
Vendo a mudança hedionda a que chegaram.
    Quando soltou a voz, fez tal estrondo
Que do Orco retumbou no inteiro espaço:
"Ó Príncipes! ó tronos! ó guerreiros!
Vós, flor do Céu — já nosso, e hoje perdido
Se de eternos espíritos se apossa
Tão horrível terror! — acaso tendes,
Depois de tão aspérrimas batalhas,
Escolhido este mar para repouso
De vosso lasso brio, dormitando
Aqui tão ledos, quais dos Céus nos vales?
Ou tendes em postura tão abjeta
Resolvido adorar vosso Tirano
Que, rindo-se, contempla nestas vagas
Querubins, serafins rolando às tontas
De envolta com troféus e inúteis armas,
Té, que vos vejam dos celestes muros
Os satélites seus aqui prostrados,
E ousem, descendo, vir de vós zombando,
Mais para dentro vos calcar do Abismo,
Ou c'os buídos farpões de presos raios,

Deste ígneo golfo vos cravar no fundo?
Despertai, levantai-vos, companheiros,
Ou ficai para sempre aqui submersos!"

Ouvem-no e coram: logo sobre as asas
Vai-se erguendo cada um, qual sentinela
Que apanhada a dormir por duro cabo
Logo insta pressurosa em pôr-se alerta.
Conhecedores de seu triste estado,
Em que as mais sevas penas têm curtido,
Cumprem do chefe o mando, inumeráveis.
Quando no dia mau da Egípcia terra
De Arão o filho, em torno às ímpias praias,
Vibrou a vara portentosa e trouxe
Dos gafanhotos a terrível nuvem
Que, sobre os ventos orientais arfando,
A pairar veio, semelhante à noite,
Do tredo Faraó sobre os domínios,
E do Nilo as regiões cobriu de trevas, —
Tão sem conto os maus anjos eram vistos
Sob a cúpula do Orco arfar pairando;
Fogo os abrange nos sentidos todos.

Eis que o sultão do Inferno lhes indica,
Por um sinal de lança, o trilho próprio,
Pelo qual em tranquilo voo descem,
E sobre o chão de enxofre ardente pousam
Cobrindo essa planície em tal quantia,
Qual nunca deu o populoso Norte
Quando seus filhos bárbaros, transpondo
Do Danúbio e do Reno as níveas águas,
Todo o Sul inundaram, qual dilúvio,
Do Calpe além, do Atlante até às faldas.

Dos bandos, das legiões cabos e chefes
Vêm receber do general as ordens;
Semelhantes a deuses na figura,
Muito excediam a estatura humana;
No Céu primeiras dignidades foram,
Ali em tronos nítidos sentadas,

Posto que hoje o registro de seus nomes
Nos celestes arquivos se não ache,
Que dos livros da vida a traição negra
Fez que apagados para sempre fossem.
Inda entre os filhos de Eva eles não tinham
Novos nomes obtido, até que no orbe,
Por concessão de Deus, vagando infrenes
Para tentar os míseros humanos,
Puderam com mentiras, com embustes,
Corromper deles a maior quantia
Para deixarem Deus (que o ser lhes dera)
Tachando de não vista a sua glória,
E para preferir-lhe imagens brutas
Que de púrpura e de ouro se adornaram.
No gentilismo assim se conheceram
Por vários nomes e ídolos diversos
Os anjos maus; e assim os mesmos homens
Lhes deram culto que a seu Deus negaram.

Como então se chamavam dize, ó Musa;
Por que ordem, do grão rei ao fero brado,
Se ergueram do torpor desse ígneo leito;
Quais os de mais valor que prontos logo,
Um após outro, vieram onde o chefe,
Na praia nua estava, enquanto ao longe
Inda confusa a multidão boiava.
Eram tais cabos os que, do imo inferno
Indo de sua presa em busca no orbe,
Se atreveram fixar por soma de evos
Os templos seus do Eterno junto aos templos,
Suas aras contíguas dele às aras,
Sendo adorados como grandes numes
Por imensas nações, e mesmo ousaram
Raios lanar de Sião, quais Deus soía
De querubins cercando-se no trono.
No divinal santuário, muitas vezes,
Suas relíquias torpes colocaram:

Com ímpias cerimônias poluíram
Os sacros ritos, as solenes pompas,
E conseguiram insultar, malignos,
A luz empírea com as trevas do Orco.
    Moloch adiante vem, monarca fero,
Tinto de humanas vítimas no sangue,
Nunca farto de lágrimas maternas,
Posto que — dos tambores, dos adufes
C'o turbulento estrondo, — não se ouvissem
Os gritos das misérrimas crianças
Arrojadas (oh! dor!) às labaredas
Em honra do seu ídolo iracundo!
O Amonita cruel o adora em Raba
E em seu longo distrito aquoso e plano,
Em Basã, em Argobe, até às fontes
Donde o longínquo Arnon se forma e mana.
Cioso por ver de Deus o altar vizinho,
Com fraudulenta sedução pôde ele
De Salomão levar o peito egrégio
(Salomão o mais sábio dentre os homens)
A edificar-lhe um majestoso templo
Na montanha do Opróbrio, bem defronte
Do Templo do grão Deus, e a consagrar-lhe,
Como parque, de Hinon o vale ameno
Que ficou, desde então, sob o atro nome
De Tofet e Geena, emblema do Orco.
    Segue-o Camos: de Moab a impura estirpe
Obsceno acatamento lhe tributa
Desde Aroar até Nebo, e mesmo alcança
Do distante Abarim o austral deserto:
Em Hesebon e Horonaím sujeitos
De Seon às leis, jazendo além das várzeas
Da florescente, pampinosa Sibma;
De Eléale até às águas do Asfaltite.
Pelo nome de Pior foi adorado
Quando, em Sitim, de Deus o povo eleito,
Que das margens do Nilo se afastava,

Instiga a dar-lhe desonestos cultos
E o mete assim num pélago de males.
Suas lascivas orgias inda estende
Até ao monte do Escândalo que fica
De Moloch homicida junto ao parque;
Eis da fereza próxima a luxúria!
Vagou assim até que no astro Inferno
O virtuoso Josias o sepulta.

Com estes vêm os que por nome tinham
Baalim e Astarote: o seu império
Era dos lagos junto ao velho Eufrates
Té ao rio que é meta à Síria e Egito.
Estes têm fêmeo o sexo, aqueles o outro:
Os espíritos podem, quando querem,
Um dos sexos tomar, e ambos num tempo;
A essência que os compõe presta-se a tudo,
Tão pura e simples é, tão branda e dócil!
Qual do gênero humano a inerte carne,
Não a estorvam nem membros, nem junturas,
Nem dos ossos o esteio quebradio;
Mas para a forma, que a seu gosto escolhem,
Crescem, mínguam, fulguram, escurecem,
Seus rápidos desígnios executam,
Já de ódio ultimam, já de amor os actos.
Por estes de Israel a miúdo a prole
Do seu altar sagrado se deslembra,
Curvando-se humilhada a deuses brutos;
Nas batalhas assim suas cabeças,
Como vis, se abateram derrotadas
Por lanças de inimigos vergonhosos.

Com estes, tendo em torno larga turma,
Vem Astorete a que os Fenícios chamam
Astarte, que se diz do Céu rainha,
Toucada de hástias lúcidas, curvadas,
A cuja imagem as sidônias virgens
Cantos e votos dão no albor da lua;
Em Sião também se acata, onde alto templo

Na montanha do Escândalo possui
Edificado pelo rei lascivo
Que, ilustre em tudo o mais, só nisto falho,
Por idólatras belas iludido
Prostrou-se diante de ídolos imundos.
    Chega Tamuz depois: anual ferida
Em Lebanon ostenta, e assim atrai
As virgens sírias a chorar-lhe a morte
Em cantigas de amor um dia estivo,
Enquanto as águas do tranquilo Adônis
De seu natal rochedo ao mar purpúreas
Vão correndo, tingidas (como é crença)
Pelo sangue que verte da ferida
Todos os anos o ídolo falsário.
Este amoroso canto o ardor ateia
De Sião nas filhas (cujos vícios torpes
Viu Ezequiel dos templos nos alpendres,
Quando, pela visão de todo abertos
Seus castos olhos, de Judá insana
Presenciaram a negra idolatria).
    Segue-se outro, que em lágrimas se banha
Quando a arca prisioneira lhe espedaça
A imagem bruta do seu próprio templo:
Por terra ei-la de bruços, mãos e fronte
Rolando para longe decepadas!
Os seus adoradores envergonha:
Dagon por nome tem; monstro marinho,
Homem do cinto acima, o resto é peixe.
Possui inda em Azoth um templo altivo;
Gath e Ascalon, da Palestina as praias,
Acaron e de Gaza os fins fronteiros,
A tímida cerviz ante ele curvam.
    Após este, Rimon se lhe apresenta:
Ofertou-lhe morada deliciosa
Damasco bela, que orna as férteis margens
Onde as límpidas ondas se espreguiçam
Que do Abana e Farfar vertem as urnas.

Muito insultou de Deus os templos sacros;
Uma vez perde um servidor leproso
Que recupera c'um monarca bronco,
Aaz, que há pouco conquistado o havia,
E faz que ele derroque o altar do Eterno
E outro construa ali de sírio modo,
Onde queimou ofertas execrandas,
E deuses adorou que escravizara.

Logo aparece a multidão imensa
Que ao fanático Egito ilude tanto
Com feias caras, com feitiços rudes,
E induz seus sacerdotes a buscarem
Seus vagabundos deuses revestidos
De forma bruta e não de humana forma:
Osíris, Ísis, e Hórus a precedem,
Nomes que muito entoa a prisca fama.
Não se isenta Israel do influxo deles,
Quando o ouro seu franqueou para fundir-se
No alto do Orebe o estúpido bezerro;
E o monarca rebelde inda duplica
Em Betel, logo em Dã, esse atentado,
Cultos negando ao Criador do Empíreo
Para dá-los ao boi que pasta e muge:
Mas Jeová, o Egito atravessando,
Matou, numa só noite e num só golpe,
Todos os primogênitos viventes
E todos esses deuses mugidores.

De todos foi Belial o derradeiro:
Espírito nenhum mais torpe que ele
Dos altos Céus caiu no fundo do Orco,
Nem mais grosseiro para amar o vício
Só por ser vício. Em honra desse monstro
Não se erguem templos, nem altares fumam;
Porém, com refinada hipocrisia,
É quem templos e altares mais frequenta
Chegando a ser ateus os sacerdotes,
Bem como de Heli sucedeu aos filhos

Que de Deus os alcáçares encheram
De atroz fereza, de brutal lascívia!
Reina ele pelas cortes, nos palácios,
E nas cidades onde os vícios moram,
Onde a devassidão, a infâmia, o ultraje,
Sobem por cima das mais altas torres.
Ali, assim que tolda a noite as ruas,
Os filhos de Belial nelas divagam
Pela insolência e pelo vinho insanos:
Testemunhas as ruas de Sodoma
E a noite em Gabaá quando a virtude,
Por amparar os hóspedes, decide
Dar às torpezas a infeliz matrona,
Para evitar mais feios atentados!

Eis, na apresentação do poderio,
Os primeiros de todos. Quanto ao resto,
Tão noto no orbe, a história extensa fora,
Qual a dos jônios numes — confessados,
Como tais, de Javã pela progênie,
Posto que mais recentes os aclama
Que Céu e Terra de que os crê nascidos.
Foi Titã que do Céu nasceu primeiro,
E descendência enorme dele parte;
Porém Saturno, seu irmão mais novo,
Da primogenitura o desapossa:
E Jove, de Saturno e Reia filho,
Fez-lhe violência tal por ser mais forte.
É como usurpador que Jove impera.
(Foi conhecido e sua imensa prole
Primeiro em Creta e no Ida, e logo invade
Os frios cumes do nivoso Olimpo,
O délfico rochedo a ampla Dodona
E da dórica terra o longo espaço,
Donde a média região, partilha sua,
Que encerra os altos Céus, rege e domina).
O ancião Saturno e os seus fugiram todos,
Atravessando do Ádria as torvas ondas,

Para os campos da Hespéria, e se espalharam
Na plaga Celta e nas remotas ilhas.

Já toda a multidão as praias enche:
Nos macerados, abatidos olhos
Inda mostram uns longes de alegria,
Vendo que o chefe seu não desespera,
E que eles mesmos não estão perdidos
Dentro da própria perdição imersos.

Em seu porte Satã descobre indícios
De dúvida e receio, mas ostenta
Sua soberba usual; e, em frase altiva,
De brio tendo a cor e não a essência,
Com garbo ateia seu valor mortiço,
E os temores dos sócios afugenta.
Ordena logo que ao guerreiro toque
De ruidosos clarins, de feras tubas,
Seja erguido seu válido estandarte:
Por jus antigo tão soberbas honras
Azael pede, serafim gigante,
Que pronto da hástia refulgente solta,
Ao mavórcio clangor do cavo bronze,
A bandeira imperial que no ar subida,
Qual meteoro que os ventos arrebatam,
Brilhou c'o lustre do ouro e ínclitas gemas,
Com troféus, com seráficas divisas.

E ao mesmo passo o exército levanta
Um aplauso estrondoso que enche os ares,
Penetra o fundo Inferno, e vai dar sustos
Ao Caos tenebroso, à Noite antiga.
Num momento, através dos fuscos ares,
Dez mil bandeiras tremular se viram
Fazendo fulgurar do oriente as cores;
E floresta vastíssima de lanças,
Bastos escudos, apinhados elmos
Apareceram num maciço corpo
Que ostenta profundez imensurável.

Em perfeita falange lá se move,

Ao dório som dos pífanos, das flautas,
O exército infernal. (Assim se ergueram
Às alturas do brio o mais ilustre
Os antigos heróis, indo às pelejas;
Assumiam assim, em vez de raiva,
Meditado valor, firme, inconcusso,
Que por igual detesta e repudia
Da morte o medo, a vergonhosa fuga.
Tinha este som, por variações solenes,
O poder de induzir serenidade
Nas torrentes de ideias impetuosas,
E de expulsar a dor, tristeza e medo,
A aflição torva, a dúvida terrível,
Dos corações dos homens e dos Numes).
Deste modo os espíritos do Averno,
Possuindo força, união e plano fixo,
Marcham em ordem no maior silêncio,
Ao som das brandas flautas que mitigam
No chão ardente os passos dolorosos.
    Eis fazem alto: o exército apresenta
Hórrida frente de extensão medonha,
E despede das armas luz maligna;
Tais os guerreiros dos antigos tempos,
Tendo em ordem as lanças e os escudos,
Aguardavam a voz do ínclito chefe.
    Satã, pelas fileiras em parada,
Lança os previstos olhos; logo abrange
Os batalhões do exército quais eram,
Disposição, fisionomias, portes,
Estaturas parelhas coas dos Numes;
E por fim todo o número lhes conta.
Então, enchendo o coração de orgulho,
Por ser tão poderoso se gloria;
E por certo, depois de feito o Mundo,
Nenhum corpo se uniu que merecesse
Com este comparar-se, nem juntando
Todos os que houve nos diversos tempos.

A infantaria dos Pigmeus que em Trócia
Com os grous sustentou renhida guerra;
A inumerável prole dos Gigantes
Que em Flegra aos altos Numes se arrojaram;
Os ilustres heróis que pró e contra
Em Tebas e em Dardânia combateram,
Juntos os Deuses partidários de ambos;
De Bretanha e de Armórica os valentes
Que no conto de Arthur figuram tanto;
Os campeões, quer infiéis, quer batizados
Que talaram os campos de Aspramonte,
De Trebizonda, Montalbán, Marrocos;
Os que do afro país mandou Bizerta,
Lá quando Carlos Magno e os pares todos
Em Fontarábia a perdição acharam:
Desses todos, num corpo assim reunidos,
Fora o cêntuplo o exército infernal.

Em muito maior grau sendo esforçados
Do que quantos mortais podem supor-se,
Obedecem contudo ao torvo chefe
Que acima deles todos se sublima,
Soberbo em forma, em atitude, em porte,
Igual de torre às casas iminente.

Do brilho original inda conserva
Boa porção, — nem menos parecia
Do que um arcanjo a que somente falta
De sua glória o resplendor mais vivo
(Tal é o sol nascente, quando surge
Por cima do horizonte nebuloso,
De sua coma fúlgido privado;
Ou quando posto por detrás da lua,
E envolto no pavor de escuro eclipse,
Desastroso crepúsculo derrama
Pela metade do orbe, e os reis consterna
Em seu poder temendo algum desfalque).
Obscurecido, mesmo assim fulgura
Mais que os outros arcanjos, seus consócios;

Mas dos raios profundas cicatrizes
Aram-lhe o rosto macerado, aonde
Mil cuidados contínuos se aposentam
Sob o ouropel de intrépida coragem,
De ultriz tenão, de refletido orgulho.
Tem os olhos cruéis; mas dão indícios
De paixão, de remorso, quando observam
Os seus sectários (de seu crime os sócios,
Vistos no Empíreo tantas vezes antes,
Agora para sempre condenados
A ter quinhão na decretada pena),
Quando observam do Céu, do eterno gozo
Tanto milhão de espíritos expulsos
Pela revolta em que os meteu insano,
E que inda assim fidelidade ostentam
Vendo-lhe a glória murcha, — quais se mostram
Na selva o roble, na montanha o pinho,
Depois que os estragou do Céu o lume,
Crestada a rama inteira, mas erguidos
Com toda a corpulência nua e enorme
Muito por cima das queimadas urzes!
Eis se apresta a falar: em roda dele
Ladeado de seus pares, se recurvam
Do exército, em fileiras dobres posto,
As alas ambas que a atenção faz mudas.
Tenta o discurso começar três vezes;
Três vezes, todo irado de vergonha,
Para, — e em torrentes lhe rebenta o pranto
(Mas do que os anjos derramar costumam),
Té que por fim, cortadas de suspiros,
Podem romper caminho estas palavras:

"Coluna imensa de imortais poderes!
Espíritos, que sois incomparáveis
Menos a par do Altíssimo! A batalha
Que lhe hemos dado não nos foi inglória,
Inda que perda horrível nos arrasa,

Como estes sítios lúgubres atestam
E esta mudança que só dita enraiva.
Mas... que mental vigor, que altiva ciência,
O presente e o passado combinando
Co'os presságios incertos do futuro,
Temer podia que tamanha força
De Numes imortais composta e unida,
Como a que estamos vendo aqui agora,
Havia ser de estragos susceptível?
E quem pode inda crer que estas falanges,
De valentia tal, de tanto vulto
Que sua falta fez no Céu vazios,
Recusaram, depois mesmo da queda,
Subir de novo e conquistar a posse
Dos pátrios reinos, doação dos fados?
Quanto a mim, digam as celestes hostes
Se riscos, se outras táticas mostraram
Que jamais eu perdesse esta esperança.
O monarca dos Céus té'li sentado
No trono seu, unicamente firme
Por consenso, por fama, por costume,
Sim nos mostrava sua imensa pompa,
Mas suas forças ocultou-nos sempre:
Deste modo incitou a empresa nossa
E a queda nos urdiu. De agora em diante
A sua e a nossa força conhecemos;
Que provocar a guerra nos não cumpre,
Nem temê-la, uma vez que a provocarmos.
Nosso melhor recurso hoje consiste
Em formar, no segredo o mais severo,
De enganos e de ardis um firme plano,
Já que efeituá-lo não é dado à força.
O tirano por fim de nós aprenda
Que vencer só por fora um inimigo
É somente vencê-lo por metade.
Podem nascer no espaço novos mundos;
E corria nos Céus notória fama

Que ele um ia criar ali em breve,
Onde poria geração ditosa,
A quem daria, com prazer ingente,
Favor qual o que obtêm do Céu os filhos,
Sobre esse Mundo, para vê-lo ao menos.
A primeira irrupção julgo precisa,
Ou noutro rumo; o tudo é pô-la em obra,
Que aos infernais abismos não é dado
Deter na escravidão entes celestes,
Nem muito tempo em trevas obumbrá-los.
Mas estes ponderosos pensamentos
Numa plena assembleia se discutam,
Nada de paz! e quem se atreveria
Pensar em submeter-se? Guerra, guerra,
Seja por força aberta ou trama oculta!

Disse. Em apoio do que ao chefe ouviram,
Todos os querubins rápido arrancam
Das bainhas milhões de ígneas espadas,
Que iluminam do Inferno ao largo os reinos
Co'o súbito fulgor delas partido:
Altas imprecações vibram raivosos
Contra Deus; e, com as armas empunhadas
Batendo feros nos escudos, tocam
O rebate estrondoso das batalhas,
E impelem insolente desafio
Do Céu contra as abóbadas brilhantes.

Perto dali se erguia uma alta serra,
Cujo medonho tope vomitava
Rolos de fumo e borbotões de fogo;
Luzente crusta revestia o resto,
Firme sinal de que no bojo tinha
Virgens metais que produzira o enxofre.

Eis dela em direção voa ligeira
Uma brigada forte; guarnecidos
De pás, de picaretas, de machados,
Tais o grosso do exército precedem

Os corpos de pioneiros, tendo a cargo
Campos fortificar, erguer redutos.
Tem por chefe a Mamon: de quantos anjos
Expele o Céu, o menos nobre é este,
Porque seus olhos sempre e a mente sua,
No chão atentos, mais prazer achavam
Dos Céus no pavimento todo de ouro
(Porém aos pés dos querubins pisado),
Do que no mais augusto dos mistérios
Pela visão beatífica provados.
(Por seu ensino e sugestão foi ele
O que primeiro habilitou os homens
A esquadrinharem da mãe Terra o centro.
E a lhe rasgarem impios as entranhas,
Por obterem tesouros que a virtude
Quisera que inda ali ocultos fossem.)

Em breve tantas mãos aberto haviam
Com ferida espaçosa a grande serra
E de ouro rudes massas extraído.
Ninguém admire que as riquezas nasçam
No Orco profundo: só podiam no Orco
Brotar venenos que fingissem néctar!
Os que das obras dos mortais se espantam,
E de Babel as maravilhas narram
Ou as empresas reais da Egípcia terra,
Aprendam, observando o Inferno agora,
Que todos os mundanos monumentos
(De fora e de arte célebres prodígios,
Em que empregaram séculos os homens,
Inumeráveis mãos, perene lida)
Pelos demônios excedidos foram,
Mui facilmente, num espaço de hora.
Logo ali na planície outra falange,
Vários cadinhos preparados havendo
Sobre torrentes ígneas que do lago
Encaminhara ali, perita funde

As brutas massas dos metais, e logo
De todas as escórias os apura,
E também uns dos outros os separa
De terceira falange o tino, há pouco,
Vários moldes no chão formado havia,
E dos rubros cadinhos vaza agora
Os luzentes metais que vão correndo
De teor estranho, até que se insinuam
Nos vácuos todos e ângulos mais tênues:
Pelo fole impelidas vão destarte
As ondas do ar, que elásticas penetram
Num órgão toda a sorte de canudos.
Logo a compasso de um concerto insigne
De suave instrumental, de magas vozes,
Uma fábrica imensa sobre a terra,
Em ar de exalação, eis vai surgindo;
E fica em breve um templo majestoso
Rodeado de pilastras, que sustentam
Vasta série de dóricas colunas
Com arquitrave de ouro guarnecidas;
De relevos magníficos se adorna
Da cornija e do friso o brilho ingente;
É todo o teto de ouro cinzelado;
E o suntuoso edifício, altivo, imenso,
Tem fixa a base em rocha de diamante.
(Nunca o Grão-Cairo, Babilônia nunca
Tal riqueza, tal pompa, tal grandeza
Puderam igualar nos altos templos
Dos pátrios deuses seus, Belo e Serápis,
Nem de seus reis nos paços estupendos
Quando um mais que outro na riqueza e luxo
A Assíria, o Egito, se julgavam ambos.)
Eis se abrem, par em par, as brônzeas portas:
Lá dentro espaço amplíssimo se avista
Sobre o polido e plano pavimento.
Da cúpula lustrosa penduradas
Por magia sutil descem brilhantes

Em fileiras diversas, como estrelas,
Candelabros e lâmpadas fornidas
De asfalto e nafta que de si produzem
Luz semelhante à que dos Céus se espalha.
    Rápida a multidão entra e se espanta:
Estes aplaudem os primores da obra;
Aqueles, a perícia do arquiteto,
Conhecido nos Céus por ter formado
Torreadas construções, altas, diversas,
Onde arcanjos ceptrígeros residem
Sentados como príncipes em tronos,
Tão exaltados pelo Rei supremo
A fim de seus distritos governarem,
Cada um conforme a jerarquia sua.
    Muito falado foi e teve altares
Na Grécia antiga, pela inteira Ausonia:
Múlciber se chamou. E dele narram
As fábulas que foi dos Céus expulso,
Sendo atirado pelo iroso Jove
Por cima das muralhas cristalinas
De um remessão, — e que a cair esteve
De um dia estivo pelo inteiro espaço.
Té que ao sol posto, despenhado a prumo
Como vagante estrela, em Lemnos para.
Mas foi tal crença errônea, que muito antes
Com seus sócios revéis fora ele expulso,
Sem que lhe aproveitasse haver no Empíreo
Soberbíssimas torres fabricado,
E no infortúnio nem valer-lhe pôde
Tudo que tinha em si de engenho e de arte.
Lá foi arremessado de cabeça
Com todo o bando seu, fértil de indústrias,
Para erguer torres no profundo Inferno.
    Os arautos alígeros no entanto,
Cumprindo as ordens do infernal monarca,
Ao som pregoam de canoras tubas,
E em préstito pomposo, um grão conselho

Que logo deve em Pandemônio unir-se,
Paços imensos do tirano do Orco.
De cada jerarquia os mais distintos,
Ou por seus graus ou porque o rei os ama,
O chamamento designava, e logo
De numerosas turbas vêm ladeados.
Estão cheias de todo as avenidas,
Os átrios cheios; mas a régia sala
(Inda que em vastidão qual campo aberto
Onde os campeões valentes, cavalgando
Corcéis airosos, desafiar costumam,
Do Soldão junto ao trono, os mais nomeados
Dos cavaleiros que Mafoma adoram,
A mortais golpes, ou quebrar as lanças),
A régia sala espessamente ferve
Dos querubins co'os réprobos enxames
Que, pelo solo e no âmbito esparzidos,
Das asas co'o estridor no éter sussurram.
As abelhas assim na primavera,
Quando em Tauro entra o Sol, tanto se agitam,
Das colmeias lançando fora aos bandos
Inteira a populosa juventude:
Em diversos sentidos ora voam
Entre flores que enfeitam o fresco orvalho;
Ora passeiam na polida prancha,
Subúrbio da colmada cidadela,
Perfumada de fresca manjerona,
De seu governo os planos conferindo.
Exatamente assim tão bastos eram
Os Espíritos maus na sala voando.
Eis ao dado sinal (que maravilha!)
Eles, — que até então no vulto excedem
Os enormes Titãs, da Terra filhos, —
Agora decrescendo se reduzem
Ao só tamanho dos anões mais tênues,
Cabendo deste modo inumeráveis
Em pouco amplo circuito: tão pequenos

Se dizem os Pigmeus na plaga Indiana,
Ou os duendes que o crédulo campônio,
Por fora na alta noite demorado,
Vê ou crê ver à beira do caminho,
Em selva umbrosa ou junto à fresca fonte,
Retouçar em galhofas prazenteiras,
Enquanto a Lua, próximo da Terra
Levando o coche seu de albor macio,
Eminente preside a seus folguedos
Compassados por música mimosa
Que, ao campônio os ouvidos encantando,
De gosto e susto o coração lhe abala.
　　Deste modo os espíritos do Averno
Sua imensa estatura reduziram
A tênue vulto, — e à larga se acomodam,
Sendo sem conto, no salão da cúria.
　　Mais além, alta câmara formando,
Da multidão por teia separados,
Os pares infernais, subidos tronos,
Em número de mil, no teor de numes,
Conservando dos vultos a grandeza,
Ali se assentam em cadeiras de ouro.

　　Depois de algum silêncio, houve a leitura
Do decreto que ali ajunta as cortes;
E logo o alto conselho principia.

ARGUMENTO DO CANTO II

Começa o conselho. Satã propõe que se questione como se há de combater para recobrar o Céu. Uns querem guerra, outros a dissuadem. Prefere-se terceira proposta, mencionada antes por Satã, consistindo em indagar se era verdadeira a profecia ou tradição do Céu que se referia a um novo mundo e a uma nova sorte de criaturas (iguais ou não muito inferiores aos anjos, e que por esse tempo já deviam ter sido criadas). Duvidam sobre quem seria mandado a tão árdua empresa. Satã, chefe dos demônios, toma sobre si só a viagem, e recebe por isso honras e aplausos. O conselho finda assim: cada qual segue o caminho ou se emprega conforme sua particular inclinação para entreter-se até a volta de Satã. Prossegue ele a sua viagem em direção às portas do Inferno que acha fechadas e guardadas por dois fantasmas (que eram o Pecado e a Morte), os quais finalmente lhas abrem e mostram o grande abismo posto entre o Inferno e o Céu. Dificuldades que vence dirigido pelo Caos (que reina sobre estas regiões), até que dá vista do novo mundo que procura.

CANTO II

Num alto sólio que em fulgor excede
Do Ganges, do Indo, as pedrarias, o ouro,
Com que o faustoso Oriente, em luxo altivo,
Adorna seus esplêndidos monarcas,
Com toda a pompa real Satã se assenta,
Por sua criminosa heroicidade
Colocado em tão hórrida eminência.
Por desesperação tendo subido
Muito inda além das metas da esperança,
Muito inda além por ambição se arroja
Contra os Céus prosseguindo a inútil guerra;
E nada lhe ensinando os seus desastres,
Ostenta assim da fantasia o orgulho.

"Potestades do Céu, domínios, tronos,
Se em seu golfo sem fundo o mesmo Abismo
Nosso imortal vigor, posto que opresso,
Segundo vedes embargar não pode,
Não julgo para nós o Céu perdido.
Virtudes celestiais que se alevantam
De queda tão tremenda mais gloriosas,
Mais fortes, mais terríveis que antes dela,
Não mais têm que tremer de outra derrota
Confiando em sua inata valentia.
Eu que por fixas leis, justia eterna,
O vosso chefe sou des que existimos,
Também me honro do jus a tal grandeza
Por vossa livre escolha conferido,
E do que nos conselhos, nas batalhas,
Meu mérito prestante me granjeia.
Até por fim os infortúnios nossos,
Em grande parte reparados hoje,
Nesta suprema altura mais me firmam
Pois que num sólio estou da inveja a salvo.
Possuindo alto poder, honras, delícias,
Pode invejado ser dos Céus o trono;
Mas quem no Inferno invejar tal sítio
Que mais erguido, qual baluarte vosso,
Mais do Deus vingador se expõe aos raios
E a ter maior quinhão na infinda pena?
Onde bens faltam, que ambição provoquem,
Não há de que temer a rebeldia:
Ninguém põe mira na realeza do Orco,
Nem ambicioso quer que mais avulte
A pena atual que diminuta sofre.
Fortes desta vantagem, procuremos
Com mais acordo e união, com mais lealdade
Do que vimos no Céu, ganhar de novo
De nossa herança justa o ancião domínio,
Mais certos do sucesso afortunado
Do que se ele viesse da fortuna.

Versa o debate sobre qual dos modos
Convém, se guerra aberta ou trama oculta.
Falai, exponde os pareceres vossos."

Disse. Moloch se ergueu logo após ele.
Este ígneo serafim, que um cetro empunha,
É de quantos no Empíreo combateram
O de maior fereza e valentia;
A desesperação mais fero o torna.
Com terrível jactância presumira
Ser tido em forças por igual do Eterno,
E, a ser-lhe menos, antepunha a morte;
Mas formal desengano agora o livra
Da colisão que assim o amedrontara.
Despreza os raios, o Orco, o Abismo, o Eterno,
E rompe em tais palavras furibundo:

"Meu parecer consiste em guerra aberta.
Eu não blasono de perito em tramas:
Quem delas precisar, embora as urda;
Sempre as detesto e muito mais agora.
Que? milhões de anjos, empunhando as armas,
Esperar deverão, do Céu os trânsfugas,
Que em vil descanso as tramas se combinem
E que a seu tempo se efetue o assalto?
Que?! Deverão sofrer o encerro infame
Desta hórrida masmorra tenebrosa,
Onde os retém soberbo o seu tirano
Que reina em paz por nossa cobardia?
Não, não! Brandindo fogo e fúrias do Orco,
De uma vez atiremo-nos em massa
A derrocar do Empíreo as altas torres,
E abrindo larga estrada, irresistíveis,
Fazer ousemos dos tormentos nossos
Contra seu fero autor terríveis armas!
Quando de seu alcáçar prepotente
Trovões dispare, simultâneo escute

Dos trovões infernais o rudo estrondo,
E veja, dos relâmpagos em frente,
Com raiva igual lançando entre seus anjos
De negras flamas hórrido dilúvio,
E até seu estranho trono imerso
Em fogo e fumo de tartáreo enxofre:
Destarte restituamos-lhe os tormentos
Que o gênio seu nos inventou sublime.
Crer-se-á talvez difícil a escalada,
Com perpendicular férvido voo,
De altura tanta, alcantilada a prumo,
Guarnecida por válido inimigo:
Mas atentemos, se as bebidas águas
No turvo lago do torpente olvido
Nosso imortal vigor inda não tolhem, —
Que devemos subir com próprio impulso
Para nosso natal etéreo assento;
Descer, cair, repugna à essência nossa.
Quando o fero inimigo, debruçado
Da alta margem do Céu sobre o amplo Abismo,
Nosso exército imenso fulminava
Do Caos através té do Orco às portas,
Qual de nós não sentiu que, indo descendo
Por impulsões violentas compelido,
Natural resistência lhes opunha?
Para nós logo eis fácil a subida.
Também talvez se tema êxito infausto:
Mas... demos que por nossa valentia
O atroz imigo, que nos vence em forças,
Outra vez altamente provocado,
Achava em seu furor pior astúcia
Para levar a extremo o nosso estrago,
Se a pode haver pior que as penas do Orco;
Que estrago mais violento do que, expulsos
Do Céu, votados a total desdita,
Habitar nesta lúgubre masmorra,
Sem esperança tendo e sem recurso

De inextinguível fogo a pena infinda,
E ouvir, de seu feroz capricho escravos,
Assim que troam do tormento as horas,
O doloroso látego implacável
Chamar-nos à terrível penitência?!
Se passa o estrago a mais, certo de todo
Seremos consumidos, morreremos.
Então que mais receamos? quem nos obsta
Seu furor compelir ao grau mais alto?
Da raiva ardendo nas mais fortes chamas,
Se conseguir a todos arrasar-nos
A nada reduzindo a essência nossa,
Condição mais feliz alcançaremos
Do que eterno viver à dor votado:
E se esta nossa divinal substância
Não é decerto súdita da morte,
Atuais sentimos as maiores penas
Que possíveis estão aquém do nada.
Bem entendestes que asselei com provas
Termos forças por cálculo, bastantes
Para o Céu perturbar com dura guerra,
E com perpétuas incursões dar sustos
De Deus ao trono, posto que inacesso:
E se não conseguirmos a vitória,
Pelo menos vingança tomaremos."

Disse; e de todo a catadura franze.
Seu porte e olhar ameaçam furibundos
Cega vingança, guerra de extermínio
A qualquer outro que não fosse o Eterno.
Eis Belial do outro lado se levanta,
O anjo mais belo que perdeu o Empíreo;
Todo era graças, era grados todo.
Tal dignidade ostenta no semblante
Que só rasgos de heroísmo em si inculca;
Era em tudo porém frívolo e falso.
A sua voz, de que o maná goteja,

Tantos encantos tem, tanto arrebata
Que mostra puras as razões mais torpes,
E torna embaraçados e perplexos
Os mais previstos e maduros planos:
Com perspicácia suma induz ao vício,
Ante as altas ações afrouxa e treme;
Aos ouvidos apraz quanto ele exprime;
Cobre alma vil com porte de grandeza.
Em persuasivo tom falou destarte:

"Muito instaria pela guerra aberta
(Que em ódio, em sanha, vos não cedo, ó pares!)
Se as mais fortes razões, em que a sustentam,
Eu não as visse por extremo próprias
A provar dessa guerra o desacerto,
E se a conjecturar não conduzissem
Êxito infausto no total da empresa.
O que entre nós mais pode em feitos de armas,
De seus conselhos e valor duvida,
Pois que, contente de vingança inútil,
Seu brio assesta ao desespero, à morte,
Como ao só alvo de tamanho empenho.
Vingança inútil, sim! que armadas hostes
Sempre atalaiam nos celestes muros
E todo o assalto impraticável tornam;
Que em limites do Caos, à voz de Deus,
Inúmeras legiões frequente acampam,
Ou com voo sagaz, imperceptível,
Exploram, batem nos sentidos todos
Da umbrosa noite os espaçosos reinos,
Escarnecendo das surpresas nossas
Mesmo quando pudéssemos à força
Passo abrir, indo do Orco inteiro à testa
Com explosão furiosa sublevado,
E a puríssima luz turvar do Empíreo, —
Inda assim, nosso inimigo onipotente
Assentado em seu trono ficaria

Inabalável, inacesso, intacto,
E, nosso assalto repelindo em breve,
Desnevoaria, vencedor prestante,
De tão grosseiros, desprezíveis fogos,
Sua etérea substância imaculada.
Com tal repulsa as nossas esperanças
Em desespero vão por fim se fundam:
Exasperar nos cumpre um Deus ovante
Que, dos furores seus largando as rédeas,
Nossa existência rábido termine,
Para nós sendo a morte o único anelo.
Que triste anelo! Quem, mesmo pungido
De cruas aflições pelo réduo acúleo,
A vida intelectual perder deseja
E os pensamentos que sublimes voam
Por toda a vastidão da Eternidade?
Quem deseja que morto o engula e esconda
Da incriada Noite o seio imenso, escuro,
E estar latente ali sem fim, sem termo,
Imprestável, imóvel, insensível?
Quem sabe, mesmo a ser um bem a morte,
Se nosso grã contrário enraivecido
Com ela nos brindar ou possa ou queira?
Que possa... é dúbio! que não queira... é certo!
Quer ele, sendo tão previsto e sábio,
Terminar de uma vez sua vingança,
E de inépcia ou fraqueza dando visos,
Aos inimigos seus cumprir o gosto,
Em seu furor com eles acabando,
Se pode em seu furor puni-los sempre?!
Da guerra aberta os partidários clamam
Que aguardar é fraqueza, — e que, votados
Sem dó, sem remissão, à pena eterna,
Impossível ser que mais soframos,
Quaisquer que sejam os distúrbios nossos,
Porque quanto há de pior hoje sofremos.
Sofrer o pior consiste em, muito a salvo,

De armas na mão tramar quais ora estamos?
O pior isto é — quando arrancado voo,
Do Céu fugidos, pávidos trouxemos,
E por dilúvio de fulmíneas farpas
Transpassados, envoltos, perseguidos,
Suplicamos do Inferno o abrigo escuro,
O Inferno parecendo-nos nessa hora
De tão cruéis feridas o refúgio? —
Ou quando nos conteve submergidos
De estuosas flamas o profundo lago?
Então quanto há de pior (certo é) sofremos!
Fora isto o pior se o sopro, que, aturado,
Estes horrendos fogos cria e nutre,
Com setêmplice raiva os agitasse
E em seus feros cachões nos imergisse?
Se do Eterno a vingança, hoje interrupta,
Alçasse, novamente armada, acesa,
A mão fúlmine-rubra em nosso alcance?
Se, a seus inteiros arsenais dando uso,
Abrisse deste firmamento do Orco
Os profundos, flamívomos algares
(Horrores que iminentes nos assustam
Coa torva imagem de propínqua queda),
E enquanto nós aqui nos exortamos
De tão ilustre guerra ao brio, à glória,
Com rápido tufão nos impelisse
Cravando-nos cada um em rocha aguda,
Onde o furor dos desbridados ventos
Ousasse divertir-se em flagelar-nos, —
Ou para sempre em nosso ardente oceano
Sumindo-nos, de algemas carregados,
Onde, sem dó mover, sem pausa ou trégua,
Vivêssemos em ais, sempre pungidos
Por nova dor, por desespero eterno?
Então quanto há de pior nos avexara!
Assim, por voto meu e igual motivo,
Dissuado a guerra aberta e a trama oculta.

Que fora ouse arrostar de Deus a força?
Que astúcia ouse iludir sua prudência,
Ele que em toda a direção abrange
Co'um lanço de olhos o Universo inteiro?
Quantos projetos vãos aqui urdimos
Vê, rindo-se de nós, no Empíreo excelso,
Tão forte em rebater nossos assaltos
Quão sábio em nos baldar ardis e tramas.
Porém (perguntam) nós no Céu nascidos
Viver devemos nesta hedionda furna,
Assim expulsos, vis, atropelados,
Debaixo de grilhões, entre tormentos?
É tudo isto melhor (conforme eu julgo),
Que esses horrores em que o pior consiste:
O destino infalível nos subjuga,
Suprema lei do Vencedor potente.
Para sofrer e combater possuímos
O mesmo brio e valentia a mesma:
Nem semelhante lei tacho de injusta,
Que fixa estava, des que os tempos correm,
A nossa queda se com dúbia audácia
(Oxalá que então fôssemos previstos!)
O poder investíssemos do Eterno.
Move-me a riso ver os valerosos,
Que tão ardidos foram nas batalhas,
Tremerem de pavor, tendo-as perdido,
E com tal cobardia deplorarem
O exílio, o cativeiro, a dor, o opróbrio,
Do vencedor disposições sabidas,
Nossa condenação inevitável.
Talvez, se ousarmos suportá-la humildes,
Nosso inimigo, pelo andar dos tempos,
Seu supremo furor minore, abrande:
Talvez, longe de nós, de nós se esqueça
Se com ofensa nova o não pungirmos,
E, satisfeito das sofridas penas,
Mais não sopre estas flamas irritadas,

Que assim afrouxarão sua fereza.
A essência nossa então, porque é mais pura,
Triunfar de incêndio tão danoso,
E incombustível não ter mais penas;
Ou, gradualmente ao sítio acomodada
Por natureza e têmpera factícias,
Há de habituar-se a clima tão urente,
E hão de nos parecer, com dor mais branda,
Claras as trevas, suportável o Orco
Inda mais: na esperança nos alenta
O giro eterno dos futuros dias,
Que nos pode talvez trazer mudança,
Mudança em que mais meiga aponte a sorte
Dando ares de feliz a nosso estado,
Que certo o pior não é, posto que horrível.
Mas desgraça maior não provoquemos."

Não paz, mas quietação indecorosa,
Aconselha Belial desta maneira:
O ouropel da razão corou-lhe as falas.
Depois dele Mamon assim se exprime:
"Se o partido melhor temos na guerra,
Cremos ou destronar o rei do Empíreo,
Ou recobrar o jus que ele nos rouba.
Esperar destroná-lo poderemos,
Quando o destino indômito, imutável,
Sob o acaso inconstante a fronte curve
Ou for juiz desta luta o antigo Caos.
Fútil dos dois projetos o primeiro
De fútil o segundo denuncia.
Ser-nos grato, dos Céus dentro no espaço,
Que sítio pode, se do altivo trono
O tirano dos Céus não derribamos?
Supondo que ele mitigasse a fúria,
E perdão compassivo a todos desse
Sobre protesto de obediência nova, —
Diante dele com que olhos estaremos

O orgulho seu humildes acatando,
Rígidas leis impostas recebendo,
Hinos trinando de seu sólio em torno,
E à sua vangloriosa Divindade
Descantando forçados aleluias
Enquanto ele, rei nosso aborrecido,
Com soberana pompa está sentado,
Enquanto seu altar recende, brilha,
Da empírea ambrósia co´o perfume e esmalte,
Ofertas vis do servilismo nosso?
Tais devem ser as que no Céu teremos.
Honrosa ocupação, brilhante glória.
Quão tediosa reputo a eternidade
Gasta em dar culto ao ser que se aborrece!
De mão sim demos pois, não prossigamos,
Inacessa à violência, essa alta pompa,
(Essa alta pompa — escravidão contudo
Que nem nos Céus a quer uma alma nobre):
Antes o nosso bem de nós tiremos,
Do que for nosso, para nós vivamos,
Mesmo nesta prisão sejamos livres
Recusando qualquer alheio mando,
E ao fácil jugo de servil grandeza
Prefiramos custosa liberdade.
A mais fulgente glória alcançaremos
Se com tenaz denodo conseguirmos
De poucos meios extrair portentos,
Do mal o bem, da desventura a dita,
Medrar em qualquer parte ao dano expostos,
Maciar as penas com paciência e lida.
Temeis do Abismo a escuridão profunda?
Por que a miúdo o Senhor, que os mundos rege,
Está, sem que se ofusque a sua glória,
Dentro de espessas, tenebrosas nuvens,
E o trono seu em derredor cobrindo,
Com majestosa escuridão se adorna,
Donde trovões profundos rugem, bramam

Parecendo no Céu do Inferno a imagem?
Se pode ele imitar as trevas nossas,
Imitar sua luz nós não podemos?!
Deste deserto nas caudais entranhas
Se esconde o lustre dos diamantes, do ouro;
Nem carecemos nós de indústria e de arte
Para os erguer em máxima opulência:
E que pode ostentar de mais o Empíreo?
Co´o andar dos tempos os tormentos nossos
Decerto hão de servir-nos de elemento;
Há de ficar este pungente fogo
Tão manso, como agora está ferino;
Na sua a nossa essência temperada,
A têmpera há de ser a mesma de ambos.
Então prazer assim na dor teremos.
A conselhos de paz tudo convida
E de ordem fixa ao venturoso estado:
Eis pois a salvação mais ponderosa
Em que estes males serenar nos cumpre,
Visto o que somos e o local que temos.
Não mais falamos guerra: este o meu voto."

Disse. Eis rumor sussurra no congresso
Como quando um minado promontório
Represa o som dos tempestuosos ventos,
Que, em toda a noite o mar tendo empolado,
Por fim embalam com cadência rouca
Dos tresnoitados nautas a pinaça
Na íngreme enseada que lhe deu guarida;
Tal prestado a Mamon se ouviu o aplauso.

Foi grato a todos pela paz votando,
Porque temiam mais que o mesmo Inferno
O renovado estrago das batalhas, —
Com tanto medo os avexavam inda
O alfanje de Miguel, do Eterno os raios!
Também não menos os pungia o anelo
De um grande império levantar no Abismo,

Que, por ótimas leis e em prazo justo,
Êmulo fosse do invejoso Empíreo.
Ouvindo-o, Belzebu então ergueu-se.
É, depois de Satã, o anjo mais nobre;
Seu grave porte, seu altivo aspecto
Nele anunciam um pilar do Estado;
Profundamente impressas no semblante
Decisões refletidas se lhe notam
E do público bem tenção sisuda.
Majestoso, inda mesmo na desgraça,
Brilham nele de um príncipe famoso
Os vastos planos, o sublime gênio.
Ei-lo a pé firme, — e ostenta denodado
Os largos ombros que invejara Atlante
(Parecem feitos para dar apoio
Dos impérios mais válidos ao peso);
Ganha os ouvidos e atenção de todos:
Como de noite ou no estival mei'dia,
Reina o silêncio. E assim o arcanjo fala:
"Tronos, domínios, celestiais virtudes,
Do Empíreo prole real, banis tais nomes,
E tolerais que em transformado estilo
Por príncipes do Inferno se vos trate?
Sim, que a ficar aqui se inclinam todos
E aqui fundar esclarecido império.
Vós decerto ignorais, perdeis de vista
Que o Rei dos Céus nos destinou este antro, —
Não para de seu brao poderoso
Pôr-nos fora do alcance em salvo abrigo,
Não para isentos do poder celeste
Vivermos livres e traições armar-lhe, —
Mas para calabouço em que nos prende
Longe de si na escravidão mais dura,
Nunca largando as invencíveis rédeas
Que nos subjugam, multidão cativa!
Sempre o primeiro em tudo, o último sempre.
Sempre o só Rei no Céu, no Caos, no Orco,

Jamais míngua terá (crede-me), nunca,
No império seu coa rebeldia nossa:
Sobre os Infernos seu domínio estende
E com cetro de ferro os tiraniza
Bem como adita os Céus com cetro de ouro.
Que estamos projetando? paz ou guerra?
A guerra nos fadou este infortúnio
E abismou-nos em perda irreparável:
Da paz nem mesmo as condições prevejo
Que paz alcançaremos nós escravos
Senão grilhões, flagelos, tiranias?
Que paz também retribuir podemos
Senão traições, ardis, vinganças, ódios,
Intermináveis sempre, inda que tardos?
Conjuração contínua trabalhemos
E quanto mais pudermos, desluzamos
Ao Vencedor os frutos da vitória,
E o bárbaro prazer que goza ufano
Em nos fazer tragar tão crus tormentos.
Estai seguros; ocasiões não faltam,
Sem precisarmos da arriscada empresa
De arremeter do Empíreo aos altos muros
Que não receiam do profundo Averno
Os assaltos, os cercos, as ciladas.
Mais fáceis meios socorrer-nos podem:
Um lugar, outro mundo (se no Empíreo
Anciã fama profética não falha)
Deve agora existir, próspera estância
De novos entes nominados "Homens",
Semelhantes a nós, posto nos cedam
Em poder, em fulgor, mas favoritos
O mais possível do Tonante excelso
Que às jerarquias a vontade sua
Exprimiu, confirmou, jurou grandioso,
Com tanta intimativa que abalado
Tremeu e retremeu inteiro o Empíreo.
A ele assestemos os tentames todos,

Saibamos que habitantes o possuem,
Seus dotes, seu poder, substância, forma,
Qual é seu fraco, se melhor contra eles
Guerra aberta utilize ou trama oculta.
Posto se nos fechar o Céu radiante,
E assentar-se do Céu o árbitro altivo
De todo firme em sua própria força,
Pode expor-se essa plaga ao nosso alcance
Como de seu império estando na orla,
Guardada por seus próprios habitantes,
Talvez que alguma empresa vantajosa
Com súbita incursão conseguiremos, —
Ou do Inferno co'o fogo devastando
Toda a recente máquina do Mundo,
Ou toda conquistando-a, e seus senhores
(Quais nós fomos do Céu) dela expelindo:
E a não podermos aspirar a tanto,
Ao menos obteremos seduzi-los
À traição nossa; por tamanha ofensa
Seu Deus há de tornar-se em seu contrário,
E arrependido da bondade sua,
As próprias obras destruirá furioso.
De muito este sucesso sobrepuja
Toda a vingança que até'gora urdimos:
Quando seus filhos, que extremoso amara,
Amaldiçoassem sua fraca origem
E murcha glória (tão depressa murcha!)
Precipitados nos tormentos nossos, —
Quanto do Eterno a bárbara alegria
Que sente em nosso mal, se desfizera!
E quanto, contemplando o seu desgosto,
Se exaltar nossa alegria ufana!
Pesai portanto o que melhor nos cumpre,
Se acometer ou se neste atro Abismo
Ficar de vãos impérios cogitando."

Destarte Belzebu explana e firma
Seu conselho infernal que fora dantes

Achado por Satã e exposto em parte.

De quem senão do autor dos males todos
Malignidade tal nascer pudera
Para na origem arruinar os homens,
Misturar, envolver co'o Inferno o Mundo,
E o mais possível irritar o Eterno?!

Dos perversos, porém, sempre a maldade
Fez mais sobressair de Deus a glória.

Altamente agradou o audaz desígnio
Aos membros todos do infernal congresso:
Nos olhos todos a alegria fulge;
Todos com pleno assentimento votam.

Belzebu, satisfeito, assim prossegue:
"Foi sustentado bem, bem terminado
Nosso debate extenso, ó corte de anjos!
E grandes como vós, já decidistes
Projetos que, dos fados em despeito,
Muito nos hão de erguer do imenso Abismo
E à nossa antiga estância aproximar-nos.
Talvez, seus muros fulgurantes vendo,
Nós possamos de novo entrar no Empíreo
Dobrando o esforo, aproveitando o ensejo, —
Ou, senão, habitar em doce clima
Acessível do Céu à luz formosa,
E a salvo desprender-nos destas trevas
Pelo brilho do Oriente fulgurante:
Então mimosa a viração do ar puro,
Aromas deliciosos exalando,
Nossas feridas fechará profundas
Por este fogo corrosivo abertas.
Porém, antes de tudo, quem nomeamos
Para ir em busca do recente globo?
Quem cremos digno de tamanha empresa?
Quem se atreva tentear com passo às cegas
O insondável Abismo, imenso, escuro,
E esta palpável noite atravessando,
Coa estrada virgem deparar ditoso?

Quem se atreva com voo infatigável,
Na direção de alcantilada enorme,
Sempre subir, subir, a prumo sempre,
Até que encontre essa ilha afortunada?
De que força e de que arte então carece?
Ou como a salvo possa subtrair-se
Às colunas alerta, aos densos postos
Dos anjos que patrulham de contínuo?
Toda a circunspeção lhe é necessária,
E a nós não menos nesta digna escolha:
No eleito pomos e confiamos dele
Nossa única esperança, o bem de todos."

Disse e assentou-se. Atento em torno olhando,
Espera a ver se alguém tão árdua empresa
Ou sustente, ou impugne, ou tome em braços:
Mas todos silenciosos se conservam
Em profundo pensar pesando o p'rigo, —
E cada qual, atônito, perplexo,
Dos outros vê no rosto o próprio susto.

Entre os heróis que mais se distinguiram
Do Empíreo nas batalhas truculentas,
Nenhum há tão audaz que peça ou queira
Arrostar só por si a hórrida viagem!
Té que afinal Satã, cuja alta glória
Muito dos sócios seus acima o eleva,
Entendedor do verdadeiro heroísmo,
Com orgulho monárquico se expressa:

"Dos Céus prole sublime, Empíreos tronos,
Sois intrépidos, sim! mas não estranho
Que hoje o silêncio e hesitação vos prendam.
É dilatado e aspérrimo o caminho
Que à luz do Empíreo vai das trevas do Orco:
Estas de fogo ardente amplas muralhas,
Prisão insuportável, invencível,
Dentro de nove círculos nos cerram;
E de diamante em brasa horríveis portas
Sair nos vedam sobre nós trancadas.

Além destas, se alguém passá-las pode,
As temerosas fauces abre, ostenta,
Da inabitável noite o imenso vácuo
Que ameaça aniquilar o caminhante
Em seu golfo, onde tudo se aniquila!
Se dele escapa, o que lhe resta menos
Do que ignotas regiões, estranho mundo,
Trabalhosa evasão, medonhos p´rigos?
Mas muito mal me conviria, ó pares!
Este cetro, este sólio, este diadema,
Tão luzente esplendor, poder tão grande,
Se à vista de qualquer proposta empresa,
Reputada de pública importância,
Dela eu me eximo trépido e cobarde
Porque de custo e p´rigo o aspecto mostra.
Como? Não recusando a c´roa, o cetro,
E poder majestático assumindo,
Tomar Satã dos p´rigos recusara
A mais alta porção que aos reis incumbe,
Os reis que tanto mais expor-se devem,
Quanto mais gozam de grandeza e de honras?
Ora sus! prole excelsa, heróis valentes,
Que medo ao Céu meteis mesmo vencidos,
Na pátria tende conta; — e, enquanto a pátria
Consistir nesta lúgubre caverna,
Lidai por seu horror tornar mais brando
Fazendo menos dura a pena do Orco,
Se pode haver aqui remédio, encanto
Que tais tormentos suste, engane, afrouxe!
Contra inimigo que vigia sempre,
Não cesseis de vigiar enquanto rompo
Da negra destruição por entre os riscos,
De todos nós buscando a liberdade.
Ninguém de tal empresa admito à glória"
    Falando assim, levanta-se o monarca,
E cauto toda a réplica previne,
Obstando que entre os chefes apareçam

Alguns que, em seu desígnio vendo-o imóvel,
E certos da repulsa, peçam, instem
Entrar na empresa que temiam antes,
E ousem aparentar que o rivalizam
Comprando tão barato a ingente glória
Que ele adquirir somente poderia
Por entre os riscos do medonho acaso.

Mas por igual receando os chefes todos
Da empresa os p´rigos, do monarca a fúria,
Simultâneos com ele se levantam
Fazendo na abalada estrondo surdo
(Qual tempestade trovejando ao longe).
Para Satã, com reverência humilde,
Curvam-se logo os infernais poderes,
E igual do Eterno como Deus o aclamam:
Tendo inda no Orco uns restos de virtude,
Não deixam de exprimir quanto eles prezam
O heroísmo generoso com que arrisca
Por bem de todos a existência própria.

E como ousam os réprobos no Mundo
Sem pejo blasonar seu vão heroísmo,
Ou da soberba ou da ambição produto
Arrebicado co'o verniz do zelo?
A consulta arriscada, tenebrosa,
Cheios de tanto júbilo terminam
Glorificando o chefe incomparável
(Assim, — depois que, erguendo-se das serras,
Cobrem, no entanto que adormece o norte,
Do Céu a face linda as pardas nuvens,
O tristonho elemento derramando
Sobre as escuras lavas neve e chuva, —
Se o Sol brilhante ao despedir-se estende
Seus vespertinos, deleitosos raios,
Pelos campos de novo fulge a vida,
As aves sua música prosseguem,
E o balido das greis contente se ouve
Pelos montes e vales repetido).

Oh! que vergonha para a estirpe humana!
Firme concórdia reina entre os demônios:
E os homens, na esperança de alcançarem
A ventura do Céu, vivem discordes,
A racional essência desmentindo!
Em vez de fortemente se ligarem
Contra seus figadais inimigos do Orco
Que em perdê-los trabalham noite e dia,
Entre si o rancor, a intriga afagam,
O orbe devastam com ferina guerra,
E mutuamente brindam-se coa morte,
Quando um Deus bondadoso a paz proclama!

Do Orco assim o congresso dissolveu-se.
Saem por ordem os Estígios pares:
Entre eles o seu chefe tanto avulta
Na condição de autócrata do Inferno,
Co'o brilho e pompa que de Deus imita,
Que em si aos Céus parece, inculca, ostenta
O só rival a que atender lhes cumpre:
Ardentes serafins em globo ingente
Por toda a parte o cercam embraçando
Refulgentes brasões, hórridas armas.

Logo da real trombeta o eco estrondoso
Pregoou da sessão o arbítrio excelso,
Soprando prontos o metal sonoro,
Dos ventos quatro em rumo, arcanjos quatro.
Dos arautos assim que a voz se escuta,
Em todo o Abismo côncavo rebrama;
E as legiões infernais, todas de acordo,
Aplaudem-na com hórrido alarido.

De ânimo mais tranquilo e erguido um tanto
Pela esperança que lhes presta o orgulho,
Os anjos congregados se debandam.
Diversos vagam: cada qual prossegue
Conforme o gênio o guia ou dura escolha,
Buscando incerto alguma trégua ou pausa

De seus remorsos ao contínuo acúleo,
E divertir as enfadonhas horas
Té que ovante regresse o chefe augusto.
Parte nos plainos com veloz carreira,
Ou no ar sublime voando, aposta lides
Qual Pítico certâmen e Olímpios jogos.
Parte ignitos cavalos doma e guia,
Ou foge as metas coas fulmíneas rodas.
Formam-se outros em hostes defrontadas:
Tais se arrojam exércitos nas nuvens,
Quando a guerra perturba o firmamento,
Admoestando cidades criminosas;
Lá se destacam das vanguardas ambas
Campeões aéreos que no entanto esgrimem,
Té que as densas legiões unidas pugnam,
Com fero estrago ardendo inteiro o polo.
Outros, coa raiva de Tifeu munidos,
Serras e vales num momento arrancam,
E em remoinho pelo ar os arremessam,
Estremecendo o Inferno ao rude estrondo
(Assim Alcides, vencedor de Ecália,
Coa envenenada túnica oprimido,
Dilacerou, da dor na atroz violência,
Os profundos pinheiros da Tessália
E rábido atirou co'o infausto Licas
Do crespo cimo do Eta ao mar Euboico)
Outros, dotados de índole mais branda,
Em retirado vale silencioso
Cantam, de harpas ao som, com vozes de anjos,
Seus feitos d'armas dignos de alta glória,
E queda infausta por vencidos serem,
Maldizendo a fortuna que escraviza
A virtude e valor à força e acaso.
A vaidade orgulhosa enchia o canto;
Contudo (e que menor seria o efeito,
Quando imortais espíritos cantavam?!)
A harmonia deixou suspenso o Inferno

E extasiou do concurso a mó imensa.

Outros, pela eloquência mais brilhantes
(Eloquência sublime, encanto da alma,
Se és dos sentidos, harmonia, o encanto!),
Num outeiro se assentam afastado
E se engolfam em grandes pensamentos.
Raciocinar da Providência buscam,
Do livre arbítrio, do absoluto fado,
Da ciência infusa, da presciência eterna;
Porém nestas questões não têm saída,
Em labirintos vãos sem tino vagam:
Entram também no férvido argumento
O bem, o mal, a desventura e a dita,
A paixão, a virtude, a infâmia, a glória.
Inda que em tais debates só figuram
Falsa filosofia, estéril ciência,
Contudo esses precitos miserandos
Conseguem por magia deleitosa
Algum tempo abrandar a dor, a angústia,
Embalam-se em falazes esperanças
E, como de ao tríplice, guarnecem
De inflexível paciência os peitos duros.

Em grandes batalhões parte se forma
E com famosa intrepidez se arrisca
A longe entrar por esse horrível mundo,
Vendo se acha talvez mais grato clima,
Habitação que mais benigna a trate.
Por quatro rumos vão. Alados seguem
Dos quatro rios infernais ao longo,
Cujas ígneas correntes aflitivas
No mar de fogo lúgubres deságuam:
Ódios mortais ali o Estígio rola;
O atro Aqueronte de pesar se impregna:
Em seu álveo choroso ouve o Cocito
Alto clamor, e dele assim se chama;
O Flegetonte em si feroz impele
Raiva enrolada em borbotões de flamas,

Destes mui longe, silencioso e tardo,
Seus fluidos labirintos vai volvendo
O Letes, rio do torpente olvido:
Quem dele bebe, logo esquece tudo,
Tudo, té mesmo a si; nem mais lhe lembram
Dores, prazeres, alegrias, mágoas.
Mais lá se alonga, horrendo e desabrido,
Terreno vasto de híspido regelo
Por furacões perpétuos açoitado
E por granizo que, empedrado sempre
Em horríveis montões, bem afigura
Extensa ruína de edifício anoso;
De neve — é tudo o mais — golfo profundo;
Assim entre Damieta e o velho Cásio
O horror se avista do paul Serbônio,
Que exércitos em si sumiu inteiros:
Efeito tendo o frio ali do fogo,
Do ar a secura enregelada queima.
A sítios tais os condenados todos
Trazidos são em estações prefixas,
Por harpípedes Fúrias arrastados:
Pungente alternação de crus extremos,
Extremos que alternados mais se avivam,
Então sofrem os réprobos passando
De ignitos leitos a empedrada neve:
Ali presos, imóveis, congelados,
Jazem por certo tempo, e sem demora
São outra vez no fogo submergidos.
Por mais penas sentir, passam, repassam
Do Letes sonolento as tardas ondas,
Com ânsia ardente trabalhando os tristes
A ver se obtêm, tão perto de tocá-la,
Da tentadora veia uma só gota
Que no suave olvido lhes consuma
Todas as dores as desgraças todas,
Todas de uma só vez... mas obsta o fado:
Medusa, armada do terror Gorgôneo

O rio guarda, — e faz que as doces águas
Dos lábios desses míseros recuem
Como já dos de Tântalo fugiram.
Vagando assim confusos, enraivados,
Os tristes bandos, pálidos de susto,
Vão com olhos atônitos notando
Seu mal horrendo, e alívio não lhe encontram:
Regiões passam de dor, vales de pranto,
Alpes de cru regelo, Alpes de fogo,
Rochas, lagos, pauis, cavernas, matos,
Da negra Morte pavoroso mundo.
Lá pervertida cria a Natureza
Só prodígios, só monstros mais terríveis
Que os Dragos, Hidras, Górgones, Cerastes,
Sonhos dos vates, ilusões do medo:
Lá do Eterno a justia vingadora
Fez para bem o mal que os maus castiga, —
E (que horror!) morre a vida, e vive a morte!

No entanto, aceso em transcendente arbítrio,
O inimigo tenaz de Deus e do homem,
Satã, levando-se em ligeiras asas,
Solitário procura as portas do Orco:
Ora à destra, ora à sestra, solta o rumo;
Com asas planas eis que o Abismo roça,
Eis que a perder de vista se remonta
Às inflamadas côncavas alturas.

Como longe nos mares se descobre
Alada frota, — que das nuvens pende
Quando, pelos gerais unida, voga,
De Ternate e Tidor, do álveo do Ganges
A mercancia trazendo dos aromas,
Da Etiópia vai cortando o vasto pego
Té que monta atrevida o grande Cabo
Com os polares negrumes arrostando, —
Tal nos ares Satã parece ao longe.

Por fim do Inferno os términos avista
Altos, a ardente abóbada tocando.
Ali avulta a colossal portada,
Tendo ordens nove de portões que ostentam
Três, ferro; bronze, três; e três, diamante,
Com paliçada de inextinto fogo.
Aos lados da portada lá se assentam,
De par a par dois hórridos fantasmas.
Um até à cintura mostra visos
De formosa mulher, — mas finda enorme
Em serpe escâmea que se enrosca imensa.
E com mortal farpão guarnece a cauda;
De negros antros, na cintura abertos,
Ladra-lhe com perene e rudo estrondo
De mastins infernais ampla matilha
Abrindo as vastas cerberinas bocas:
Se fora a seu latido estorvos acham,
A seu prazer introduzir-se podem
Na ventral amplidão e ali seguros
Ladrar e uivar da vista além do alcance
(Menos raivosos os mastins marinhos
Cila assaltaram no funesto banho
Do mar que entre a Calábria espúmeo troa
E as praias de Trinácria enrouquecida!
Menos hediondos a noturna maga
Seguem os cães, quando ela voando oculta
Vem, de sangue infantil dando-lhe o faro,
Danar coas feiticeiras da Lapônia
Que, à força de terríficos encantos,
Eclipsam fatigada a irmã de Febo!).
O outro fantasma, em que não é possível
Distinguir as feições, julgar dos membros,
Substância informe, escurecida sombra,
Tem o aspecto da Noite, o horror do Inferno,
De Fúrias dez ostenta a feridade,
Pronto para o brandir um dardo empunha,
E na altura maior, que inculca fronte,

De c´roa real cingido se afigura.
Eis o monstro, que vê Satã já perto,
De seu assento se ergue e firme avança:
Cada passada sua o Inferno abala.

Satã que, exceto Deus e o Nume-Filho,
Nada lhe importa, em nada obstác'lo encontra,
O intrépido Satã (quem crê-lo ousara?!)
O monstro admira, mas em nada o teme.
Com modos de desdém assim se exprime:

"Donde é que vens? Quem és, ímpio fantasma,
Que monstruoso te atreves, feio, horrível,
Para essas portas impedir meus passos?
Sem dar-se-me de ti, fica seguro,
Pô-las-ei francas, passarei por elas.
Vai-te, foge, ou da insânia o prêmio toma:
Tu, filho do Orco, aprende exp´rimentado
Que espíritos do Céu ombrear não podes."

Cheio de ira, retruca-lhe o fantasma:
"És tu, anjo traidor, tu, que o primeiro
Te atreveste a violar, no excelso Empíreo,
Fidelidade e paz té'li sem quebra,
Que, em rebeldes falanges orgulhosas,
Contra Deus arrastaste a teu partido
O terço dos espíritos celestes,
Por cujo crime tu e os teu consócios
Aqui votados são, do Céu expulsos,
A tragar dor infinda, eterna mágoa?
Tu, com que jus, habitador do Inferno,
Do Céu entre os espíritos te contas,
E respiras aqui desprezo e zelos
Onde eu sou rei, onde eu (freme de raiva!)
Sou teu rei, teu senhor?... Volta aos tormentos,
Volta depressa, desertor falsário,
Senão... já vou pungir tua demora
Co'um látego de serpes assanhadas,
Ou deste dardo co'o estranhado golpe
A par do qual é nada o horror do Inferno!"

O medonho fantasma assim replica;
E à medida que a voz e ameados solta,
Dez tantos cresce na hórrida estatura,
No atroz furor, na feia enormidade.
Do outro lado Satã, em raiva ardendo,
Impavidez inabalável mostra;
Tal de Ofiúco os sidéreos campos vastos
No ártico polo inflama ígneo cometa
Que, as crinas espantosas sacudindo,
Com peste e guerra fere o aflito Mundo.
Cada um coa fatal destra, à frente do outro,
Golpe mortal aponta decisivo,
E catadura tal mútuo se ostentam
Que duas negras nuvens pareciam,
Quando fronteiras troam sobre o Cáspio
Dos Céus a artilharia disparando,
Suspensas ambas té que as lance o vento
Uma sobre outra, do ar na área espaçosa.
Tanto os dois combatentes afamados
De raiva a catadura escureceram,
Que mais medonha noite o Inferno envolve.
Em tudo iguais, só desta vez lhes cumpre
Achar a seu valor tão alto emprego;
E proezas fariam estrondosas
Nos tartáreos espaços retumbando,
Se o serpentino monstro, que se assenta
Às portas infernais feroz e firme
Nas mãos guardando a temerosa chave,
Se não erguesse! E entre eles se arrojando,
Assim lhes brada com fremente grito:
"Oh pai, como investir tão fero podes
O filho único teu?! Que fúria, ó filho,
Teu mortal dardo a desfechar te impele
Contra teu pai?! Por quem? por um tirano
Que se assenta orgulhoso no alto Empíreo,
Da vossa escravidão escarnecendo, —
Que seu furor qualquer cumprir nos manda,

Ímpio furor que de justiça alcunha,
E com que de ambos vós medita o estrago?!"
Disse. E à voz sua, do Orco a fera estaca.

Satã à mediadora assim se expressa:
"Sustas meu braço, ó tu, que pronta acodes
Com tão estranho grito e estranhos termos,
E impedes que por fatos te demonstre
O que intento, de ti enquanto indago
Quem és, donde te vem forma tão dupla,
E por que, sendo a vez primeira agora
Que nestes vales infernais te encontro,
Me chamas pai, e àquele atroz fantasma
Chamas meu filho. Não, não te conheço:
Nunca se me antolhou (digo-to), nunca
Tão feio monstro como tu, como ele!"

Do Orco a porteira ousada lhe replica:
"De mim te esqueces? Hoje é que espantado
Encontras tu em mim tão feio monstro?
Formosa outrora me julgou o Empíreo
Quando, em presença dos valentes anjos
Que dos Céus contra o déspota se armaram,
Súbita dor te decepou terrível,
E, teus lânguidos olhos deslumbrados
Nadando às tontas pelo horror das trevas,
Tua cabeça espadanou ao largo
De labaredas turbilhão furioso;
Depois, do lado esquerdo um vácuo abrindo,
À luz sair me fez, deidade armada,
Toda a ti semelhante em vulto, em porte,
De formosura celestial brilhando.
Eis medrosos de mim logo recuam
Tomados os celícolas de espanto, —
E presságio fatal então colhendo,
Deram-me de *Pecado* o triste nome:
Habituados porém a ouvir-me, a ver-me,
De mim gostaram; conquistei ovante

Com minhas graças os contrários todos,
Principalmente a ti que, olhando a miúdo
A tua imagem própria em meu semblante,
Possuíste-te por mim de amor violento,
Que, em oculto prazer à larga solto,
Entranhou no meu seio hórrida estirpe.
No entanto ateou-se a guerra que estrondosa
Enfureceu dos Céus pelas campinas:
Colheu nosso inimigo ilustres palmas;
E as nossas perdas, os desastres nossos,
Foram completos pelo Empíreo inteiro
(Quem outros fados esperar devia?!).
Lá caem os espíritos rebeldes.
Das alturas do Céu precipitados
De envolta co'eles neste abismo caí.
Deu-se-me logo esta tremenda chave;
Guarda destes portões cerrados sempre,
Sem que eu os queira abrir... ninguém os passa.
Solitária sentei-me e pensativa
Por tempo curto aqui; meu seio em breve,
Mui grande já, por ti grávido, sofre
Abalo enorme, lúgubre agonia.
Por fim, essa progênie truculenta
Que ali notando estás, teu próprio filho,
Com fúria ardente rompe-me as entranhas
Já de hórridos tormentos retorcidas, —
E dando-me esta mísera figura,
Nasceu, por dano meu, de mim tal monstro,
Brandindo o dardo seu, de tudo estrago.
Assim que o vejo, grito "Morte!" e fujo:
A tão horrível nome o Orco estremece
E por suas cavernas ribombando,
Pavoroso repete "Morte! Morte!"
Fujo, mas para mim corre o fantasma
(creio que mais lascivo do que iroso);
Veloz me apanha, — e sem horror, sem pejo,
A mim, própria mãe sua, espavorida,

Em torpe abraço cinge-me por força:
Gerei do feio rapto estes, que observas,
Tétricos monstros que incessantes uivam
De mim em torno, — e dor contínua, imensa,
Aferram-me nas íntimas medulas.
De mim saindo e entrando de contínuo,
Devorando-me as vísceras trementes,
Seu pasto interminável, pululante:
Destarte seu prazer sem freio cumprem;
Nem pausa ou trégua a meu tormento encontro.
Senta-se o Monstro-Morte a mim fronteiro:
Dali, vendo meu filho e meu contrário,
Dos feros cães açula-me a matilha;
Mesmo a mim, de outras vítimas em falta,
Inda não devorou — porque harto entende,
Que ambos os nossos fins mútuo se envolvem,
E que eu bocado amargo, atroz veneno,
Ser-lhe-ia sempre: assim decreta o fado.
Mas... ó pai! vigilância! Não provoques
(Aviso-te eu) do monstro o hórrido dardo:
Não podem tuas armas fulgurantes,
Mesmo feitas com têmpera celeste,
Para ele constituir-te invulnerável:
De fúteis esperanças não te iludas;
A seu golpe mortal ninguém resiste,
Ninguém... só lá do Empíreo o árbitro excelso!"

Disse. O sutil Satã o aviso aceita,
E com fagueiro modo lhe responde:
"Cara filha, que em mim teu pai reclamas
Que meu valente filho me apresentas,
Dulcíssimo penhor de doce laço
Que nos uniu nos Céus, — então delícias,
Transformadas de horror agora em mágoas
Por nossa inopinada desventura, —
Não venho (digo-to eu) como inimigo,
Mas para libertar desta caverna,

Tenebrosa mansão de dor terrível,
Ele, a ti, e a celeste imensa turba,
Que, do jus nosso por defesa armados,
Do Céu comigo despenhados foram:
Venho por eles a tamanha empresa;
Exponho-me a mim mesmo, um só por todos,
A percorrer com solitária planta
O não sondado Abismo, o horror do vácuo
Buscando em vagabunda descoberta
A profética plaga, ingente globo,
Que hoje, pela ocorrência dos sucessos,
Criado deve estar, sítio ditoso,
Dos Céus nas vizinhanças colocado,
Formosa habitação dos novos entes
Que no Empíreo talvez nos substituam:
Contudo, o Onipotente os pôs mais longe,
Receoso de que o Céu movesse acaso
Outras desordens, outra rebeldia,
De multidão tamanha carregado.
Seja este ou outro oculto o seu desígnio,
Vou já sabê-lo, — e, tão depressa o saiba,
Aqui volto, e comigo ireis vós ambos
A ditoso lugar viver contentes,
Onde encobertos sem que alguém vos sinta,
Há de afagar-vos o ar cheio de aromas.
Franqueio-vos ali manjar sem termo;
Ali poder fatal tereis em tudo."

Muito ambos, filho e mãe, folgar parecem.
Terrível arreganha o Monstro-Morte
Um sorriso medonho, assim que aventa
Que vai saciar devoradora fome;
E dá mil parabéns de tanta dita
Ao ventre sepulcral com gozo horrendo.
Não menos folga e exulta a mãe perversa,
E complacente fala ao pai maldito:

“Desta infernal caverna eu tenho a chave;
Como jus meu, confiou-ma o Rei do Empíreo:
Estes vastos portões abrir me veda.
O Monstro-Morte, que os viventes traga,
Funesto o dardo seu tem pronto alerta
Contra os furores de agressivo impulso.
Mas eu... por que obedeço ao Rei do Empíreo,
Que me aborrece atroz, e aqui me prende
Na eterna escuridão do Orco profundo,
Para ter este ofício abominável
Em perpétua agonia, em dor perpétua,
Em roda ouvindo os uivos temerosos
Da minha própria prole furibunda
Que as entranhas contínuo me devora,
Habitante eu do Céu, no Céu nascida?
Tu, meu pai, meu autor, que o ser me deste,
Que ordens hei de cumprir, de ti ou de outrem?
De ti, de ti que em breve hás de levar-me
Ao novo orbe de luz, de paz ditosa,
Onde entre deuses, que contentes vivem,
À destra tua reinarei sentada,
Novas delícias respirando sempre
Qual cumpre à tua filha e doce amante.”

Disse. Eis tira do cinto a infesta chave,
Dos nossos males hórrido instrumento;
E revolvendo a serpentina cauda,
Roja-se pronto em direção às portas.

Logo levanta a imensa levadiça
Que deixaria vão o inteiro esforço
Dos poderes do Estígio coligados;
Depois na fechadura mete e volve
Da chave ingente as misteriosas guardas.

Lá saltam com impulso repentino
Toda as trancas, os ferrolhos todos,
Que de ferro e diamante se alardeiam, —
E voando para trás, abrem-se horrendos
Os Tartáreos portões com rudo estrondo

Que, qual trovão que os vales repercutem,
A funda escuridão do Érebo abala.
Essa medonha fúria abri-los pôde;
Mas fechá-los é mais, não tem no alcance;
Ficaram pois de par em par abertos.
Tão vastos eram que passagem franca
A numeroso exército dariam
Marchando em linha, soltas as bandeiras,
De artilharia e de corcéis flanqueado;
E iguais à boca de fornalha ardendo,
Vomitam, longe a negridão rasgando,
Flamas e fumo em furibundos rolos.
    Então Satã encara de repente
Os virgens penetrais do imenso Abismo,
De trevas mar sem fim, onde se perdem
Tempo, espaço, extensão, largueza, altura.
    Ali a negra Noite, o torvo Caos,
Da Natureza antigos ascendentes,
Eternal anarquia geram, guardam:
Ali, rodeados do confuso estrondo,
O fogo, ar, água e terra, em pugnas sempre,
Ao cru certâmen, generais forçosos,
Arremessam com fera valentia
Dos at'mos seus as férvidas falanges,
E honrosa primazia se disputam:
Lisos, agudos, rápidos, tardonhos,
Com leves ou pesadas armaduras
De cada uma facção junto à bandeira
Esses at'mos em densas pinhas surgem,
Tão bastos como a areia que levantam
Da tórrida Cirene e adusta Barca
Os belígeros ventos, por seguros
Com tal pendor firmar o nímio voo:
E o chefe que de si em torno agrega
Por qualquer tempo mais quantia de átomos,
Nesses instantes absoluto reina.
Ali o Caos, um árbitro do Abismo,

Dita sentado leis, que mais baralham
As desordens que o trono lhe sustentam:
Dele após, tudo rege o cego Acaso.
Nesta insondável confusão medonha
(Ventre que deu à luz a Natureza,
E que talvez se torne em seu jazigo)
Não há fogo, nem ar, nem mar, nem terras;
Mas os princípios genitais de tudo
Em tumulto e mistão ali existem
E ficarão destarte em guerra sempre
A não querer o Criador sublime
Desses negros embriões fazer mais mundos.
Então Satã aqui na orla do Inferno
Com cautela sagaz para, — e medita
A viagem sua, não de estreito breve
Mas de incógnito Abismo imensurável:
O estrondo que ouve turbulento e fero
Não era menos (se contudo grandes
Bem se comparam coas pequenas coisas)
Do que troveja quando em bateria
Dispara a um tempo mil canhões Belona
Sobre cidade altiva que se arrasa, —
Ou do que se ouviria sendo expulso,
Pelos amotinados elementos,
Dos seus eixos o térreo, firme globo,
E se em pedaços mesmo o Céu caísse!
Dispõe-se logo a voar: perito estende
Asas vogantes que alta nau figuram, —
E nos pés contra a terra balançando,
Joga-se a léguas mil subindo sempre
Como um trono de enroladas nuvens.
Porém, pronto faltando o raro apoio,
Ei-lo solto no vácuo ilimitado;
E sem valer-lhe o multiforme adejo,
Logo léguas dez mil caiu a prumo:
Estaria a cair mesmo até´gora,
Se uma nuvem, mistão de fogo e nitro,

Rompendo o fermentado, enorme bojo,
E abalroando, por nossa desventura,
O alado monstro, o não jogasse acima
Distância igual à que hórrida descera!
Depois deste tufão, acha uma sirte
(Nem mar, nem terra, lodaçal imenso!)
E por tal sorvedouro atravessando,
Anda ou voa conforme a urgência exige,
Ou vela e remo simultâneos usa.
Como por serras e pauis o grifo
Com alada carreira dilatada
Vai do Arimaspo após, — que, indo-se a furto,
O ouro lhe leva das guardadas minas, —
Assim o ígneo Satã seu rumo segue
Por mares, por pauis, pelo ar, por montes,
Variadas consistências arrostando:
Transpõe estorvos; sem descanso lida
Com cabeça, com pés, com mãos, com asas;
Anda, nada, mergulha, trepa, voa.
Eis lhe assalta os ouvidos estranhados
Universal, fremente gritaria,
De sons e vozes hórrida mistura,
Desse negrume côncavo nascida:
Atento busca ver se audaz encontra,
No meio de tão férvido tumulto,
Do baixo Abismo o rei ou potestade,
A quem pergunte de que parte as trevas
Em distância menor com a luz confinem.
Súbito então o sólio vê do Caos:
Sobre ele um pavilhão escuro, imenso
Na destrutiva profundez tremula:
A seu lado se assenta entronizada
Trajando negro manto a antiga Noite,
De seu longo reinado companheira:
Demogórgon junto aos degraus, terrível,
Ades, e Pluto, o trono lhe circundam;
Seguem-se-lhes o Acaso, o Estrondo, as Iras,

A atroz Discórdia que confunde tudo,
A Confusão que tudo desordena.
    Destarte o audaz Satã se lhes exprime:
Vós, ó Caos confuso e antiga Noite,
Grandes deidades deste baixo Abismo...
Não venho como espião no vil intento
De explorar ou turbar do império vosso
Os espaços e as leis té hoje ocultos:
Transviou-me aqui a escuridão deste ermo.
Dirijo-me da luz ao doce clima:
Corro esta profundez co'o fim de achá-lo.
Só, sem guia, perdido quase, eu busco
A direção que se conduz mais breve
Onde co'os Céus confina o reino vosso,
Ou deste alguma parte das que obteve
O etéreo Rei nas últimas conquistas.
O rumo me ensinai: nem menos útil
Redunda para vós a audácia minha,
Que, se de vossos términos roubados
For toda a usurpação por mim expulsa,
Repô-los-ei na escuridão primeva;
Restituídos a vós, da antiga Noite
Hão de o estandarte ver de novo erguido.
Tendes na empresa minha imenso ganho:
Quanto a mim, coa vingança me contento.
    Disse. Então lhe responde o velho anarca,
Trêmula a fala, descomposto o vulto:
    "Bem te conheço, ó tu, que o nome encobres:
Dos anjos és o chefe destemido
Que (pouco há) contra o Rei dos Céus alaste,
Apesar de vencida, a frente nobre.
Vi tudo, tudo ouvi que às escondidas
Fugir não pôde exército tão vasto
Atravessando o amedrontado Abismo:
Fulminou-vos estrago sobre estrago.
Dobrando a confusão o horror da ruína;
E o Céu por seus portões, em vosso alcance

Milhões de ovantes turmas despedia.
Nestes confins por ora me mantenho,
Cuidando em conservar o espaço exíguo
Que inda se me consente, e que me usurpam
De mais a mais as vossas desavenças
Diminuindo o poder da Noite antiga.
Primeiro o Inferno, calabou o vosso,
Profundando horroroso ao longo, ao largo,
O desfalque encetou de meus domínios:
Seguiu-se o Céu; depois seguiu-se a Terra
(Mundo recente), que suspensa fica
Sobre meu sólio por cadeia de ouro,
Presa à margem do Céu donde caíste.
Se é teu destino lá, dele estás perto;
Mas, se mais perto estás, mais p´rigos corres.
Dá-te pressa em partir: nem te deslembres
Que amo destroços, confusões, estragos.

Satã, sem demorar-se em responder-lhe,
E alegre vendo que em tão vasto oceano
Praia acharia, logo afoito se ergue,
De fogo afigurando alta coluna,
Todo cercado, no tumulto imenso,
De horríveis danos, através dos choques
Dos elementos que contínuo pugnam!
(Exposta menos, entre as cruas penhas
Que erriçam longe o Bósforo medonho,
A nau Argos vogou! Com menos p'rigos
O cauto Ulisses, evitar tentando
Os vórtices vorazes de Caríbdis)
Ia de Cila submeter-se às fúrias!

Com trabalho difícil, duro, insano,
Rompeu, ele o primeiro, esta árdua estrada.
Mas, — logo que, a Satã seguindo o exemplo,
O homem pecou, — do rei do Inferno à pista,
Com fora ingente, por querer do Eterno,
Foram os monstros dois, Pecado e Morte;
E sobre o Abismo, que a sofreu cobarde,

Lançaram ponte de extensão pasmosa,
Sólido, amplo caminho, e sempre franco,
Às portas presa do nefando Inferno
E à baixa margem deste frágil Mundo:
Por ali os espíritos perversos
Passam (como lhes praz) de um lado e de outro,
Para tentar ou corrigir os homens,
Exceto os que por graça privativa
Deus e os bons anjos com esmero guardam.

Eis da luz finalmente o sacro influxo,
Das muralhas do Céu vem assomando,
E com mui frouxo albor ao longe raia
Pela amplidão da tenebrosa noite.
Principiam ali da Natureza
Os lúcidos limites mais remotos;
Ali começa a retirar-se o Caos,
Qual inimigo que batido deixa,
Com menos ruído, com menor alarma,
Os redutos que mais ao longe tinha.
Satã, menos opresso e logo às soltas,
Da dúbia luz co'o poderoso auxílio,
Em ondas voga então mais sossegadas, —
Assemelhando o destroçado lenho,
Que, mesmo rotas tendo enxárcias, velas,
Contente junto ao porto os mares sulca.
Nesse vazio páramo aeriforme
Estende as asas, paira o rei das trevas,
E ao longe vê com atenção pausada
O Empíreo Céu, que nos sentidos todos
Vai a perder de vista e excelso encobre
A sua forma na grandeza sua:
Observa-lhe, com hórrida saudade,
De opala as torres, de safira os muros,
Sua (noutrora) deleitosa pátria!
E neles firme por cadeia de ouro
Descobre logo pendurada, a Terra,

Vizinha à Lua e igual na redondeza
Aos mais pequenos dos celestes orbes.
Então, recheado de vingana eterna,
Da maldição na detestável hora,
O réprobo maldito voa ao Mundo.

ARGUMENTO DO CANTO III

Deus, assentado em seu trono, vê Satã que voa em direção ao Mundo (então criado, havia pouco); mostra-o ao Filho que se assenta à sua mão direita; prediz-lhe como Satã há de perverter o gênero humano; purifica de toda a imputação a sua própria justiça e sabedoria, mostrando haver criado livre o homem e suficientemente apto para resistir ao seu tentador: contudo declara o seu propósito de graça em favor do homem, atendendo a que ele não caiu por malícia própria, como sucedeu a Satã, mas seduzido por este. O Filho de Deus agradece ao Pai a manifestação do seu propósito de graça em favor do homem; porém Deus declara então que a graça não pode valer ao homem sem a satisfação da justiça divina, — e que o homem, tendo ofendido a majestade de Deus por querer aspirar à divindade, e por isso votado à morte com toda a sua descendência, deve morrer caso não haja alguém suficiente para responder por sua ofensa e suportar o seu castigo. O Filho de Deus oferece-se espontaneamente como resgaste do homem. O pai o aceita; ordena sua encarnação; pronuncia-lhe a exaltação acima de todos os poderes do Céu e da Terra: — manda a todos os anjos que o adorem; eles obedecem e, cantando ao som de harpas em coro pleno, celebram o Pai e o Filho. No entanto Satã desce sobre a descoberta convexidade do orbe exterior que inclui a criação; por ali vagando, acha ele primeiramente um lugar chamado no futuro "Limbo de Vaidade", e onde nada existia ainda; de lá dirige-se para as portas do Céu. Descreve-se a escada que para elas sobe e o mar que a cerca ficando sobre o firmamento. Passagem de Satã até o orbe do Sol, junto ao qual encontra Uriel, o guarda daquele astro; mas primeiro toma ele a figura de um anjo de segunda ordem, — e, pretextando um fervoroso desejo de ver a nova criação e o homem que Deus ali havia colocado, inquire do arcanjo o lugar onde ele habita; Uriel o dirige; ele prossegue e vai primeiramente pousar no monte Nifate.

CANTO III

alve, ó luz, primogênita do Empíreo,
Ou coeterno fulgor do eterno Nume!
Como te hei de nomear sem que te ofenda?
É Deus a luz, — e, em luz inacessível
Tendo estado por toda a Eternidade,
Esteve em ti, emanação brilhante
Da brilhante incriada essência pura.
Mais porventura folgarás ouvindo
Chamar-te rio fúlgido inexausto,
Manando imenso de escondida fonte?
Antes que o Sol e os Céus fossem formados,
Já existias tu; — e à voz do Eterno
Cobriste, como de um solene manto,
O Mundo, assim que apareceu erguido
Sobre as profundas, tenebrosas águas
Conquistado aos domínios infinitos
Desse confuso, turbulento Caos.

Com voo mais audaz hoje a ti volvo
Já livre do tremendo estígio lago:
Campeando nesses páramos de trevas,
Deles no centro e pelas orlas deles,
Por muito tempo divaguei cantando,
Em sons que nunca obteve Orfeu na lira,
O tumulto do Caos, a noite eterna.
Aventurei-me a profundar nas sombras
Pela celeste Musa doutrinado:
Co'o mesmo auxílio subo aos campos do éter,
Custosa e rara empresa entre os humanos.

Já livre hoje a ti volvo, e já me anima
De tua essência o sacrossanto influxo;
Mas tu não entras mais nestes meus olhos:

Por invencível sufusão tapados
Rolam ansiosos com baldado anelo
Procurando teus raios penetrantes,
E nem sequer lhes acham o vislumbre!
Mesmo inda assim de percorrer não cesso,
Movido pelo amor dos cantos sacros,
Dos arvoredos a frescura umbrosa
Pelas sapientes Musas frequentados:
Porém a todas, Sião, eu te prefiro
Quando visito, na mudez da noite,
Os flóridos ribeiros murmurantes
Que a teus sagrados pés manso deslizam.
Não me escapando nunca da memória
Tamires e o Meônide afamados,
O áugur Tirésias, e Fíneo vidente,
Cegos, — iguais a mim neste infortúnio,
Mas que eu (oh! dor!) na glória não igualo, —
Nutro-me ali de altivos pensamentos,
Donde, como espontâneos nascem, correm
(Quais o mel do Hibla) deliciosos versos:
Assim pousada em resguardado ramo,
Cerrando-a da alta noite o manto escuro,
A ave sonora cantilenas trina.
Tornam as estações girando os anos,
Mas para mim não torna a luz do dia.
Já não me encantam da manhã e da tarde
As suaves, pinturescas perspectivas,
Da primavera e do verão as flores,
Nem mansas greis, nem gordos armentios,
Nem o ar divino do semblante humano;
E, em vez de tais belezas, me circunda
Nuvem cerrada, escuridão perene
Que as avenidas do saber me entope,
Mostrando-me somente, em tábua rasa,
Um vácuo universal, sem cor, sem formas,
Donde, para jamais me aparecerem,
Da Natureza as cenas se apagaram:

Adeus, ó livros, da sapiência fontes!
Adeus, ó grande livro do Universo!
Mas tu, eterna luz, porção divina,
Com tanta mais razão me acode e vale:
Brilha em minha alma, nela olhos acende
As faculdades todas lhe ilumina,
E de nuvens quaisquer a desassombra,
A fim que eu livremente veja e narre
Cenas que à vista dos mortais se escondem.

No entanto o Onipotente, — que, assentado
Do puro Empíreo no fulgente sólio,
Mais alto está que todas as alturas, —
Baixa os olhos ao Mundo e vê de um golpe
Inteira a criação e efeitos dela.
Postas de pé, tão juntas como estrelas,
Rodeiam-no as celestes jerarquias,
E à destra se lhe assenta o Filho excelso,
De sua glória imagem fulgurante.

Nossos primeiros pais observa logo,
Inda os únicos dois da espécie humana,
Colhendo num jardim, delícias todo,
De alegria e de amor imortais frutos,
Inexausta alegria, amor sem zelos,
Possíveis só nesse ermo abendiçoado.
Depois avista o Inferno e o golfo imenso
Que dele vem da criação às orlas,
Perto das quais, em ar já não tão negro,
Paira Satã, do Céu costeando os muros,
Dispondo-se a pousar, cansado, ansioso,
Deste orbe na aparente superfície
Que terra firme então se lhe afigura,
Do firmamento diferindo toda,
Erguida ou sobre o oceano ou sobre os ares,
Problema em que lhe nuta a fantasia.

Vendo-o Deus de seu trono sublimado,
Donde com os olhos imortais alcança

O que é, foi e será, tudo num tempo,
Assim presciente diz ao Filho amado:
"Unigênito meu, olha em que fúria
Nosso inimigo férvido se exalta:
Nada o pôde suster, nem muros do Orco,
Nem todas as cadeias com que o cinjo,
Nem do atro Abismo a vastidão enorme.
Desesperado arroja-se à vingança,
Insano! sem prever que ela redunda
Sobre sua danada rebeldia.
Dos obstáculos todos triunfante,
Lá voa junto aos Céus, da luz nas orlas;
E para o Mundo, que formei há pouco,
Vai agora partir em busca do homem,
Tencionando ensaiar a ver se alcança
Coas forças todas infernais destruí-lo,
Ou pervertê-lo, por traidora astúcia.
Conseguirá Satã a queda do homem,
Que, a suas vãs lisonjas dando ouvidos,
Transgredirá com prontidão ruinosa
O só preceito que lhe impus benigno,
O só penhor da submissão humana.
Lá se vai despenhar o homem no crime
E sua prole infiel consigo arrasta!
Formei-o judicioso, justo e livre;
Quanto ele ter podia, eu dei-lhe tudo:
Estava em seu poder, com o mesmo arbítrio,
Cair no crime ou ter-se na virtude.
De quem, senão de si, queixar-se deve?
Ingrato! Fi-lo igual dos Céus aos anjos,
Dos quais uns na virtude se firmaram,
À rebeldia se arrojaram outros,
Ambos obrando em liberdade plena.
E como de obediência voluntária,
De verdadeiro amor, de fé constante,
Fariam prova se não fossem livres?
Por coação fora assim, não por vontade,

Quanto de bom ou mau neles se visse:
Mereceria o bom assim louvores?
Assim mereceria o mau castigos?
Se a vontade e a razão, que tem na escolha
Dos atributos seus o mais sublime,
Fossem privadas de tão nobre prenda,
Ambas sem liberdade, ambas passivas,
Sendo a necessidade que as movesse
E não o livre amor que me votassem, —
Que prazer neste caso eu tiraria
De obediência tão cega e tão forçada?
Logo, segundo as leis da sã justiça,
Livres foram por Deus assim criados,
Tendo em si perfeição a mais excelsa,
A mais que em criaturas é possível.
Nem seus desastres imputar-me podem,
Nem sua construção, nem seu destino;
Mesmo eles, e não eu, determinaram
Todo o furor da rebeldia sua.
Minha presciência vê como presentes
Quantos sucessos no porvir se envolvem:
Deles porém nenhum dela depende:
De maneira que, se, eu a não possuísse,
Sempre tais quais existiriam eles.
Sem coação pois, sem sombras de destino,
Sem força alguma que de mim emane,
Transgrediram, motores de si próprios,
Sua obediência os anjos rebelados.
Homens e anjos formei de todo livres, —
E livres serão sempre, inda que insanos
Queiram na escravidão envilecer-se:
De outra sorte mudar-lhes eu devia
A natureza unida à liberdade,
A irrevogável ordem revogando
Que as criou para sempre inseparáveis.
Os anjos, que a si mesmos se impeliram
Para a depravação, votados se acham

A irremissível punição eterna:
O homem, que sendo deles iludido
Pecou, refúgio em minha graça encontra.
A justiça e bondade no orbe e Empíreo
Assim hão de exaltar a minha glória;
Mas no princípio e fim sempre a bondade
Ver-se-á em mim brilhar mais refulgente."

Disse. Eis da ambrósia o deleitoso cheiro
Inunda os Céus e nos Empíreos coros
Difunde novo júbilo inefável.

Então o Nume-Filho, imerso em glória,
Esplêndido fulgia em grau sem termo:
Nele seu Pai com a divindade toda,
Substancialmente expresso, se ostentava;
Via-se-lhe no rosto a graça infinda,
Divina compaixão, amor sem metas.
Assim ao Pai falou o Nume-Filho:

"Onipotente Pai, quanto é grandioso
Teu decreto, do qual pela virtude
o homem refúgio em tua graça encontra!
Assim levantarão os Céus e a Terra
À mais sublime altura os teus louvores
Com sacrossantos sons de imensos hinos,
Que, de teu sólio em derredor trinando,
Eternamente aplaudirão este ato
Da suprema bondade com que brilhas.
Deveria afinal o homem perder-se,
O homem, tua recente criatura,
O teu mais jovem filho tanto amado,
Se a mais negra traição com vis astúcias
Pôde iludir seu ânimo inatento?!
Longe de ti, meu Pai, de ti, oh! longe
Dureza tal! a retidão, teu timbre,
Preside, eterno juiz, aos teus julgados.

Consentirias que o falsário imigo
Obtivesse o seu fim e o teu frustrasse?!
Perpetraria o mal que urdiu na mente.
Ficando inútil a bondade tua?!
Inda que de mais penas carregado,
Contudo cheio de feroz vingança,
Voltaria arrogante ao torvo Inferno
Arrastando consigo a humana prole
Por seus ardis malvados corrompida?!
Arruinarias tu, por causa dele,
Da criação o primoroso ornato
Que para tua Glória só fizeste?!
Se o conseguisse, incertas ficariam
Tua bondade, a majestade tua,
E mesmo sem defesa blasfemadas!"

Assim lhe torna o Criador eterno:
"Filho meu, delícias de minha alma,
Filho, meu doce amor e único Verbo,
Minha sapiência, onipotência minha,
Conforme o meu sentir são teus ditames;
Tais desde sempre os tinha decretado.
O homem de todo não ser perdido:
Há de salvar-se quem contrito o intente; —
Porém não bastam diligências próprias:
A graça minha, livremente dada,
Ser da salvação primeiro móvel.
Posto que pela culpa escravizadas
A exorbitante, pérfido desejo,
Renovar uma vez inda eu me digno
As desfalcadas faculdades suas.
Ele mais esta vez por mim sustido
Pode firme na terra sustentar-se
De seu fero inimigo contra os golpes.
Por mim sustido, saberá quão frágil
É sua condição; que a mim só deve,
E a mais ninguém a salvação que aguarda.
Tenho escolhido alguns dentre os humanos,

Para de graça especial muni-los:
Assim me apraz; ao resto ouvir incumbe
A minha voz atento, que incessante
As suas culpas lhes pará patentes,
Para que a tempo sossegar procurem
Da minha divindade as justas iras,
Da graça enquanto lhes franqueio as fontes.
Destarte quero a mente iluminar-lhes
E o férreo coração embrandecer-lhes:
Se a mim erguerem preces fervorosas,
Se me prestarem obediência humildes
E com pura intenção se arrependerem,
Nem surdos hão de achar os meus ouvidos,
Nem os meus olhos hão de ver fechados.
Dentro da alma hei de pôr-lhes a consciência,
Guia infalível, árbitro divino:
Se puros lhe seguirem os ditames,
Usando bem de sua luz primeira,
Terão logo de luz ondas sobre ondas, —
E persistindo assim, hão de salvar-se.
Mas quem zombar da tolerância minha,
O meu dia de graça desprezando,
Nunca mais há de obtê-la; e sem remédio
Sua dureza se fará mais dura,
Sua cegueira se fará mais cega.
Seus tropeços serão quedas profundas;
Tem de abismá-lo a perdição eterna.
Mas no que hei dito não se encerra tudo:
O homem rebelde, sua fé quebrando
E louco pretendendo o grau de Nume,
Contra o Poder pecou dos Céus supremo,
E por isso perdeu quanto era e tinha.
Para seu crime expiar, nada lhe resta:
Votado à destruição, será sem falta,
Ele e a progênie sua, entregue à morte:
Morrerá; tal o quer minha justiça;
Livrá-lo pode só vítima ilustre

Que em vez dele, a morrer se sacrifique,
Pagando cabalmente a grave afronta
Pela satisfação, morte por morte.
Dizei, dos Céus augustas potestades:
Onde tão grande amor encontraremos?
Para remir com a morte o crime do homem,
Que imortal quererá mortal fazer-se?
Para alcançar a salvação do injusto,
Que justo quererá sofrer a morte?
Dos Céus por toda a vastidão imensa
Haverá caridade tão sublime?"

Disse. Emudecem os celestes coros,
E silêncio nos Céus reina profundo.
Nenhum intercessor, nenhum patrono
Para socorro do homem aparece,
Principalmente sobre si tomando
Ser seu resgate e perecer por ele.

Sem redenção lá ia a prole humana
Por pena severíssima perder-se,
Da Morte e Inferno súdita ficando,
Se o Nume-Filho, que no peito encerra
Do amor divino a inteira plenitude,
Não franqueasse com ânimo o mais nobre
A sua mediação incomparável:

"Já pronunciou, ó Pai, tua clemência,
Que em tua graça encontra o homem refúgio:
E a graça tua, — que mais pronta voa
Do que os teus outros apressados núncios
De tuas criaturas ao encontro,
Sem procurada ser, sem ser rogada, —
De seus caminhos perderia o rumo?
Ditoso o que ela toca! Mas sem ela
O homem, perdido e morto no pecado,
Falido devedor, nada possui
Que em sacrifício de expiação ofereça.
Eis-me a mim pois: — e, pela dele, toma
A minha vida; em mim teu furor ceva;

Vinga-te em mim, como o fizeras no homem.
Por amor dele, e de meu livre impulso,
Deixo teu grêmio, desta glória saio,
E até, por fim me sacrifico à Morte:
Embora o monstro sobre mim se lance, —
Por pouco tempo me terão cativo
Suas infectas, lúgubres cavernas.
Tu da vida imortal me deste a posse;
Filho teu, vivo em ti, por ti eu vivo:
Se à Morte me submeto e ela devora
Quanto em mim de morrer for susceptível,
Tu não consentirás que, paga a ofensa,
Abandonada fique esta alma pura,
Como presa do tétrico fantasma,
Do corrupto jazigo entre os horrores: —
Mas hei de vitorioso levantar-me:
Meu próprio vencedor porei em ferros,
Despojá-lo-ei do blasonado espólio.
De seu dardo mortal assim privada
A morte, reduzida a humilde serva,
Ser pungida do mais fero golpe:
De todo arruinarei com teu auxílio
Dos inimigos meus a inteira turma,
E do éter puro pelos largos campos
Em grão triunfo levarei cativas
Do Inferno as relutantes potestades,
Tendo arrojado a descarnada Morte
Dentro das ermas trevas do sepulcro
Que encherá com seu pálido arcabouço.
Sobre esta perspectiva tão jucunda
Em vívido prazer hás de banhar-te:
Então, de meus remidos indo à frente,
Os umbrais entrarei do Céu sublime, —
Vindo, depois de ausência dilatada,
À face tua, ó Pai, onde veremos
A reconciliação e a paz seguras,
Nem restando sequer vislumbres de ira.

Do Empíreo desde então no imenso alcáçar
Plena alegria reinará eterna."

Disse. Porém calado inda se exprime
Com eloquência augusta o sacro aspecto.
Que em pró do homem mortal respira e nutre
Enchentes imortais de amor imenso,
Do qual acima unicamente fulge
Da filial obediência o sacro fogo.
Mui contente de si porque holocausto
Se oferecera de tão grande monta,
A vontade do Pai saber espera.

Inteiro o Céu de maravilha se enche,
E dúbio fica sobre quanto valha
E a quanto chegue mediação tamanha.

Mas logo o Onipotente assim responde:
"Oh tu, que só na Terra e Céus podias
A salvação achar da prole humana,
Pelo seu crime exposta aos meus furores!
tu, meu prazer único! Bem sabes
Todas as minhas obras quanto eu prezo;
Mas a última prefiro a todas... o homem!
Por ele te permito que te apartes
Do seio meu, da minha destra, um tempo,
Para a perdida estirpe lhe salvares.
Tu, que és o só que resgatá-lo pode,
Ajunta dele a natureza à tua:
Entre os homens na Terra faze-te homem,
Encarnando, lá quando aponte o prazo,
No puro seio de escolhida Virgem
Que tem de dar-te à luz com pleno assombro.
Sê do gênero humano o grande chefe;
Mesmo filho de Adão, toma-lhe o posto:
Se os homens todos pereceram nele,
Restaurados serão quantos restaures.
Sua origem segunda em ti contemplem;
Sem ti... nenhuma redenção aguardem.

Participantes da paterna culpa,
São os filhos de Adão todos culpados;
Mas remissão teus méritos franqueiam
A quantos, de injustas se isentando,
Das ações próprias o valor desprezem,
E, de ti recebendo vida nova,
Dentro em teu grêmio transplantados vivam.
Sendo Homem tu, satisfarás pelo homem:
Julgar-te-ão, sofrerás de morte a pena;
Ressurgirás, ressurgirão contigo
Os teus irmãos por tua morte salvos.
Assim alcançará plena vitória
Contra a raiva infernal o amor divino
Sacrificando a vida generoso
Para remir os que perdera o Inferno,
Que inda tem de perder quantos desprezem
A graça no momento em que ela os busque.
Nem porque tomas natureza humana,
Serás menor do que és; não te degradas:
Entroneado no Empíreo, igual do Eterno,
Gozando glória igual, — tu deixas tudo
Para o Mundo eximir de inteiro estrago:
Mais o mérito teu, que a tua origem,
Por filho do alto Nume te comprova;
Mais que tua magnífica grandeza,
Demonstra-te o melhor tua bondade;
O amor excede em ti tua alta glória:
Por isso a tua humilhação consigo
Exaltará a humanidade tua,
Sentando-se ambas nesse trono excelso.
Homem-Deus, Filho igual de Deus e do homem,
Aqui tu reinarás sobre o Universo:
Todo o poder te dou; impera, e goza
Dos predicados teus o fruto eterno;
Como ínclito monarca tu domina
Coros, dominações, poderes, tronos;
Dos Céus, da Terra, e Tártaro profundo,

Hão de adorar-te os habitantes todos.
Quando, vestido de radiante glória,
Dos Céus entre as inteiras jerarquias
Apareceres sobre o firmamento,
E intimares, por voz de teus arautos,
Que o teu terrível tribunal abriste, —
Súbito dos quatro ângulos do Mundo
Virão prontos ouvir suas sentenças
Vivos e mortos desde as eras todas,
Forçados pelo estrondo das trombetas.
Rodeado do congresso de teus Santos,
Hás de julgar com imparcial justiça
Os anjos maus, os pervertidos homens:
Segundo a força de sentenas suas,
Os condenados sofrerão a pena;
E de imensos malditos cheio, o Inferno
Fecha-se então para não mais abrir-se.
Depois será queimado inteiro o Mundo;
De suas cinzas brotarão mais belos
Novo Céu, nova Terra, — onde, já livres
De longos males, morarão os justos,
De altas virtudes desfrutando em prêmio
Dias dourados, alegria pura,
Do amor celeste e da verdade os mimos.
Então, estando o Eterno todo em tudo,
Depões teu ceptro real já não preciso.
No entanto, ó todos vós, empíreos Numes!
Prostrai-vos, adorai o Deus que morre
Para salvar da perdição o Mundo:
Como a mim adorai e honrai meu Filho."

Do Onipotente assim que a voz acaba,
Nos Céus ressoa, enchendo os campos do éter,
Altissonante, universal aplauso,
Que exprime com toada melodiosa
Dos Bem-aventurados a alegria.
Curvam-se humildes ante o duplo trono.

Logo, em sinal de adoração solene,
Todos depõem no pavimento as c´roas
Entretecidas de ouro e de amaranto,
(Amaranto imortal! flor melindrosa,
Que no Éden, junto da árvore da Vida,
Transplantada do Céus se abriu primeira!
Mas, assim que brotou a culpa do homem,
Foi removida para o pátrio assento,
E floresce no Empíreo a sacra planta;
Sobre a fonte da vida um toldo forma,
Perfuma, enfeita o rio das delícias
Que dos Céus pelo meio vai correndo,
Sobre as empíreas flores deslizando
Suas mansas, ambáricas torrentes.)
De amarantinas, imurcháveis rosas
Ornam os imortais as tranças de ouro; —
E agora, entretecidas nas grinaldas,
Decoram o brilhante pavimento,
Que risonho assemelha um mar de jaspe
Com as rosas celestiais todo purpúreo.

Depois da adoração a empírea corte
Na frente as c'roas novamente cinge.
Cada qual toma então sua harpa de ouro
Que sempre temperada resplendece
Pendente em tiracolo, afigurando
Ebúrnea aljava de sonoras flechas;
E nela tece encantador prelúdio
Que para o sacro cântico afervora
Com êxtase sublime as almas todas.
Nenhuma voz se recusou, nenhuma,
A fazer nele melodiosa parte:
Com tal primor nos Céus reina a concórdia!

Deram princípio ao cântico destarte:
"Infinito, imortal, onipotente,
Sempre imutável rei, autor de tudo,
Fonte de luz! Assentas-te invisível
Num inacesso trono que se imerge

Em fulgores de glória deslumbrantes;
E quando misterioso em roda obumbras
De teus raios o mar ignipotente,
Côa das abas nítidas das nuvens,
Que de argentino pavilhão te cercam,
Fulgor tão vivo que o mais nobre arcanjo
De ti não se aproxima sem que esconda
Os olhos seus nas asas embuçado."

Depois assim no cântico prosseguem:
"Filho único de Deus, como ele eterno,
O primordial das criaturas todas,
Do Onipotente semelhança augusta,
Em teu semblante majestoso mostras
De teu Pai imortal o imenso brilho,
Sem nuvens, mas de suavizada força,
Que ninguém de outro modo pode olhá-lo!
Com seu fúlgido influxo em ti impressa,
Inteira a glória sua em ti reside;
Transfundido em tua alma poderosa
Inteiro o seu espírito descansa.
Por tua mão criou o Onipotente
O Céu dos Céus e dele as jerarquias;
Por tua mão lançou no Abismo escuro
As altivas, rebeldes potestades:
De teu Pai, nesse dia temeroso,
Os raios destrutivos não poupaste;
Nem de teu carro suspendeste as rodas
Que do Céu firme a abóbada abalavam,
Quando corriam rápidas, ardentes,
Sobre os ferinos, derribados colos
Dos guerreiros arcanjos destroçados.
Quando voltaste de tamanha ruína,
Com estrondosa aclamação aplaudem
Os exércitos teus a ti, ó Filho,
Que a força toda de teu Pai possuis
Para seus inimigos arrasares".

Do cântico esta foi a parte extrema:
"O homem não teve tão fatal desdita,
Pois que pecou por eles enganado;
Tu, de misericórdia e graça cheio,
Mais propenso à piedade que à dureza,
Poupaste-o a pena, ó Pai, tão rigorosa.
Assim que o Filho teu, único, amado,
Viu em ti compaixão do frágil homem,
Não hesitou em aplacar tua ira
E em findar o conflito doloroso
Que de misericórdia e de justiça
Se via afigurado em teu semblante.
Com esse fim, deixando a imensa dita
Onde imediato a ti se assenta e fulge,
Para o homem resgatar se oferece à morte.
Oh! grande amor de que não há exemplo!
Amor que só num Deus podia achar-se!
Salve! Filho de Deus, resgate do homem!
Do canto meu será copioso assunto,
Dora em diante, o teu nome sacrossanto:
Nunca tem de esquecer minha harpa, nunca,
Juntos aos de teu Pai os teus louvores."

Assim passaram deleitoso tempo
Os Bem-aventurados descantando
Nos altos Céus acima das estrelas.

Satã no entanto voa pressuroso
Sobre o firme convexo do orbe opaco
Que encerra em seus limites o Universo,
Resguardando-o dos hórridos assaltos
Do Caos turbulento e antiga Noite.
Julgava ver de longe um globo nele;
Porém infindo continente agora
Parecia-Lhe, inabitado, escuro,
Firmamento iracundo, desastroso,
Sem estrelas, submisso à Noite horrenda,
Sempre do Caos exposto, rebramante

Às contínuas borrascas destrutivas, —
Exceto o sítio que em distância enorme
Às muralhas do Céu fica fronteiro,
Onde observa um reflexo amortecido
E menor impulsão das tempestades.

Qual fero abutre no Imaús nascido
(Cuja íngreme, nivosa cordilheira
Os vagabundos Tártaros reprime),
Que (deixando regiões faltas de presas,
Para ir fartar-se nas mimosas polpas
De anhos e de cabritos desmamados
Por onde as greis arquejam de gordura),
Voa para as ribeiras deleitosas
Do sacro Ganges, do ruidoso Hidaspe,
Porém, no curso da derrota, pousa
Nos estéreis areais de Sericana,
(Onde conduzem Chins com vento e velas
Seus leves carros de bambu tecidos), —
Assim em largo espaço o rei das trevas,
Acima, abaixo, solitário, ansioso
Vagava, nesse bravo mar de terra!
Solitário!... que então nessas paragens
Vivo ou sem vida nenhum ente havia;
Mas ai!... depois, pelo correr dos tempos,
Quando o pecado envenenando os homens
As obras lhes encheu de atroz vaidade,
Povoaram-se de néscias aparências
Idas da terra, iguais ao leve fumo,
Emanadas de fúteis entidades.
Lá vão ter indiscretas esperanças,
Que, por bases tomando vãs quimeras,
Glória, perene fama ou dita, aguardam
Ou cá no Mundo ou na futura vida.
Ações que o galardão terreno buscam,
Frívolos ademães do cego zelo,
Os tão penosos, tão nojentos frutos
Da atroz superstição, da hipocrisia,

Ao justo ali retribuição encontram.
Da Natureza as obras incompletas,
Desvios da razão, falazes sonhos,
Vão para ali (té, que afinal se esvaem), —
Mas para a Lua não, como há quem forje
(Deste astro belo os argentados campos
É mais provável que povoados sejam
De entes — espécie média entre anjos e homens).
As vãs proezas posto que afamadas
Dos antigos, aspérrimos gigantes, —
De Babel a demente arquitetura
De Senaar nos campos elevada.
Que inda empresários acharia agora
Se co'o próprio fabrico deparassem, —
Empédocles que, um nume simulando,
Loucamente saltou nas flamas do Etna, —
Cleômbroto que ansioso ao mar se arroja,
Gozar querendo de Platão o Elísio, —
Os eremitas vãos e inúteis frades
(Sejam quais forem da roupeta as vistas,
De sua eivada ciência as bagatelas
Com que embusteiros a ignorância aturdem), —
Andam ali vagando! e os peregrinos
Que ao Gólgota distante caminharam
Para achar morto o que no Empíreo reina, —
E esses que, ao ver aproximar-se a morte,
Se envergam dentro de hábitos fradescos,
Acreditando que por tal disfarce
Entram seguros nos Empíreos reinos!
Mas, os Planetas sete e os fixos lumes,
A esfera cristalina balançada
Formando em si trepidação famosa,
E o primo-móbil, uma vez que passam, —
Lá do Céu num postigo avistam Pedro
Que os espera na mão coas chaves prontas,
E já do Empíreo no degrau primeiro
O levantado pé firmar procuram...

Eis que atro furacão súbito os sopra
A dez mil léguas longe em rodopios
Pelo espaço confuso de ínvios ares!...
Então veríeis hábitos, capuzes,
Contas, relíquias, bulas, indulgências,
Beatos, bonzos, peregrinos, frades,
Em mil juntos montões, brincos do vento,
No exterior do Universo andando às tontas
Por largo limbo então sem habitantes,
Mas que depois, por muitos conhecido,
Chamou-se — o "Paraíso dos dementes."

Nessa ocasião Satã achou tal globo
E vagou muito tempo em redor dele,
Té que enfim uma luz como a da aurora
Pôde ver, e sobre ela os voos guia
De tão longa derrota já cansados.

Uma soberba escada observa ao longe
Que até dos Céus aos muros se elevava,
Terminando num pórtico eminente,
De imensa arquitetura a mais sublime
Dos reis não vista nos umbrais ufanos:
Era a fachada de diamantes e ouro;
De flamívomas gemas marchetado
O inimitável pórtico fulgia;
Não pudera na Terra modelar-se,
Não houvera pincel para exprimi-lo!
A escada parecia-se à que outrora
Viu Jacob, onde os anjos sem quantia
A subir e a descer passando andavam,
Quando ele, de Esaú então fugindo,
Na presença dormia das estrelas,
E, apenas acordou, disse exclamando
— "Além estão do Céu as sacras portas."

Viu em cada degrau místico emblema.
Nem sempre ali permanecia a escada;
Mas por vezes ao Céu se recolhia.
De pérolas e jaspe um mar brilhante

Ali flutuava; e os que da terra vinham
Passavam-no em baixel que anjos mareiam,
Ou, voando sobre o mar, à riba oposta
Iam num carro com frisões de lume.
Descida então resplendecia a escada, —
Já para que a Satã se dobre a pena
Vendo-se junto ao Céu mas dele expulso,
Já para que à subida se abalance
Mais agravando assim seus infortúnios.
Sotoposta aos degraus ampla se abria
Fúlgida estrada que descia ao Éden
(Feliz habitação do homem primeiro),
E dela no orbe todo se alongava;
A sua embocadura, onde das trevas
Os imensos domínios confinavam,
Parecia-se às praias que limitam
Do largo oceano as respeitosas vagas.
Menos ampla e brilhante era a que outrora
Veio ao monte Sião formosa abrir-se
E demandou da Promissão a Terra,
Por onde a miúdo os anjos costumavam,
Como raios visuais do Eterno Nume
E suas ordens divinais levando,
Ir visitar as tribos prediletas
Desde a nascente do Jordão sagrado
Té Bersabe, onde a Terra Santa findam
Do Nilo o grão país, da Arábia os mares.
Da áurea escada, que vai do Empíreo às portas,
Ao inferior degrau Satã subindo,
Sôfrego lança para baixo os olhos,
E logo de uma vez observa e admira
Deste Universo a inteira arquitetura.
Qual animoso explorador que, andando
Entre perigos mil por toda a noite
Em tenebrosas, solitárias trilhas,
Por fim alcança, assim que rompe a aurora,
O cimo de algum monte alcantilado

Donde a seus olhos súbito aparece
O lindo aspecto, que inda não gozara,
De algum país encantador, de alguma
Celebrada metrópole adornada
De altas torres, soberbos obeliscos,
Que então brilhantes doura o sol nascente, —
Tal sucede ao Espírito maligno
Que, posto haver dos Céus visto a grandeza,
Muito se encanta para o Mundo olhando,
Mas inda muito mais o oprime e rala
Inveja irosa porque o vê tão belo.

Lá, sobre o pavilhão que luminoso
Em círculo limita as largas trevas,
Pode abranger com a vista esperançosa
Desde o ponto oriental da fiel Balança
Té à crinita estrela que, transpondo
De Atlante os mares, do horizonte as metas,
A Andrômeda livrou de crua morte.

De polo a polo na amplidão atenta;
E logo sem mais pausa o voo arranca
Pelas regiões baixando do Universo,
E fácil corta as diáfanas campinas
Ladeando entre as inúmeras estrelas
Que, fúlgidas ao longe, encara ao perto
Como amplos orbes ou ditosas ilhas,
Parelhas aos jardins de Héspero ingentes,
Tão celebrados nas antigas eras
Pelas delícias por ali gozadas
Nos flóreos vales, nos amenos bosques.

Não pretende inquirir o rei das trevas
Se ali vivem felizes habitantes:
O Sol dourado, que no imenso brilho
Mais se assemelha aos Céus, é que lhe atrai
Dos olhos, da atenção o anelo todo.
Dirige-se, através do éter sereno,
Ao grande luminar que se entroniza
Entre milhões de globos cintilantes

Dispostos em distâncias respeitosas,
Onde, na razão delas, os procura
Do pai da luz o brilho com que se ornam.
Dele em redor cada um perfaz seu giro
Formando-nos os dias, meses e anos,
Ou por força inerente compelido,
Ou cedendo aos magnéticos fulgores
Com que o Sol brandamente aquenta, embebe
Da Natureza a universal textura,
Em cada um de seus membros difundindo
Ocultas mas enérgicas virtudes:
Em tão próprio local se assenta o trono
Do portentoso rei da claridade!

Satã no entanto dele se aproxima.
Porém dizer da esfera luminosa
Por que lado, em que ponto se apresenta,
É difícil, — mas nela nunca viram
Mancha igual os astrônomos atentos
Pelo seu mais perfeito óptico tubo!

Acha-o brilhante, da expressão acima;
Nada com ele comparar-se ao justo
Na Terra pode, nem metal, nem pedra;
As partes de que consta iguais não tinha,
Mas todas elas como o ferro em brasa
Vê penetradas de radiante brilho.
Quando a metais se queira compará-lo,
Crê-se misto feliz de prata e de ouro;
Quando a pedras parece que ali se unem
O rubi, o carbúnculo, o topázio,
Ou as doze que límpidas fulgiam
Do magno Aarão no racional sagrado;
Também menos formosa se imagina
A pedra que os filósofos debalde
Compor por muito tempo têm querido, —
Debalde, não obstante congelarem
Por arte insigne o líquido mercúrio
E reduzirem ao normal estado

Este velho Proteu tão vário em formas!
E causa maravilha que em seus campos
O mais puro elixir o Sol exale,
E ouro potável em seus rios volva,
Quando de nós tão longe ele origina,
Com os humores terrestres misturando
Só de seus raios vívida virtude,
Produtos tão gentis, tão lindas cores?
Satã, não deslumbrado, presencia
Tão assombrosa e grata perspectiva:
A transparência do ar, que ali tão claro
Como em parte nenhuma se apresenta,
Os mais longes objetos lhe descobre:
Sua vista estendendo ao longo, ao largo,
Nenhum estorvo ou sombra se lhe antolha;
O Sol co'o brilho seu abrange o espaço
Como quando ao mei'dia os seus fulgores,
Do equador vindo ao ponto culminante,
Espalha a prumo sobre os corpos donde
Nem a mais leve sombra se debruça.

Eis que percebe o espírito das sombras
Em pé, junto do Sol um anjo excelso,
O mesmo que nas pósteras idades
Visto ali foi do autor do Apocalipse.
Virado para o globo rutilante,
Mesmo assim fulgurava majestoso:
De puríssima luz, que ao longe raia,
Áureo diadema lhe circunda a fronte;
Ondeiam-lhe formosos os cabelos
E as asas vistosíssimas se alongam
Sobre os nítidos ombros de alabastro:
De alto encargo parece que se ocupa,
Ou que se engolfa em pensamentos grandes.
Satã exulta porque achou quem possa
Seu voo errante encaminhar ao Éden
(Suave habitação do homem ditoso),

Onde o caminho seu findar devia
E a série começar dos males nossos.
Porém primeiro muda o próprio aspecto
Que empecê-lo podia ou ser-lhe infausto:
Finge-se querubim de ordem segunda;
Em seu belo semblante está sorrindo
A vívida, celeste juventude,
E nos seus membros se difunde a graça
Que a semelhante jerarquia é própria,
Tão sagaz representa o seu disfarce!
Nas faces ambas em anéis lhe brincam
Os cabelos gentis de c'roa ornados:
De cores várias entremeadas de ouro
Asas tem; apanhado acima, traja
Vestido acomodado a leve voo;
E, por que melhormente se dirija,
Com gravidade empunha argêntea vara.
Antes de perto estar, faz que o perceba
O anjo fulgente que, para ele olhando,
Mostrou-se o arcanjo Uriel, — um dentre os sete
Que ante Deus, mesmo ao pé do trono augusto,
Prontos aguardam que ordens lhes intime,
E logo ou pelo Céu sereno as levam,
Ou para a Terra ou sobre os amplos mares.
Satã, a ele chegando, assim se expressa:
"Uriel, ínclito arcanjo, um dentre os sete
Que ante Deus, mesmo ao pé do trono augusto,
Prontos estão, mas que o primeiro sois
Intimar sua autêntica vontade,
Levando-a desde os Céus aos sítios todos
Onde seus filhos teu recado esperam, —
Certo, honra igual aqui tendo alcançado,
A miúdo a nova criação visitas.
Sabe que tenho inexprimível gosto
De ver e de indagar as maravilhas
Que Deus formou, e sobre todas o homem,
Seu principal deleite, a quem destina

Da criação as estupendas obras.
Eis o motivo por que só e errante
Aqui venho, do Céu deixando os coros.
Dize, eu to imploro, serafim brilhante,
Em qual dos orbes que nesse éter fulgem
Tem o homem fixa estância, ou se a seu gosto
Pode em todos morar! vê-lo procuro
Para admirar, com porte recolhido,
O que possui pela mercê do Eterno
Tantos mundos e graças tão subidas.
No homem então adoraremos todos
O Autor de tudo, — que arrojou no Inferno
A revel multidão de seus contrários,
E, para deles reparar a perda,
A progênie feliz criou dos homens
Que o servirão com fido acatamento.
Os caminhos de Deus são todos sábios."

O hipócrita falsário assim se expressa
E do arcanjo previsto o tento ilude.
Dentre os homens nenhum, nem dentre os anjos,
Discernir sempre a hipocrisia pode;
Só Deus, onde ela está, sempre a conhece:
Por muitas vezes este enorme vício
Invisível percorre os Céus e a Terra;
Porque próvido o Eterno lho faculta.

Apesar da prudência estar alerta,
As suspeitas, que à porta lhe atalaiam,
Dormem a miúdo, em seu lugar deixando
A boa-fé que ingênua não reputa
Haver mal onde o mal não anda às claras;
Foi enganado Uriel desta maneira,
Inda que rege o Sol e é do alto Empíreo
Por excelência o espírito atilado.
Todo candura, então assim responde
Ao fraudulento hipócrita malvado:

"Anjo formoso, que desejas tanto
De Deus imenso conhecer as obras

Para acatado nelas o adorares,
Não vejo excesso de censura digno
Nesse desejo teu; antes encontro
Motivos de louvor no insigne zelo
Com que saíste das mansões celestes
E vieste, errante e só, para observares
Co'os próprios olhos o que talvez muitos
Contentar-se-ão de ouvir no Céu sentados.
Decerto, são de Deus as obras todas
Da maior perfeição e maravilha:
Conhecê-las, passá-las na memória,
Sempre causa prazer inexprimível.
Mas qual criado entendimento pode
Compreender de todas a quantia,
E a ciência sem limites donde nascem.
Que oculta causas e só mostra efeitos?
Eu vi a massa de que é feito o Mundo
Inda bruta, inda informe, unir-se em globo:
Assim que a voz de Deus foi proferida,
O Caos obediente ouviu-a, — e logo
Seu estrondoso horror fica regrado;
Do infinito a amplidão confins recebe.
Á sua voz segunda as trevas fogem,
Brilha a luz, ordem da desordem nasce.
Confundidos té'li os elementos,
Ar, água, terra, fogo, eis que se apressam
Buscando os sítios que lhes são marcados.
Do Céu a etérea quinta-essência sobe
Em diferentes formas animada;
De rotação o movimento imprime
Nos astros, nas inúmeras estrelas,
Que têm espaço e giro destinados;
O resto dela em círculo sustenta
Deste Universo as côncavas muralhas.
Para baixo, olha além: — naquele globo,
Que fulgura do lado a nós fronteiro
Com a refletida luz daqui mandada,

A Terra vês, feliz morada do homem;
Essa luz , seu dia; a ausência dela
forma-Lhe a noite, que lhe invade agora
O outro hemisfério: assim a noite e o dia
Giram por ela sempre e sempre opostos.
Mas ali vê que brilha argêntea, a Lua
(O astro vizinho à Terra assim se chama):
Pelo meio dos Céus passeando airosa
Seu círculo mensal finda e começa,
Luz recebendo no triforme rosto
Emprestada do Sol e que despende
Em alumiar a Terra enquanto é noite,
De alvo clarão as trevas abafando.
É tão lindo lugar, que além te aponto,
O Paraíso; nele Adão habita;
Estão no seu jardim aquelas sombras.
Não tens que errar. Adeus: vou-me a meu cargo."

Disse; e de novo para o Sol se vira.
Satã lhe faz estão profunda vênia,
Como com jerarquias superiores
Sempre é costume praticar no Empíreo,
E da eclíptica logo o voo lança
Ligeiro e a prumo em direção à Terra:
Lá vem descendo em tortuosos giros,
Até que no cume do Nifate pousa.

ARGUMENTO DO CANTO IV

Satã, — à vista do Éden, e perto do lugar onde devia lançar-se à empresa atrevida que ele só tomara a si contra Deus e o homem, — entra consigo mesmo em diversas dúvidas: o medo, a inveja, a desesperação, o combatem; mas por fim confirma-se no mal, caminha para o Paraíso (cuja perspectiva externa e situação se descrevem), salta-lhe por cima das muralhas, e na forma de abutre pousa sobre a árvore da Vida, como a mais alta do jardim, para olhar em redor. Descrição do jardim. Satã vê pela primeira vez Adão e Eva; maravilha-se de sua excelente forma e feliz estado, mas sempre com a resolução de tramar-lhes a perda; ouve os seus discursos, dos quais conclui que lhes era proibido sob pena de morte comer dos frutos da árvore da Ciência; daqui parte para achar-lhes a tentação, seduzindo-os a transgredir aquele preceito; no entanto por algum tempo os deixa para por outros meios indagar mais miudamente as suas circunstâncias. Então Uriel, descendo num raio do Sol, avisa a Gabriel (que a seu cargo tinha guardar a porta do Paraíso) de que um mau espírito escapara do Inferno e passara por sua esfera ao meio-dia, na forma de um bom anjo, em direção ao Paraíso, — e de que ele o conhecera depois no monte por seus furiosos trejeitos. Gabriel promete achá-lo assim que amanheça. Vem a noite; Adão e Eva tratam de ir descansar; o seu aposento; a sua oração da noite. Gabriel dispõe as colunas para fazerem a ronda noturna do Paraíso, destina dois fortes anjos ao aposento de Adão para que o Espírito mau não cause algum dano aos dois esposos que dormiam : ao ouvido de Eva o encontram tentando-a em um sonho, — e levam-no por força à presença de Gabriel, pelo qual é interrogado e a quem responde com desprezo. Satã prepara-se para resistir; mas, estorvado por um sinal do Céu, retira-se do Paraíso.

CANTO IV

e, nos Céus, altamente retumbando
Até os ouvidos do inspirado em Patmos,
Prorrompeu o — "Ai dos habitantes do orbe!" —
Dando sinal de que o dragão do Averno
Vinha, depois de perdição segunda,
Nos homens exercer crua vingança...
Que dor! Não dar-se aos pais da humana estirpe
Agora ouvirem tão funesto brado!
Avisados assim da traição negra
Que seu oculto imigo lhes tramava,
Seu dano minorar talvez pudessem,
Mesmo escapar-lhe do funéreo laço!

Porém Satã, ardendo em fúrias todo,
Ei-lo ali já, que vem traidor vingar-se
Da primeira batalha haver perdido
E de arrojado ser nas flamas do Orco!

Ao frágil homem, inocente ainda,
Assesta o seu furor; agora o tenta,
E no tempo futuro há de acusá-lo.
Ostentando-se impávido e valente,
Posto que era sem base essa jactância,
Exultar do sucesso não se anima;
Contudo, enceta a depravada empresa,
Que, perto de nascer, ferve recuando
No tumultuoso coração do monstro,
Qual recua o canhão quando o disparam.

O horror medonho, a dúvida terrível,
Confundem-lhe os turbados pensamentos
Que lhe acendem o Inferno dentro da alma:
O Inferno traz em si, de si em torno;
Não pode um passo dar fora do Inferno,

Porque, onde quer que vá, leva-o consigo!
Remordida a consciência lhe desperta
A desesperação que dormitava;
Desperta-lhe a lembrança desabrida
Do muito que já foi, do que é agora,
Do que há de ser, a pior sempre indo tudo:
Crescendo as obras más, cresce o castigo.

De vez em quando no Éden, que então mostra
Na mor beleza a perspectiva sua,
Emprega aflito os olhos macerados;
De vez em quando ao Céu e ao Sol os vira
Que em todo o seu fulgor então se assenta
Na meridiana altura majestoso.
E depois, engolfado em pensamentos,
Nestas palavras suspirando rompe:

"Tu, que, de glória amplíssimo coroado,
Olhando estás dessa área onde só reinas,
Que pareces o Deus do novo Mundo,
A cuja vista todas as estrelas
A própria face ocultam respeitosas...
A voz dirijo a ti, não como amigo,
Porém sim articulo, ó Sol, teu nome
Para te assegurar quanto aborreço
Tua luz que à lembrança me recorda
O ledo estado de que fui banido!
De tua esfera muito acima outrora
Glorioso me assentei; porém, ousando
Guerrear nos Céus, dos Céus o Rei supremo,
De lá me arrojam a ambição, o orgulho,
Mas... ai de mim! por quê?... Justo e benigno,
De tal retribuição credor não era,
Ele que o ser me deu, que nessa altura
Me colocou imerso em brilho, em glória,
Sem nunca me exprobrar favor tão grande:
Nenhum custo me dava o seu serviço.
Que me cumpria tributar-lhe menos

Que a fácil recompensa dos louvores?
Graças assim lhe eu dava, oh! tão devidas!
Mas seu bem todo em mim tornou-se em males,
Meu coração encheu de atroz malícia:
Tão alto erguido, à sujeição repugno;
Ao mais sublime grau quero elevar-me,
De todos muito acima, — e num momento
Ver-me quite de dívida tão árdua
Qual a da gratidão, imensa, infinda,
Que a pagar custa e em dívida está sempre.
Assim de seus favores deslembrado,
Nem mesmo vi que uma alma agradecida,
Se sempre deve, está sempre pagando,
Que ao mesmo tempo se individa e salda!
Onde há "ônus aqui? Feliz eu fora,
Se o poderoso Deus me houvesse feito
De inferior jerarquia um simples anjo!
Assim nunca esperança desmedida
Me ateara da ambição o horrendo fogo!...
Que digo?! Outro poder de igual grandeza
Igual tentâmen em meu lugar fizera;
Mesmo eu, como inferior, me unira co'ele.
Mas porventura não ficaram firmes
Outros grandes poderes, rechaçando
Todas as tentações próprias ou de outrem,
Ganhando imensa glória em tal repulsa?
E não possuías tu, como eles todos,
Suficiente valor, vontade livre?
Possuía-los decerto: então... como ousas
Queixas fazer sem teres de que as faças,
A não ser desse amor que, igual e livre,
Um Deus benigno repartiu com todos?...
Amor, que é para mim o mesmo que ódio,
Esta desgraça eterna em mim causando!...
Então seja esse amor também maldito!
Mas não!... Maldito eu seja porque injusto
Livremente escolhi contra meu senso

O que tão justamente agora eu sofro!
Quanto sou infeliz! Por onde posso
Fugir de sua cólera infinita
E de meu infinito desespero?...
Só o Inferno essa fuga me depara:
Eu sou Inferno pior! o outro, cavando
No fundo abismo, abismo inda mais fundo,
E ameaçando engolir-me em tais horrores,
Para mim fora um Céu se o comparasse
Com este Inferno que em mim mesmo sofro!
Ai de mim! que afinal ceder me cumpre!
E como hei de mostrar que me arrependo?
Por que modo o perdão obter eu posso?
Só pela submissão... Palavra horrível!
Meu nobre orgulho atira-te bem longe,
Repele-te a vergonha que eu sentira
À vista dos espíritos imensos
Que seduzi, fazendo outras promessas
Que de vil submissão muito distavam,
Blasonando-lhes pôr em cativeiro
O Onipotente Regedor do Empíreo.
Que dor infanda!... Pouco eles conhecem
Quão cara a vã jactância hoje me custa!
Imerso em que tormentos se debate
Meu triste coração no entanto que eles
Por monarca do Inferno hoje me adoram!
Subi mui alto com diadema e cetro;
Depois,... cheio de horror caí tão baixo:
Eis-me só na miséria soberano;
É própria da ambição esta alegria!
Inda mais: — se eu pudesse arrepender-me
Ou, por decreto da divina graça,
Alcançar meu estado primitivo,
Logo essa elevação em mim erguera
Pensamentos de orgulho que anulassem
Quanto jurara submissão fingida:
Anularia a prístina grandeza

Votos que entre torturas se exprimiram
Como írritos e vãos, — que nunca pode
A reconciliação ser verdadeira,
Quando do ódio mortal o ervado acúleo
Tão profundas feridas tem aberto!
Seriam deste modo mais horríveis
A recidiva culpa, a nova pena;
Comprara intermissão de pouca dura,
E obtida mesmo assim com dor dobrada,
Para afinal curtir mais crus tormentos!
O meu flagelador tudo isto sabe:
Assim, de dar-me a paz dista ele tanto
Como eu de lha pedir; eis para sempre
Perdida toda a sombra de esperança!
Em vez de nós, expulsos, exilados,
Criada já existe a prole humana,
Prazer novo de Deus, e este amplo Mundo
Para morada deleitosa dela.
Foi-se a esperança... e não regressa nunca!...
Com ela o medo se foi, foi-se o remorso!
Para mim não há bem que já exista!
Será meu bem, ó mal! por ti ao menos
O império universal com Deus divido,
E na porção maior talvez eu reine:
O homem e o Mundo o saberão em breve."

Enquanto assim falou, na torva face
O furor das paixões se lhe debuxa;
O desespero, a inveja, a ira, três vezes
O ígneo rubor em palidez lhe tornam.
Desta sorte emprestado e contrafeito
Pareceria logo esse semblante
A quem quer que o notasse; empíreos gênios
Não têm desordens tais, sempre estão puros.
Mas cauteloso o artífice da fraude
Com sossego exterior mitiga, encobre
Cada extravio que lhe rompe da alma, —

Ele o primeiro que pratica embustes,
Que atrás vinganças e malícia esconde
Debaixo do ouropel da santidade.

Contudo, não bastou quanto fingira
Para lançar Uriel em longo engano,
Que pressentido com a vista o segue
E sobre o monte Assírio o vê turbado
Por modo que não era compatível
Dos céus com o espíritos ditosos;
Observa-lhe os trejeitos furibundos,
O baixo porte quando se contava
De todo só, por nenhuns olhos visto.

Sempre em desordem tal, Satã prossegue
E do Éden chega ao próximo contorno
Donde avista já perto o Paraíso
Cuja muralha verde está coroando,
Qual valado rural, a alta campina
Sobranceira a penedos escarpados,
A hirsutas brenhas, a profundos antros,
Que a tão sagrado sítio o acesso tolhem.
Por cima deles vão, umas sobre outras,
Em forma de degraus, ordens subindo
De palmeiras, de faias, pinhos, cedros
Perspectiva selvática formando
Que se afigura teatro de floresta
Com magnífica pompa decorado.
Inda de cima dos copados topes
Dessas sublimes árvores se eleva
Do Éden o verde muro, donde avistam
Nossos primeiros pais em longo alcance
Porção extensa do seu vasto império.
Sobrepostas ao muro árvores lindas,
Em renque circular, ali se ostentam
De flores e de frutos carregadas:
O ouro dos frutos, o candor das flores,
Esmaltam das ramagens a verdura,
Onde o Sol mais vistoso emprega os raios

Do que nas belas, vespertinas nuvens,
Ou no arco multicor que enfeita o polo
Quando Deus benfazejo a chuva manda.
    Aquela perspectiva era tão grata!
Os puros ares, cada vez mais juros
Quanto Satã mais perto avança do Éden,
O doloroso coração lhe abalam
Com vívido prazer e alma alegria
Que tanto imperam na sazão das flores,
E que todas as mágoas afugentam
Salvo as que são do desespero filhas.
Já por ali as brisas mansas, meigas,
As recendentes asas abanando,
Do Éden espalham os natais perfumes
E o sacro nome do lugar ciciam,
Donde o espólio balsâmico apanharam.
    Qual navegante que, dobrado havendo
O Tormentório cabo e atrás deixando
De Moçambique os celebrados muros,
Respira em largo mar sabeus aromas
(Que do Nordeste as brisas lhos conduzem
Das longes praias da fragrante Arábia).
E, à carreira da nau quebrando o impulso,
Em sensações tão gratas se demora
Encontrando por léguas dilatadas
Perfumado e risonho o velho Oceano, —
Satã essa fragrância assim recebe,
Que com tal bafo envenenada fica:
Ele contudo mais prazer lhe encontra
Do que Asmodeu no odor do assado peixe
Que o fez fugir iroso e namorado
De junto à bela, de Tobias nora,
Da média para o Egito onde foi preso
Com grilhões invencíveis, vingadores.

    Eis Satã, vagaroso e pensativo,
Chegado ao pé do alcantilado monte;

Nenhum caminho para avante observa;
Unidos troncos, encruzados ramos,
Enredados arbustos, mato espesso,
Muros formando em círculos fechados,
De homem ou de animal o passo impedem.
Uma porta somente ali havia
Do lado oposto que ao nascente olhava.
Assim que o rei das sombras a percebe,
Despreza entrada que mui fácil julga,
E, para prova do desprezo, salta
Co´um brevo pulo, galga de improviso
Do monte a altura, o muro inda mais alto, —
E logo lhe cai dentro, em pé ficando,

Qual da fome apertado o astuto lobo
Novas presas procura em novo sítios
E, à prima noite pesquisando ovelhas,
Que o pastor cauto resguardou seguras
Em erma choça com valado em torno,
Dentro lhe pula com veloz presteza, —
Ou qual o salteador, disposto ao furto
Do cofre forte de vilão ricaço
(Que, fiando-se nas trancas, nos ferrolhos,
Nas aldravas, nas portas cravejadas,
Não teme assalto algum), lá trepa e lhe entra
Por igual modo no curral do Eterno
Entrou astuto o salteador primeiro:
Na igreja assim depois também lhe entraram
Vis mercenários, do interesse filhos!

Logo voa dali. E, feito abutre,
Pousa previsto na Árvore da Vida
(Que entre quantas ali soberbas se alçam
Mais alta sobe e fica-lhes no meio),
Não porque a vida verdadeira alcance
Mas porque aos vivos ocasione a morte
Nem suspeita a vivífica virtude
De árvore tal que, aproveitada sendo,
Fora de imortal vida o firme abono;

Mas — para ao longe ver — somente a emprega.
Ninguém, exceto Deus, ao justo pode
Calcular o valor do bem que encara:
Sempre as melhores coisas se pervertem
Por mau abuso ou não saber-se usá-las.
De cima da árvore olha, e em longo alcance
Vê todos os prodígios destinados
Para o deleite e precisões dos homens;
Num distinto lugar acha em resumo
Da Natureza as opulências todas, —
Ou, melhor, vê ali um Céu na Terra:
Era o jardim de Deus, o Paraíso,
Que ele mesmo plantou no oriente do Éden,
O Éden em seu circuito se estendia
Desde o oriental Aurã até onde ergueram
Os Gregos reis da grã Selêucia as torres,
Ou onde em Telassar do Éden os filhos
Muito antes desses tempos habitaram.
Neste agradável solo fez o Eterno
O jardim seu mais agradável inda,
Muito excedendo o que era dado ao solo:
Coloca ali as árvores mais aptas
Para encantar a vista, o olfato, o gosto;
No meio delas a Árvore da Vida
Lhe apraz dispor, de todas a mais alta,
Com frutos que de ambrósia o cheiro lançam
E o brilho do ouro vegetal ostentam.
Cresce a Ciência ali a Árvore perto
Que igual ensina o Bem e o Mal que o dana, —
Ciência fatal que nos fadou com a morte!
Do Éden corre através, do sul manando,
Não torcido em seu curso, um largo rio
Que, chegado à raiz do arbóreo monte
Posto por Deus ali sobre a corrente
De seu jardim como elevado muro,
As massas térreas bíbulas lhe rompe:
Parte subtérreo horizontal correndo,

Parte, com atraente força erguido,
Sobe do monte pelo escuro seio,
E em cima, em rica fonte rebentando,
Rega o jardim de inúmeros arroios
Que depois em argênteo lago se unem,
E, por cascata ingente alcantilada,
Em cachões de alva espuma se despenham,
Indo à subtérrea enchente incorporar-se
Onda da obscura estrada à luz regressa.
Ganhando o rio o prístino volume,
Em quatro grandes rios se reparte
Que, por muitas regiões, famosos reinos,
Cuja notícia agora inútil fora,
Em direções diversas vão correndo.
Mas é para narrar-se a perspectiva
(Se tanto podem os esforços da arte)
Que essa fonte magnífica apresenta:
Dentre rochas de diáfana safira
Manando estão ribeiros murmurantes
Em crespos jorros de argentinas águas
Que, enredando-se em giros, cobrem, banham
Pérolas orientais e areias de ouro,
Visitando, com gosto e odor de néctar,
Por baixo de pendentes sombras gratas,
Todas as plantas, dando vida às flores
Que o sacrossanto Paraíso enfeitam,
Ali dispostas, não como esmerada
A arte as regula em detalhadas vistas,
Porém como a singela Natureza
As derramou com multidão profusa
Nos outeiros, nos vales, nas planícies, —
Quer onde o Sol, em todo o giro diurno,
De luz e de calor os campos enche, —
Quer onde a sombra de contíguas ramas
Lindos passeios ao meio-dia tolda.
Este sítio feliz todo era encantos;
De perspetivas mil se matizava:

Aqui, formando deleitosas ruas,
Sempre florentes árvores destilam
Preciosas gomas, bálsamos cheirosos;
Brilham de outras ali pendentes frutos
De casca de ouro, de sabor insigne,
Realizando-se ali, ali somente,
Quanto as Hespérias fábulas divulgam.
Eis se interpõe um vale, uma planície
Onde alva mansa grei pasce a verdura;
Ou crespo outeiro de soberbas palmas;
Ou regadia várzea em que amplas moitas
Das flores todas a ufania ostentam,
Entre as quais sem espinhos se ergue a rosa.
Do outro lado sombrias, cavas grutas
Amena fresquidão do seio exalam.
E por fora as arreia, em teor de manto,
Viçosa vinha de purpúreos cachos
Pomposo luxo rastejando, — ao tempo
Que de outeiros declives água pura
Com brando murmurinho vem descendo,
Dispesando-se aqui, além num lago
Formando largo, cristalino espelho,
Cujas bordas franjadas orna o mirto.
Não cessa ali a música das aves:
Virações meigas da estação das flores,
Impregnadas de aromas recendentes,
Entre a folhagem trêmula sussurram,
Enquanto Pã, da Natureza emblema,
Unido em danças com as Graças e Horas,
Primavera conduz brilhante, eterna.
Nem de Ena a formosíssima lhanura
Onde flores Prosérpina colhia,
Sendo ela ali das flores a mais bela,
Quando colhida foi por Dite avaro,
Causando angústias mil na aflita Ceres
Que errante a busca então por todo o Mundo, —
Nem da alva Dafne o encantador passeio,

C. LAPLANTE

Do Oronte à beira, junto às frescas águas
Da inspirada Castália, — poderiam
Com o Paraíso do Éden comparar-se!
Nem Nisa, que o Tritão cinge em seu curso,
E onde o provecto Cam, que o gentilismo
De líbio Jove ou de Ámon apelida,
Amalteia ocultou e o tenro Baco.
Fora do alcance da madrasta Reia, —
Nem esse monte Amara, que do Nilo
Junto às fontes está, luzente rocha
Ao equador etiópico sujeita
Na subida levado um dia todo,
Onde da Abissínia os reis seus filhos guardam,
E onde supõem alguns que o ser Eterno
Fizera o verdadeiro Paraíso —
Desse assírio jardim visos possuem,
Onde magoado observa o rei das sombras
Quantos prazeres figurar se podem,
Todas as qualidades de viventes,
Tudo a seus olhos novo, tudo estranho!

Mas dois o atraem mais, que em pé, quais Numes,
Mostram maior nobreza e airosos trajam
A majestade da inocência pura,
Reis parecendo do Universo dignos:
De seu glorioso Autor a empírea imagem
Nos olhos divinais lhes resplendece;
Insculpidos no rosto lhes divisa
A verdade, a sapiência, a santidade,
Severas, puras, mas de todo livres,
Únicas fontes do poder humano,
Quais convinha que Deus as desse aos homens.
Porém na construção iguais não eram;
Deles o sexo em cada qual varia:
Todas se inculcam do varão as formas
Para o valor e intelecção talhadas,
Nas feições da mulher tudo respira
Suavidade, brandura, encantos, graças:

Só de Deus ele possessão parece;
Mas ela, possessão de Deus e do homem.
Erguida e nobre fronte, olhos sublimes,
Independência livre nele mostram;
A jacintina coma bipartida
Pende anelada, em varonil maneira,
Não vindo abaixo dos robustos ombros.
Nela, qual véu as desgrenhadas tranças,
Cor de ouro e soltas, livremente ondeiam
Até muito abaixo da gentil cintura, —
Mostrando, qual nos elos mostra a vinha,
Sujeição, mas que cede a afável mando,
Que a concede a mulher, nela envolvendo
Meiga demora, suave relutância,
Modesto orgulho, submissão modesta,
E tudo aceito com prazer pelo homem.
Inda ostentam nudez honrosa e pura;
Inda não tinha o desonesto pejo,
A hora dolosa, que brotou do crime,
Da natureza as perfeições coberto
(Como depois se viu — quando o pecado
Iludiu, corrompeu a humana prole,
Fazendo conceber-lhe que é pureza
O que de formas frívolas não passa),
Nem banido, o melhor da vida do homem,
A simples inocência imaculada.
Nus então nossos pais assim passeiam;
E nem dos anjos, nem de Deus se ocultam,
Não conhecendo o que por mal se entende.
De mãos dadas passeia o par mais lindo,
Qual nunca mais se uniu de amor nos laços:
Adão, o mais gentil de quantos homens
Dele, como seus filhos, descenderam;
Eva, a mais bela das mulheres todas
Que dela, mãe comum, obtém a origem.
À grata sombra de árvores copadas
Onde maviosa viração murmura,

Em verde relva, junto a fresca fonte,
Assentam-se eles, terminada a lida
Que de delícias cheias lhes deparam
Campos lindos, onde o afã só consta
De dar lugar aos zéfiros mais fácil,
De tornar o repouso mais tranquilo,
O apetite melhor, mais grata a sede.
Então apanham para a ceia frutas,
Frutas nectárias — que até junto deles
Os complacentes ramos inclinados
Lhas vêm trazer ao mole ervoso assento,
Adamascado de vistosas flores.
Das saborosas polpas vão comendo;
E com as cascas, assim que a sede o pede,
Tiram da cheia fonte água mimosa.

Doces conversações ali não faltam,
Amáveis risos, folgazões gracejos
Próprios da mocidade e em par tão lindo,
De esposos tão de fresco e os sós no Mundo.
Em redor deles saltam, pulam, brincam
Todos os brutos, inda não ferozes,
Quer bosque, ou selva, ou prado, ou cova habitem.
O forte leão comado ali retouça
Amimando nas garras o cordeiro;
Deles por diante a seu sabor cabriolam
Os ursos, os leopardos, onças, tigres
O pesado elefante, pondo em obra
Seu poder todo por fazer-lhes festa,
Torce em mil voltas a flexível tromba;
Perto ali deles a serpente astuta,
Insinuando-se meiga, tece airosa
Um laço górdio na brunida cauda
E ostenta provas da fatal malícia,
Que mesmo assim nem era suspeitada;
Outros já fartos dormem sobre a relva,
Ou despertos se assentam ruminando.

Então, a passo rápido e declive,

Para as ilhas do Oceano o Sol já desce,
E as estrelas, da noite precursoras,
Na balança do Céu já vêm subindo, —
Quando Satã, metido inda no pasmo
Em que ficara assim que viu tais cenas,
Por fim com custo e aflito a voz desata:

"Inferno! Inferno! Que painel terrível
Meus olhos miserandos presenciam!
Em nossa estância habitam criaturas
De outro molde, talvez de terra feitas,
Que, não sendo anjos, só diferem pouco
Dos celestes espíritos brilhantes.
Os meus maravilhados pensamentos
Nelas se engolfam todos: até me sinto
Propenso amá-las, — tanto lhes fulgura
A semelhança divinal no porte,
E tantas graças nos gentis semblantes
A mão que as construiu pródiga esparze!
Ah! par formoso! Mal agora pensas
Na mudança que perto já te assalta:
Esses prazeres todos vão sumir-se,
E desgraça tremenda lhes sucede
Tanto mais crua quanto sentes hoje
Alegria maior nos seios da alma.
És feliz, mas durar assim não podes
Porque bem defender-te o Céu não soube:
O Paraíso teu, onde alto habitas,
Ficou cercado mal para que impeça
Imigo tal como o que lhe entra agora.
Contudo, violentado é que eu te invisto:
Tenho dó de te ver assim exposto,
Não obstante de mim tu não o teres:
Busco em estreito nó a ti unir-me;
Quero contigo ter mútua amizade,
Tão vinculada que moremos ambos,
Tu em mim, eu em ti, por todo sempre.
Talvez a minha estância não agrade,
Como este Éden tão belo, a teus sentidos:

Mas, tal qual é, recebe-a por ser obra
Desse teu Criador que tanto exaltas;
Deu-ma ele assim, assim eu ta franqueio.
As vastíssimas portas há de abrir-te
O Inferno ovante, e seus monarcas todos
Hão de vir fora delas receber-te:
Terás ali morada mui diversa
Deste circuito exíguo: nela pode
Tua inúmera estirpe acomodar-se.
Se não achares grata essa vivenda,
Deves agradecê-la ao que me obriga
A tramar contra ti, que não me ofendes,
Esta vingança atroz que só devia
Recair nele que me ofende tanto.
Pela inocência pura que te adorna
Enterneço-me assaz; porém, contudo,
O público interesse, a honra empenhada,
O ardor de me vingar engrandecendo
Coa conquista do Mundo o meu império,
Obrigam-me a fazer coisas agora
Que eu, inda que votado às penas do Orco,
Em outras ocasiões abominara."

Satã disse. E no público interesse
Os seus tramas diabólicos disfarça, —
Manejo em que são mestres os tiranos.
Ele do cume então da árvore altiva
Desce para entre os folgazões rebanhos
Das variadas, quadrúpedes espécies:
Ora de uma, ora de outra veste a forma,
À medida que as vê melhor servirem
Para mostrar-lhe de mais perto a presa,
E mesmo dela as circunstâncias todas,
Colhidas por ações ou por palavras
Já feito leão soberbo, em fogo os olhos,
Perfaz, deles em torno, um lento giro:
Já tigre se afigura, quando o acaso

Dois mui bonitos gamos lhe descobre
Que ao pé de um bosque ou num aceiro brincam;
Debruçado se cose então com a terra,
Depois a miúdo se ergue, abaixa, ajeita,
Buscando pouso donde em breve pulo,
Sem medo de os errar, consigo logo,
Em cada garra o seu, colhê-los ambos.

No entanto Adão, dos homens o primeiro,
A Eva, a primeira das mulheres, fala:
"Tu, sócia minha, — a só com que desfruto
Estas delícias todas, — tu, que eu prezo
Mais que elas todas porque mais me encantas...
Decerto o grão Poder que nos deu vida,
Que para nós formou este amplo Mundo,
Deve ser por igual, sem fim, sem metas
Benigno, liberal, imenso, livre.
Ele ergueu-nos do pó, e aqui deste Éden
Na perenal ventura nos coloca.
Nada lhe merecíamos — e nada
Nós lhe podemos dar, que ele tem tudo;
De nós nenhum serviço mais pretende
Do que um encargo para nós tão fácil;
De todas estas árvores que no Éden
Dão frutos tão variados, tão mimosos,
Só a Árvore da Ciência nos proíbe
Que da Árvore da Vida está mui perto:
Tão perto ali da vida cresce a morte!
Seja a morte o que for, é coisa horrível, —
Pois Deus a pronunciou contra quem ouse
Comer de árvore tal, punindo a quebra
De uma só restrição assim ditada
Entre tanta grandeza e tanto império,
Que nos franqueia sobre quantos vivem
No mar, na terra, no ar. Não, não julguemos
De custo algum proibição tão leve,
Nós que possuímos sobre as coisas todas,

Sobre prazeres tantos e tão vários,
Livre licença, ilimitada escolha.
Graças demos-lhe pois; sua bondade
Com puro fervor de alma lhe exaltemos,
Prosseguindo a tarefa deleitosa
De cortar estes ramos pululantes,
De estas flores suster: sendo isto lida,
Fora doce contigo partilhada."

Logo lhe torna assim a amável Eva:
"Ó tu, de quem e para quem formada,
Carne de tua carne, aqui existo!
Meu guia e chefe meu, sem quem eu fora
Em todos os sentidos imprestável, —
Tudo quanto disseste é reto e justo.
Sempre sinceras, quotidianas graças
Devemos dar-lhe, mormente eu que gozo
O mais feliz quinhão em seus favores
Estando unida a ti, que te avantajas
A mim por tantos dotes sem que encontres
Outrem que possa emparelhar contigo.
Recordo a miúdo o dia em que do sono
A vez primeira despertei, deitada
À sombra de mil flores, e admirando,
Sem o entender, o sítio onde me via,
Quem fosse, e como viera ali e donde
Não distante ouço então brando murmúrio
De águas saídas de uma gruta e logo
Espalhadas em líquida planície
Que dos Céus parecia o puro espaço:
Inexperiente me ergo, e à verde riba
Vou assentar-me para olhar, lá dentro
Do liso lago que outro Céu suponho.
Mal que me inclino para baixo olhando,
Eis que dentro aparece uma figura
Que para mim a olhar também se inclina:

Medrosa me retiro, e ela medrosa
Retira-se também; mas complacente
A olhar me dobro logo, e ela instantânea
Torna a dobrar-se e complacente me olha
De simpático amor com mútuas vistas.
Fitando os olhos meus ali até agora
Eu penando estaria em vãos desejos,
Se não viesse uma voz assim falar-me:
— "Quem ali vês que vem contigo e volta,
És tu mesma: porém, segue-me, ó bela:
Vou levar-te aonde está quem, sem ser sombra,
Te espera sócia e que de afagos o enchas:
Perpétuo sócio é teu, tu dele imagem:
Dar-lhe-ás, de ambos igual, prole infinita;
Serás chamada *mãe da humana espécie*."
Que faria senão seguir de pronto
Meu guia oculto? Avanço; eis que te vejo:
Perto estavas de um plátano frondoso;
Achei-te belo e grande, — mas, contudo,
Menos mimoso, menos engraçado,
Menos encantador, menos fagueiro,
Que a figura no lago há pouco vista.
Mas logo me retiro... e tu gritando
Segues-me e dizes: — "Vem vem cá, ó Eva!
De quem foges? Dos meus (atende, ó cara)
Teus ossos são, da minha carne a tua:
Dei-tos do lado meu que se coloca
Mais junto ao coração, fonte da vida;
Quero-te unida a mim agora e sempre:
Em ti procuro parte de minha alma
Como a consolação de mais ternura:
De mim procuro em ti a outra metade".
Com tua mão gentil então te apossas
Da minha mão; cedi: desde esse tempo
Conheci quanto cede a formosura
Aos varonis primores, à sapiência
Que de homens é o verdadeiro ornato."

Assim disse Eva: conjugal ternura
Rutilando-lhe então nos olhos lindos,
Ela se entrega a Adão e se lhe encosta,
Com transporte submisso, puro e meigo,
Ao peito nu que ternamente abraça
Jaz reclinada ali; somente a cobrem
Da soltas tranças as douradas ondas:
De deleites num mar ele nadando,
Cativado de tanta formosura,
De tanta submissão, de afagos tantos,
Com ar de superior está sorrindo,
E uma vez e outra vez da esposa os lábios
Com puros beijos docemente aperta
(Assim com Juno está Júpiter quando
Nuvens gera que em maio espalham flores)

Dali Satã de inveja o rosto vira:
Mas com torcido olhar, ciumento, ervado,
Vê de relance tão ditosa cena.
Logo a si mesmo queixa-se destarte:
"Ó vista odiosa" quanta dor me vibras!
Um do outro em braços, habitantes do Éden,
Outro Éden mais feliz inda desfrutam,
Delícias tendo assim sobre delícias!
Enquanto eu sou lançado nos Infernos
Onde amor e alegria nem vislumbram,
Mas onde pertinaz, feroz desejo,
Suplício não menor que os mais suplícios,
Nunca se satisfaz, sempre atormenta!
Contudo... não me passe da lembrança
O que por eles mesmos hei sabido:
Seu aqui, como entendo, não é tudo;
De uma árvore fatal comer não podem,
E essa... Árvore da Ciência se intitula.
Vedar a ciência? Absurdo suspeitoso!
E Deus, por que lha veda? É culpa da ciência?
Da ciência pode germinas a morte?
Só na ignorância lhes é dada a vida!

Neste estado feliz consiste a prova
Da obediência e da fé que lhe tributam?...
Que belo fundamento onde se erija
Plano infalível que os estrague em breve!
Já lhes vou excitar a fantasia
De ciência com desejo incontrastável;
Rejeitarão preceitos invejosos
Só inventados para seu ludíbrio,
Se a ciência os pode erguer ao grau de Numes:
Pungidos pois por ambição tamanha,
Hão de comer o proibido fruto
E assim terão em recompensa a morte:
Mais verossímil que isto... eu nada vejo.
Porém primeiro com sagaz cuidado
O jardim todo pesquisar me cumpre
Sem que o melhor recanto aqui me escape.
Só pode o acaso conduzir-me aonde
Algum celeste espírito descanse,
Ou já sentado junto à fresca fonte,
Ou retirado em marachão espesso,
Que o mais me avente que saber preciso.
No entanto, par feliz da vida goza;
Enquanto eu não voltar, exulta ovante:
Que esses curtos prazeres vão sumir-se
Num pélago de longos infortúnios."
Dizendo isto retira-se insolente
Com fero passo, mas sagaz, e logo
Por bosques, solidões, por montes, vales
À maliciosa busca dá princípio.

Então, onde em distância a mais remota
Co´os mares e coa terra os Céus se ajuntam,
O Sol, indo-se a pôr, desce tardio,
E, do Éden defrontando a porta Eoa,
Co´ele nivela os vespertinos raios.
Até às nuvens levanta-se esta porta,
Aberta num rochedo de alabastro;
De mui longe se avista e tem por fora,

Aos campos subjacentes alcançando
Alta escada espiral, ampla, fulgente:
O mais são tudo rocha sobre rochas,
Alcantiladas, íngremes, a prumo,
De todo inacessíveis. Lá se assenta
Do lúcido rochedo entre os pilares
Gabriel, das guardas celestiais o chefe,
Pela noite esperando: ali em torno,
Do heroísmo se exercita aos manejos
Dos Céus a desarmada juventude,
Mas tendo perto à mão as fortes armas;
Broquéis, elmos e lanças ali pendem,
Onde os diamantes, o ouro, estão fulgindo.
    Eis chega Uriel, que então no fim da tarde
Sobre um raio do Sol desceu ligeiro, —
Qual voa a estrela que, fendendo a noite
Quando no outono os vaporosos ares
Fácil se inflamam, dá sinal não dúbio
De que rumo da agulha os nautas devem
Dos tempestuosos ventos precatar-se.
O anjo, todo apressado, assim se expressa:
    "Gabriel, que exerces o distinto encargo
De estes sítios guardares tão ditosos,
Para que ente algum mau não se aventure
A entrar-lhes dentro ou a chegar-lhes perto;
Sabe que hoje ao meio-dia veio ansioso
À esfera minha um anjo, pretendendo
Reconhecer melhor (segundo disse)
De Deus as obras e mormente o homem
Que certo é dele a mais recente imagem.
Ensinei-lhe o caminho: eis que ligeiro
Partiu. Mas pus-me a pesquisar seu porte:
Na montanha que fica ao norte do Éden
Pousou primeiro; ali diviso pronto
Por terríveis paixões escurecidos
Os olhos seus em que ressumbram planos
Ao Céu contrários: continuei a vê-lo
Até que se me ocultou sob estas sombras.

Temo que algum dos réprobos ousasse
Sair do Abismo a nos fazer mais guerras.
A vigilância tua deve achá-lo."

Logo o alado guerreiro responde:
"Não é para admirar que a tua vista
Tão perfeita como é, Uriel, alcance
Do Sol brilhante, junto ao qual te assentas,
A tão remoto sítio: desta porta
Não deixa a guarda penetrar por ela
Senão do Céu os conhecidos núncios:
Ninguém aqui chegou desde o meio-dia.
Se espírito suspeito entrou astuto,
Com estudado ardil pulou decerto
Estas térreas muralhas superando:
E tu sabes mui bem quanto é difícil
Embaraçar espirituais substâncias
Com materiais barreiras inda que altas.
Porém se no recinto destes muros
Estiver quem tu dizes, traje embora
Qualquer das formas que melhor o encubra,
Mal que rompa a manhã darei com ele."

Assim o prometeu. Volta a seu posto
Uriel no mesmo refulgente raio
Que para baixo obliquamente o leva
Ao Sol, tendo os Açores já passado,
E com reflexa luz de grã e de ouro
Corando as nuvens que em seu trono ocíduo
Com pomposos cortejos o acompanham
(Ou seja que da luz o ingente globo
Com prodigiosa rapidez girasse
Durante o dia do ocidente em rumo, —
Ou seja que esta nossa humilde Terra,
Menos veloz por menos amplo giro,
Rolasse então na direção do oriente).

Eis a calada noite vem chegando:
Já o pardo crepúsculo envolvera

Em seu tranquilo manto os entes todos;
O silêncio o acompanha. Feras e aves
Já se retiram: para as verdes camas
Aqueles vão e para os ninhos esta, —
Exceto o rouxinou que vigilante
Em longas, amorosas cantilenas,
Inteira passa a noite, e até de ouvi-lo
Mesmo o silêncio de prazer se enleva.
Cobre-se o Céu de lúcidas safiras;
E Héspero, mais luzente que elas todas,
Das estrelas o exército comanda, —
Até que se ergue a Lua então envolta
Em nebulosa majestade, e logo,
Mostrando-se rainha, ao largo fulge
E o manto argênteo sobre as trevas lança.

No entanto disse Adão à linda esposa:
"Amanda minha, a noite que já chega,
Todos os animais indo ao descanso,
Ao preciso repouso nos induzem:
Para o homem sucessivos fez o Eterno
O trabalho, o descanso, o dia, a noite;
Do sono o usual pendor em brando orvalho
Agora as nossas pálpebras inclina.
Desocupados os demais viventes
Por todo o dia preguiçosos vagam,
Menos repouso do que nós carecem.
Mas quotidianas, detalhadas lidas,
Corpóreas e mentais, ocupam o homem
E a dignidade sua patenteiam:
Por onde quer que os passos seus dirija,
Seguindo-o sempre vão do Céu os olhos,
Enquanto os outros animais divagam
Sem que suas ações a Deus importem.
Primeiro que à amanhã a aurora listre
Os Céus do oriente, levantar-nos cumpre
E às nossas gratas lidas entregar-nos.

Reclamam acolá pronta reforma
Das flores as latadas; mais adiante
Com ramos tão crescidos escarnecem
Nosso mesquinho trato as verdes ruas
Onde passeamos pelo ardor do dia,
E carecem mais mãos além das nossas
Que os renovos tão nímios lhes cerceiem:
Estas flores e bálsamos cheirosos,
Que jazem toscos, ásperos, torcidos,
Desenredar-se pedem se queremos
Sem estorvos passear. No entanto a noite,
Por lei da Natureza, o ócio nos dita."

Cheia de perfeições, cheia de encantos,
Responde-lhe Eva assim: — "Eu te obedeço,
Princípio e árbitro meu; aceito pronta
O teu convite que de Deus emana.
É Deus a tua lei, e tu a minha:
Da mulher este dogma constitui
A honra a mais, a mais ditosa ciência.
Enquanto estou a conversar contigo,
Da lembrança me foge o próprio tempo,
Das estações me esquecem as mudanças
E todos os prazeres que elas causam.
É doce o ar da manhã, é doce a aurora
Com o cantar madrugador das aves;
É grato o Sol nascente quando abrangem
Esta alma terra os seus primeiros raios,
Co´o orvalho duplicando o ovante brilho
Na flor, no fruto, na árvore, na planta;
É suave o aroma que o fecundo prado
Rociado de chuveiros evapora;
Encanta o aspecto da serena tarde;
Enleva a noite quando meiga ostenta
Do rouxinol o canto, a linda Lua,
Puros os Céus, brilhantes as estrelas:
Mas nem o ar da manhã, nem mesmo a aurora

Com o cantar madrugador das aves, —
Nem o nascente Sol quando fulgura
No orvalho que por esta amena terra
Veste as plantas, as árvores, as flores, —
Nem a fragrância que os chuveiros chamam, —
Nem da agradável tarde a perspectiva,
Nem da noite o silêncio entrecortado
Coa voz do rouxinou, — nem o passeio
No albor da Lua, ao brilho das estrelas, —
Ter poderiam para mim encantos
Se os eu gozasse sem estar contigo!
Mas por que luzem toda a noite os astros?
Para quem tão magnífico prospecto,
Enquanto os olhos nos encerra o sono?"

Nosso grande ascendente assim responde:
"De Deus e do homem filha, Eva perfeita,
Giram eles da Terra sempre em torno
Regularmente pondo-se e nascendo,
Luz ministrando preparada e própria
De regiões em regiões, que há de povoar-se
De gentes muitas que inda não existem.
De lumes esta multidão fulgura
Para que à noite a escuridão do Caos
obter não possa o seu poder antigo,
Nem a vida extirpar da Natureza, —
E para que o calor por graus erguido,
Em aptas proporções o influxo vário,
Aqueça, anime, modifique, nutra
De plantas, de animais, as castas todas
Que se propagam no âmbito da Terra,
Dispondo-as desta sorte a com mais fruto
Perfeição receberem consumada
Dos fulgores do Sol mais poderosos.
Logo eles, posto que na noite opaca
Não os vejamos nós, em vão não brilham:
Nem cuides tu que por faltarem homens

O Céu de espectadores tenha míngua,
Ou Deus de quem o adore. No orbe vagam,
Quer dormindo estejamos, quer despertos,
Invisíveis espíritos sem conto
Que incessantes louvores lhe tributam,
Noite e dia admirando as suas obras.
Da encosta ali do monte retumbante,
Ou lá do bosque, a miúdo, não ouvimos
À meia-noite entoar canções celestes,
Em solos, em concertos, modulando
Hinos em honra do Arquitipo imenso?
Em posição ou nas noturnas rondas
A milícia do Céu, juntando a miúdo
Empíreo instrumental e vozes de anjos,
Em cheia orquestra, com potente arroubo,
Não nos eleva aos Céus o pensamento?"

Findo colóquio tal, sós, de mãos dadas,
Ao ditoso aposento se dirigem.

Quando o Eterno formou as coisas todas
Para uso do homem e também delícias,
Adaptou este sítio ao fim proposto.

O teto consta de um espesso enlace
Das ramagens de mirtos, de loureiros,
Árvores que alto sobem adornadas
De firmes folhas olorosas sempre:
Entre os troncos, fazendo um verde muro,
O acanto e outros arbustos recendentes
De cima abaixo todo o vão ocupam
Pelo qual toda a sorte de açucenas,
De rosas, de jasmins, sempre viçosas,
Umas com as outras misturadas, tecem
O mais vistoso e lúcido mosaico.
De açafrões, de violetas, de jacintos
Embutido se mostra o pavimento,
Mais variegado que de gemas fulge
O mais suntuoso e delicado emblema.

Nenhum outro vivente ali entrava,

Fosse quadrúpede, ave, inseto ou verme:
Tão acatados respeitavam o homem!
Em sítio mais sombrio, oculto e sacro,
Nunca (segundo as fábulas) dormiram
Silvano, o cápreo Pã, nunca estiveram
Os Faunos folgazões, as fáceis Ninfas.
Com flores e ervas do mais fino aroma
Lá num quarto mais dentro Eva, inda virgem,
Fez e adornou o tálamo das núpcias
Nesse dia em que ao pai da humana prole
O anjo a trouxe, e do Céu os coros santos
Cantaram do himeneu os gratos hinos,
Enquanto ela brilhava nua e bela, —
Mais adornada assim, mais estimável
Do que a fatal Pandora enriquecida
Coas abundantes dádivas dos Numes
(Pandora, tanto parecida com ela
Na perdição que ocasionou aos homens
Quando, trazida a Epimeteu por Hermes,
Com os olhos belos estragou o Mundo,
Para que fosse assim vingado Jove
Por lhe roubarem o animante lume,
Que era dele somente privativo).

Assim que chegam do aposento à porta,
Erguem, ambos de pé, ao Céu a vista;
E o Deus adoram que tirou do nada
Ares, Céu, Terra, Lua, Sol, estrelas:
"Omnipotente autor, também te aprouve
Fazer a noite, havendo feito o dia
Em que lidas marcadas empregamos;
Nós terminamos felizmente o de hoje
Com mútuo auxílio e amor que nos completa
Toda a ventura nossa a ti devida
Neste feliz lugar que à larga temos,
E onde é tal a abundância de teus mimos
Que, não colhidos, pelo chão se espalham,

Homens faltando que se gozem deles.
Porém tu prometeste que uma raça
De nós provinda povoaria a Terra:
Havemos de ensinar-lhe a dar louvores
À tua imensa e próvida bondade,
Não só pela manhã quando acordemos,
Mas também quando, à imitação de agora,
Formos ao sono que tão bom nos deste."

Unânimes destarte se exprimiram:
Nenhuma cerimônia mais fizeram
Além da pura adoração que a tudo
Prefere Deus. Eis entram de mãos dadas
No seu quarto interior, e não precisam
Tirar os atavios enfadonhos
Que hoje importuna nos impõe a moda.

Ao lado um do outro, ali ambos se deitam:
Nem Adão (como julgo) as costas vira
À linda esposa, nem aos ritos sacros
Do conjugal amor Eva se exime, —
Embora a hipocrisia austera e falsa,
Fonte de abusos, a seu modo entenda
A inocência, a pureza, a dignidade,
E de impuro com a mancha vitupere
O que o supremo Deus declara puro,
Impõe a muitos deixa livre a todos.
(Existe a geração por lei divina:
Quem abstinência dela nos ordena,
Destrói a humana espécie, a Deus insulta.)

Salve, amor conjugal, mistério imenso,
Origem pura da progênie humana,
Possessão do homem exclusiva no Éden
Onde o mais era dos viventes todos!
Para os brutos a adúltera lascívia
Foi por ti desterrada dentre os homens;
Por ti foram primeiro conhecidas,
E no pudor e na razão fundadas,

As doces relações, pia ternura,
Que o pai, o filho, e irmãos, entre si prendem.
Manancial das domésticas doçuras,
Longe de mim chamar-te ou culpa ou mancha,
Ou crer-te impróprio do lugar mais puro!
Foi julgado o teu leito casto e sacro
Nos tempos de hoje, nos passados tempos;
Os patriarcas e os santos o gozaram.
O verdadeiro amor ali só usa
De finas setas de ouro, e sempre ondeia
Seu vivo fogo na sagrada pira;
Sempre adejando com as purpúreas asas
Só ali se compraz, ali só reina, —
E não no riso insípido, ilusório
Que o insano compra em lupanar fortuito,
Nem das cortes nos frígidos namoros,
Nas dissolutas máscaras, nas danças,
Nas serenatas que pasmado entoa
(Tiritando de frio) o louco amante
À bela toda orgulho e mui credora
De que ele, desprezando-a, lhe fugisse!

Os dois esposos, abraçados ambos,
Deixam-se então dormir ao som que trinam
Os rouxinóis por toda a noite amena,
E imensas chovem do florido teto
Nos alvos membros nus purpúreas rosas
Que a manhã prontamente recupera.
Dorme, ditoso par, que bem podias
Prosseguir nessa dita! Mas... oh! mágoa
Perdeste-a querendo obter a posse
De estado mais feliz, saber mais vasto!

Já tinha então subido a opaca noite
No âmbito sublunar ao meio giro;
E, pelos seus portões vastos, ebúrneos,
Às horas costumadas já os anjos

Tinham saído, — e em bélica parada
Estão armados para entrarem logo
Nos piquetes noturnos. Eis destarte,
Ao imediato seu, Gabriel se exprime;

"Destas tropas, Uziel, leva metade;
Pesquisa a plaga austral com sério tento:
A outra metade pelo norte marche,
E no Ocidente o círculo fechemos".

Partem então com a rapidez da flama:
Vai-lhe a metade para a mão do escudo,
A outra metade para a mão da lança.

Logo os dois anjos mais sutis e fortes,
Que ali tinha, chamou. E assim lhes manda:

"Zéfon e Ituriel com voo breve
Buscai este jardim que nada escape,
Mormente onde essas criaturas belas
Morando estão, quiçá dormindo agora
Descuidadas do perigo que as ameaça.
De tarde, ao pôr do sol, fui advertido
Que espírito infernal aqui entrara,
Tendo escapado (quem pudera crê-lo?!)
Das prisões do Orco, — e certo é mau seu fito.
Onde o acheis, mão lançai-lhe e aqui trazei-mo".

Disse: — e se ajunta aos batalhões radiantes
Que vão tapando no ar o albor da Lua.

À morada de Adão os dois guerreiros
Voam depressa em busca do inimigo.
Junto do ouvido de Eva ali o encontram
Feito sapo, coa terra mui cosido,
Por sua arte diabólica — tentando
Já forjar-lhe ilusões, sonhos, fantasmas,
Que, inculcando-lhe o mal do bem coas cores,
Da fantasia os órgãos lhe pervertam,
Já co´o veneno seu contaminar-lhe
De vão projetos, de culpados planos
Os animais espíritos que se erguem
Do puro sangue, quais sutis vapores

Se elevam dos ribeiros cristalinos.

Então co´o conto da celeste lança
Ituriel toca levamente o monstro,
Que desapercebido assim se ocupa:
Eis, de improviso, salta, sobe, cresce
O surpreso Satã, qual é, terrível, —
Que a maldade não pode estar oculta
Ante o toque de têmpera celeste,
E volta logo à prístina figura.

Qual um montão de pólvora que, pronto
Para se encher barris que se armazenam
Quando de alguma guerra o boato soa,
Se uma faísca o toca, de repente
Furioso, todo flamas, sobe aos ares, —
Tal foi Satã. E os dois formosos anjos,
Ao ver tão de improviso o rei medonho,
Não deixam de recuar meio espantados;
Mas logo sem pavor se lhe aproximam.

"Tu que aqui vens, que do Orco te escapaste,
Quem és dentre os espíritos rebeldes?
(Dizem-lhe os anjos). Que fazer procuras,
Como maligno espião, vigiando atento
Junto aos ouvidos da que ali repousa?"

Com ar desprezador, Satã retruca:
"Vós não me conheceis? Falais vós sérios?
Conhecíeis-me bem quando eu, noutrora,
E não qual vosso igual, me entronizava
Onde erguer-vos jamais vos foi possível:
O não me conhecerdes vos inculca
Lugar muito inferior na vossa classe;
Mas se me conheceis, vossa pergunta
De nada vale e tão inútil fica,
Como a mensagem cujo encargo tendes."

A desprezos opondo outros desprezos,
Zéfon lhe respondeu: — "Não imagines,
Espírito rebelde, que és qual eras
Em forma e brilho quando reto e puro

Te assentavas no Céu: em tudo és outro,
E ninguém pelo que era te conhece.
Toda essa imensa glória abandonou-te
Assim que da bondade te eximiste:
Hoje com teu pecado te pareces
E com tua prisão sórdida, escura.
Sem demora há de vir (nós to ordenamos)
Dar de ti contas ao Poder excelso
Que nos aqui envia, e que a seu cargo
Tem destes sítios a total defesa
E de seus inocentes habitantes."

Disse o anjo: a gravidade do reproche,
Nímo severo em juvenil beleza,
Invencíveis encantos lhe ministra.

Satã fica suspenso e envergonhado:
Da bondade conhece a inteira força,
E quanto é respeitável a virtude;
Vê tudo e dói-se de as haver perdido!
Mas o que o punge mais é conhecer-se
Que arruinados estão seu brilho e glória:
Apesar disso, mostra-se indomável.

"Se devo combater (Satã replica),
Eu grande para os grandes me reservo;
Com chefes, não com súditos, me bato,
Ou duma vez com todos: desta sorte
Mais glória alcanço ou menos glória perco."

"O medo teu (torna-lhe altivo Zéfon)
Tem de livrar-nos de te dar a prova
Do que pode o somenos de nós ambos
Em renhido combate a sós contigo:
Fez-te cobarde a perda da virtude."

Não lhe replica o monstro; a raiva lho obsta:
É qual sofreado, ríspido cavalo,
Que tasca o férreo freio e marcha altivo:
Inúteis julga então combate e fuga.
Do Céu se teme, e tal temor lhe prende
O coração feroz; mas não desmaia.

Do Empíreo os batalhões no ocíduo posto
Entram agora, o círculo fechando,
E em cerrada coluna aguardam ordens,
Eis Gabriel, chefe seu, assim se exprime,
Da vanguarda elevando a voz sonora:
"Amigos" ouço passos... Vêm depressa
A nós em direitura pés ligeiros...
Lá por este clarão percebo ao longe
Zéfon e Ituriel cortando as trevas:
Co´eles terceiro vem de régio porte
Mas de pálida luz enfraquecida;
Seus feros ademães, seu gesto irado,
Nele mostram o príncipe do Inferno:
Não fugirá decerto sem combate.
Tende-vos firmes: desafio ingente
Já nos vem com seus olhos dardejando."

Não acabava quando se aproximam
Os dois anjos — que pronto lhe relatam
Quem trazem, onde estava, o que fazia,
Qual era a forma sua e qual seu porte.
Gabriel com torvo olhar assim lhe fala:
"Por que ousaste, Satã, sair das metas
Que às tuas transgressões foram traçadas?
Por que vens perturbar o encargo de outros
Que, longe de seguir teu dado exemplo,
Gozam poder e jus de perguntar-te
As razões que a tal sítio te conduzem?
Vens decerto a violar o sono, a dita,
Dos dois entes que Deus no Éden coloca?"
"Gabriel, tinhas no Céu fama de sábio
(Satã com cenho mofador lhe torna),
E eu tal te cria; mas... põe-me perplexo
Quanto hoje me perguntas desvairado.
Gostará de sofrer quem vive no Orco?
Quebrar prisões para sair do Inferno
Quem recusara, achando ensejo próprio,

Mesmo a prender-se ali por mil sentenças?
Tu mesmo, tu decerto te arriscaras
Valente a procurar outro algum sítio,
De tão feros tormentos bem distante,
Onde esperasses que a terríveis penas
Sucederiam cômodos profícuos,
Que agra, perpétua dor se convertesse
Nas delícias que vejo aqui profusas.
Do que me ouves dizer, julgar não podes,
Tu, que jamais do mal provaste os gumes
E só ideia tens do bem que gozas.
Quererás objetar-me o mando altivo
Do que lá nos prendeu? Se ele intentava
Conter-nos nesse cárcere maldito,
Mais firmes lhe fechasse as férreas portas!
Assim te respondi sobejamente:
No mais que ouvido tens, dizem verdade;
Mas nada prova em mim violência ou dano."

Disse. — Irritado então o anjo guerreiro
Com torvo riso irônico replica:
"Quanto o Céu perde de Satã na ausência
Que ali era dos sábios o contraste!
Ele, cuja frenética loucura
O derribou o Céu e o traz agora,
Da prisão escapado, ao grave enleio
Que lhe obsta conhecer se é ou não sábio
Quem lhe pergunta que ousadia o trouxe
Aqui sem ter licença, quebrantando
Os confins que lhe são prescritos no Orco!
Tão sábio ele é que persuadido se acha
Que o tudo só consiste em valeroso
Do castigo escapar, fugir da pena,
Seja o modo qual for para isso usado!
Vai, presunçoso, vai assim pensando
Até que de Deus a raiva, em que incorreste,
Com castigo setêmplice te puna

E teu vasto saber flagele no Orco,
Mostrando a ti, que nunca te escarmentas,
Não haver pena que igualar se possa
A seu furor de acinte provocado.
Mas por que vens só tu? Por que contigo
Não vem ser livre todo inteiro o Inferno?
Acompanhar-te os sócios recusaram
Por que os tormentos neles menos pungem?
Para sofrê-los de valor tens míngua?
No abandonado exército expuseste
Qual forte causa, tu, chefe animoso,
O primeiro em fugir, tinhas julgado
Exigir a evasão a que te expunhas?
Decerto não! — Que, a ser assim, não foras
O único tu que do Orco se escapara."

Logo Satã, franzindo a catadura,
Enraivado lhe torna: — "Anjo insolente,
Não fujo de sofrer, dores não temo:
Bem o conheces tu, que presenciaste
Com que firmeza suportei o impulso
De todo o teu poder nessa batalha,
Em que o vibrado raio devorante
Obteve o inteiro triunfo, socorrendo
Tua lança por si nunca temível.
Mesmo tua expressão, sempre inatenta,
De inexperiência ignara te macula, —
Tu, que não vês que um chefe hábil e fido,
Mormente obtido havendo ensaio infausto,
Não arrisca do exército os destinos
Por caminhos que dantes não indaga.
Eu portanto, e só eu, tentei sem susto
Pelas ínvias soidões viajar do Abismo
E tomar língua deste novo Mundo,
Cuja fama vogou também no Inferno:
Espero achar aqui melhor morada
E colocar na terra ou do ar nos campos
Meu exército aflito, — inda que eu deva,

Para obter esta posse, ver de novo
Toda essa oposição com que ma impeças
À testa dessas hostes divertidas,
Cujo exercício unicamente consta
De servir seu Senhor no Céu cantando,
Em distâncias prescritas e ante o sólio,
Lindas canções, significando tudo
Fazer zumbaias, não saber de guerra."
O anjo Belaz responde-lhe de pronto:
"Tu dizes e desdizes; ora avanças
Que, como sábio que és, fugiste à pena,
E logo como espião te denuncias.
Satã, chefe não és: só vis embustes
Em ti mostras; — e fido te proclamas?
Fidelidade, sacrossanto nome,
Como estás profanada em boca impura!
Fido a quem? aos rebeldes, teus sequazes?
De tão réprobo chefe só é digno
De réprobos o exército malvado.
Foi vossa disciplina e fé sincera,
Vossa obediência militar, que pôde
O preito dissolver que a Deus devíeis?
E tu, astuto hipócrita, se agora
Te ostentas defensor da liberdade,
Quem mais que tu outrora servilmente
Bajulava, adorava, se zumbria,
Dos céus ante o Monarca venerando?
Não vias tu que assim melhor podias
Tirar-lhe o trono e para ti roubar-lho?...
Mas ao conselho, que te dou, atende:
Vai-te, foge daqui, volta aos Infernos;
Vai-te já: se outra vez aqui tornares
Dentro destes limites sacrossantos,
Carregar-te-ei de ferros, aos Abismos
Hei de arrastar-te, e ali com tanto esmero
Te encerrarei, que nunca mais cogites
De escarnecer das fáceis portas do Orco,

Com tanta negligência antes fechadas."
Fez-lhe esta ameaça. Mas o rei medonho
Da ameaça não cuidou, e, recrescendo
De raiva mais e mais, assim replica:
"Quando eu for teu cativo, então de ferros
Me falarás, ó tu, anjo enfunado,
Que só te ocupas de guardar barreiras.
Daqui até lá... espero pôr-te aos ombros
Com este braço meu mais rude carga
Que o Rei do Empíreo quando neles monta,
Ou que o jugo que obtendes tu e teus sócios,
Quando a carroça triunfal lhe puxas
Pelas ruas do Céu que estrelas calçam."
Enquanto diz Satã estas blasfêmias,
Faz-se de fogo o batalhão dos anjos,
Vai-se curvando, qual da Lua as pontas,
E o circunda de lanças enristadas, —
Tão bastas como espigas de alta messe
Que, aptas à sega, ondeiam e se inclinam
Do vento ao rijo impulso, enquanto teme
O colono que na eira se lhe mostrem
Falidas as paveias tão gabadas.
Assombrado dalém, Satã assume
Quanto possui de brio e de vigor;
Imenso cresce nos sentidos todos,
E firme em pé se tem, assemelhando
De Atlante ou Tenerife a vasta mole.
Sua estatura ao firmamento alcança;
Fuzila-lhe o terror, qual pluma, no elmo;
E nas mãos bem se vê que não lhe faltam
Nem lança, nem broquel. Estrago horrendo
Se podia seguir deste combate
No Éden não só, porém mesmo do Empíreo
Talvez na vasta cúpula estrelada,
Ou nos inteiros elementos, — dando
Por fim consigo, aos repelões da pugna,
No Abismo, espedaçados e dispersos, —

G. Doré
J. GAUCHARD.SC

Se logo o Eterno, para obstar o encontro,
Bem de fora do Céu não pendurasse
Suas balanças de ouro, ainda hoje vistas
Entre as constelações de Astreia e Escórpio,
Nas quais pesado havia as coisas todas
Quando as criou: ali a gravidade
Do pêndulo rotundo soube à Terra,
E de todos os povos pesa agora
Todos os factos, todas as batalhas.

Em cada uma das conchas põe um peso:
Num Satã, noutro o arcanjo se afigura;
Deve a fuga subir como mais leve,
E baixar por mais sólida a vitória:
Eis logo a concha, que a Satã continha,
Acima voa e vai bater com força
No braço da balança. Ao ver o agouro,
Fala Gabriel assim ao rei das trevas:

"Satã, um do outro as forças conhecemos;
Nossas nenhumas são, foram-nos dadas:
Logo é loucura blasonar com elas;
Não são maiores do que o Céu permite.
As que possuo estão dobradas hoje
E podem esmagar-te. O que te avanço,
Além está em cima: lê teu fado
Naquele signo onde pesado foste
Tão ligeiro e tão fraco se resiste."

Para cima Satã os olhos lança,
A concha sua tão subida observa.
Não diz mais nada. Murmurando foge;
E foram-se da noite as trevas co´ele.

ARGUMENTO DO CANTO V

Chega a manhã. Eva relata a Adão o seu perturbado sonho: ele não o aprova, mas anima e consola a esposa inocente. Vão-se entregar a seus trabalhos quotidianos: seu "Hino da Manhã" à porta do aposento. Deus, para fazer indesculpável o homem, envia Rafael a admoestá-lo a que permaneça obediente, — e a declarar-lhe que seu estado é livre, que seu inimigo está perto, quem ele seja, e o mais que a Adão convém saber. Rafael desce ao Paraíso; descreve-se o seu porte; Adão percebe-o de mui longe, estando assentado à porta do seu aposento, adianta-se para recebê-lo, acompanha-o até ali, e oferece-lhe os melhores frutos do Paraíso colhidos então por Eva: seus discursos à mesa. Rafael propõe a sua mensagem, e avisa Adão do seu estado e de seu inimigo; relata (respondendo a perguntas do primeiro homem) quem seja este seu inimigo, o modo e razões por que ele o é, — começando desde a primeira revolta no Céu, narrando o que deu ocasião a ela, como o inimigo arrastou consigo para as regiões do norte as suas legiões, e ali as incita a rebelarem-se com ele persuadindo todos, exceto o serafim Abdiel, que por argumentos pretende dissuadi-lo e se lhe opõe, e depois o abandona.

CANTO V

nvolta em róseo brilho a manhã bela
Já pelas plagas orientais avança,
E com pérolas junca ovante a Terra.
Desperta Adão às horas do costume:
Das aves o gorjeio matutino
Que de todos os ramos sai alegre,
O ruído dos arroios fumegantes,
Da aurora almos refresco, só lhe bastam
Para tirá-lo do ligeiro sono,

Assim devido aos sóbrios alimentos
E à boa digestão só deles filha.
Espanta-se de ver que, não desperta,
A face em fogo, as tranças em desordem,
Eva se achava como em sonho inquieto.
Levantando-se então sobre um dos braços
Com ternos olhos de cordial afeto,
Inclina-se iminente à linda esposa
Que acordada ou dormida é toda graças.
E com tão meiga voz, como ouve Flora
Quando mimoso Zéfiro a bafeja,
Com mansa mão tocando a mão querida,
Diz-lhe assim devagar: — "Meu bem, acorda,
Dos Céus meu dom melhor e o mais recente;
Acorda, meu deleite sempre novo,
Meu amor, minha esposa idolatrada.
Brilha a manhã, convida-nos o fresco
A gozarmos dos campos as delícias,
Notando como nascem, como crescem
Essas plantas que assíduas cultivamos;
Como se desabrocham perfumadas
As flores na latada das cidreiras;
Do bálsamo e da mirra o puro alambre;
Com que arte e gosto a Natureza pinta;
Como a abelha, pousada sobre as flores,
Delas extrai a líquida doçura."

A tão meigas razões abre Eva os olhos;
Porém, neles mostrando escrito o susto,
Fita Adão e lhe lança os braços logo:
"Ó tu (lhe diz a bela) em quem minh´alma
Acha o repouso seu, único e todo, —
Tu, minha perfeição e glória minha!
Quanto me alegro de encarar de novo
A face tua e da manhã o brilho!
Esta noite (não tive outra como esta)
Sonhei (se sonho foi)... mas não contigo,

G. Doré

Nem co´os trabalhos de amanhã ou de ontem,
Como costumo; ofensas e desordens,
Ao pensamento meu desconhecidas,
Com tropel horroroso o perturbaram.
Pareceu-me que junto ao meu ouvido
Alguém, com voz tão doce como a tua,
Me chamava a passear, assim dizendo:
"Eva, inda dormes? Vê quão fresco e grato
"O tempo está: tudo é silêncio, exceto
"Onde das sombras o cantor alado,
"Agora já desperto, aos ares solta
"Suasvíssimas canções que amor lhe inspira.
"Fulge de todo cheia a Lua agora,
"Com mais sombria luz e assim mais grata
"Adornando das coisas o prospecto,
"Mas em vão se ninguém põe nela os olhos.
"O Céu atento vela para ver-te
"A ti, da Natureza ó doce encanto.
"Todas as coisas vendo-te se alegram;
"Pela beleza tua arrebatadas,
"Cedendo a teu influxo, em ti se enlevam."
Crendo que me chamavas, logo me ergo;
Mas não te achei, e para achar-te avanço.
Julguei que ia passeando solitária
Por caminhos que súbito corridos
Me levam junto da árvore vedada,
Que mais formosa então se me afigura
Ao brando luar do que ao fulgor do dia:
E, quando absorta os olhos nela cravo,
Reparei que uma alígera figura,
Como as vindas do Céu que a miúdo vemos,
Ali se achava; seus cabelos de ouro
Ambrósia rescendente destilavam;
E contemplando extática entretinha,
Na mesma árvore, vista e pensamento.
"Bela planta de frutos carregada,"
(Então diz-lhe), "ninguém, nem Deus nem homem

"Esse peso se digna aligeirar-te
"E provar teu sabor delícias todo!
"Justo é que assim a ciência se despreze?
"Qual dos dois, ou inveja ou despotismo,
"Nos proíbe gozar tua doçura?
"Proíba quem quiser!... ninguém consegue
"Dos mimos teus, que pródiga me ofertas,
"Invejoso pivar-me dora em diante:
"Por que motivo aqui se me apresentam?"
Disse; e com mão audaz e insano arrojo
Apanha e come o proibido fruto.
Tão petulantes vozes escutando
Por tão hórrida ação verificadas,
Gélido susto as forças me decepa.
Mas ela assim de gosto se arrebata:
"Fruto divino, que, de ti tão doce,
"Muito mais doce inda és assim colhido!
"Vedam-te aqui como, segundo entendo,
"Só para os altos Deuses reservado,
"Podendo homens erguer ao grau de Numes.
Se pela transmissão o bem se aumenta,
"Se nisto nada perde o autor de tudo,
"Se mais louvores deste modo o incensam,
"Por que dos homens não se fazem Numes?
"Criatura feliz, Eva formosa,
"Participa também do excelso fruto:
"És feliz, muito mais sê-lo inda podes;
"Ninguém mais do que tu de o ser é digno.
"Come, dele, e entre os deuses dora em diante
"Deusa serás, não confinada à Terra,
"Mas, ora no ar subida, ora entre os astros,
"Verás, por teu poder único e próprio,
"A vida que no Céu os deuses passam,
"Que tu também alcançarás como eles."
Disse, vem para mim, chega-me à boca
Porção do mesmo fruto que apanhara:
Seu grato aroma arrebatou-me tanto

Que libertar-me de o comer não pude.
Súbito voo com a figura alada
Muito acima das nuvens, donde observo,
Lá baixo a Terra extensa em longo, em largo,
Muito variado, amplíssimo prospecto.
Maravilhei-me da mudança minha,
Do voo meu a tão remota altura...
Eis, nisto o guia meu desaparece,
E eu caio: o mais se confundiu no sono.
Mas quão alegre despertei agora,
Vendo ser isto fábula sonhada!"

Desta noite Eva assim contava o sonho.
E Adão assim lhe torna pensativo:

"Ó imagem de mim a mais formosa,
Minha querida intrínseca metade,
Dos pensamentos teus também me aflige
A desordem que em sonhos suportaste;
Estranha me parece e me horroriza:
Receio muito que do mal provenha.
Mas donde vem o mal? Em ti não pode
Nenhum haver que vens de origem pura.
Porém reflete que residem na alma
Diversas faculdades subalternas:
Tem domínio a razão sobre elas todas,
E logo se lhe segue a fantasia.
Das externas imagens que lhe mandam
Nossos sentidos, esta às soltas forma
Disparatadas, movediças séries;
E depois a razão pondo-as em ordem,
Estas juntando, separando aquelas,
Da negativa e afirmativa as bases
Para nós determina, a que chamamos
Nosso opinião, conhecimentos nossos.
No tempo em que descansa a Natureza,
Recolhe-se a razão em seu retiro,
E a fantasia mímica bem vezes
Vela para imitá-la; mas sem tino,

Mas julgando as figuras quase sempre,
Obras produz, principalmente em sonhos,
Baralhadas em forma e graus diversos,
(Tanto faz em ações como em palavras).
Creio em teu sonho ver alguns vislumbres
Do objeto sobre que ontem conversamos;
E, inda que tenham adição estranha,
De maldade não dá contudo indícios.
O mal no entendimento do anjo e do homem
Entrar pode, não deles aprovado;
Não deixa assim depois ou culpa ou nódoa:
Por isso espero que acordada fujas
Do que sonhando aborreceste tanto.
Mas não te aflijas, nem teu olhos nubles
Que muito mais risonhos, mais serenos,
Soem ser que a manhã quando formosa,
Começando a sorrir-se, alegra o Mundo.
Levantemo-nos: vamos esmerados
Cuidar das nossas últimas fadigas
Entre fontes e umbrosos arvoredos,
Entre flores que no ar agora expandem
Seus melhores, recônditos aromas,
Juntos por toda a noite em plena cópia
E para ti decerto reservados."

Assim Adão desassombrar procura
Da esposa bela o coração mavioso:
Ela se desassombra, mas calada
Escapar deixa de cada um dos olhos
O aljôfar de uma lágrima que alimpa
Com o pronto auxílio da fulgente coma:
Assomam-lhe outras duas, já se inclinam
Das amorosas cristalinas fontes...
Eis Adão com dois beijos lhas enxuga,
Vendo nelas indícios agradáveis
De virtuoso remorso e pio susto,
Que, mesmo na mais cândida inocência,
Teme que alguma ofensa perpetrasse.

Tudo pois serenou, — e vão-se ao campo.
Assim que saem do aposento arbóreo,
Dão co'o prospecto do nascente dia
E do Sol que, arrasado no horizonte,
Balanceando inda o fulgurante carro
Sobre as abas azuis do argênteo oceano,
Vem dardejando ao globo paralelos
Seus raios de ouro que rocia o orvalho;
E mostra na mais ampla perspectiva
Do Éden ditoso a grande Eoa plaga.
Em santa adoração curvam-se humildes:
Suas ferventes orações começam
Que em todas as manhãs com vário estilo
Tinham lugar. Sempre eles abundavam
De estilo vário e de êxtase divino,
Para o Senhor louvar em próprios termos,
Cantando ou recitando de improviso;
Sempre corria em prosa ou doces versos
Dos lábios seus harmônica eloquência,
Mais sonora que da harpa e do alaúde
As gratas vozes com que realça o canto.
Assim às orações princípio deram:
"Por tuas mãos edificado existe
Belo e maravilhoso este Universo,
Pai de todo o bem, Senhor de tudo!
Tu mesmo — que estupenda maravilha! —
Destes Céus muito acima tu te assentas
Invisível a nós, só vislumbrado
Nas obras tuas de menor valia,
Que, inda assim, teu poder divino mostram
E de tua bondade a cópia imensa.
Di-lo-eis melhor, ó vós, que sempre o vedes,
Anjos, filhos da luz, e que o seu trono
Cercais em coros com gentis concertos
De instrumental e canto, em dia eterno!
No Céu, na Terra, criaturas todas,
Juntai-vos para dar louvor sublime

Ao Primeiro, ao Central, ao Derradeiro,
Ao que fim não terá, nem tem princípio!
Tu, das estrelas a mais bela, que andas
Cobrindo à noite o lúcido cortejo
(Se é que melhor não és da aurora ornato),
Certo penhor do dia, que adereças
Com teus esmaltes a manhã risonha,
Louva-o na tua esfera quando o dia
Na deleitosa madrugada assoma!
Tu, Sol, vida e fanal deste Universo,
Por teu Senhor o reconhece, e entoa
O seu louvor em teu perpétuo giro,
Quando sobes dos mares majestoso,
Quando as alturas do zênite alcanças,
Quando te entranhas nas ocíduas sombras!
Lua, que ora te opões ao Sol nascente,
Ora lhe foges com as estrelas fixas,
Fixas contudo em movediça esfera;
Errantes orbes, que girais fulgentes
Com harmônicos sons, místicas danças;
Proclamai seus louvores inefáveis
Porque extrair a luz soube das trevas!
Elementos, os mais anciãos produtos
Do seio maternal da Natureza,
Que me quádrupla mistão ides voltando
Por multiforme círculo perpétuo,
Que formais e nutris as coisas todas,
Variai em honra do Arquitipo eterno
Sempre um novo louvor, manifestado
Nas que fazeis transformações contínuas!
Névoas e exalações (que ides agora
Dos vaporosos lagos, das montanhas,
Pouco e pouco a subir, pardas ou negras,
Até que o Sol com cercadura de ouro
Vossos debruns lanígeros enfeite),
Do Onipotente em honra levantai-vos:
Ou de enroladas nuvens, raras, densas,

O firmamento diáfano cobrindo, —
Ou da sequiosa terra o grêmio entrando
Em despenhadas, abundantes chuvas, —
Ou subindo, ou descendo, — ao Ser eterno
Não cesseis de tecer louvo exímio!
De o louvar não cesseis nem vós, ó ventos,
Que, já bonança, já tufão medonho,
Soprais dos quatro horizontais quadrantes!
Balanceai vossos cumes, ó pinheiros,
E plantas todas, em sinal de aplauso!
Fontes, que ides correndo e murmurando,
Pronunciai seu louvor nesse murmúrio!
Formai coro, viventes criaturas:
Vós, aves, que dos Céus até as portas
Subis trinando, seu louvor excelso
Levai nas asas e no etéreo canto!
Vós todos quantos vos moveis nas águas,
Vós todos quantos percorreis a terra,
Grandes, pequenos, mínimos, enormes,
Testemunhai se, de manhã, de tarde,
Eu deixo de em meu canto repeti-lo
Fazendo ouvir seu nome sacrossanto
Ao monte, ao vale, à fonte, à luz, às sombras!
Salve, Senhor de tudo! Sê grandioso
Para todos o bens fazer-nos sempre;
E, se a noite deixou haver-se a ocultas
Juntado contra nós algum desastre,
Dispersa-o, como a luz dispersa as trevas."

Tais do par inocente as preces foram:
Logo nas almas suas se instauraram
O sossego habitual, a paz segura.

Entram com zelo nas rurais fadigas
Por entre folha, sob ameno orvalho:
Ali uma ala de árvores de fruto
Nímio longos estende opressa os ramos,
E os convida a que próvidos lhes vedem

Os estéreis abraços: noutro sítio
Estão videiras para unir-se aos olmos
As quais, em torno deles alongando
Seus núbeis braços, levam-lhes o dote
Nos adaptados cachos com que enfeitam
Da árvore estéril a pomposa rama.

Empregados assim os vê piedoso
O Rei dos altos Céus. E a si chamando
Rafael, esse espírito sociável
Que se dignou viajar com o bom Tobias
E válido lhe fez o seu consórcio
Com a virgem sete vezes já casada,
"Rafael", — diz-lhe então, — "vê como no Éden
Desordens fez Satã saído do Orco
Atravessando o tenebroso Abismo:
Turbou de noite os pais da prole humana.
Neles de um golpe quer com trama astuta
Aniquilar a inteira humanidade.
Vai pois ao globo: com Adão conversa
Toda a metade do presente dia,
Conforme amigos dois têm por costume.
Da meridiana calma fugitivo
À sombra da frondífera latada
Achá-lo-ás com o descanso, ou com a comida
Deste dia os trabalhos reparando
Mostra-lhe ao vivo o seu ditoso estado:
Faze-lhe ver que inteiramente livre
Foi essa dita em seu poder deixada,
Deixada à descrição de seu arbítrio;
Mas que é, por livre ser, também mudável.
Avisa-o de que nunca se desvie
Julgando-se em perfeita segurança.
Conta-lhe o p´rigo seu e donde se urda;
O inimigo que tem; como do Empíreo
Foi ele ultimamente despenhado;
E que conjura agora a ver se expele
De semelhante estado venturoso

A estirpe da nascente humanidade
Não por força, que força a opor-lhe havia,
Mas por vis seduções e arteiro engano.
Tudo lhe explana a fim que não alegue,
Se transgredir por contumaz vontade,
Somente por surpresa ser vencido,
Que avisado não foi de precaver-se."

O Pai Onipotente assim se exprime
Cumprindo tudo que a justiça pede.

Nem mais se demorou o alado arcanjo,
Depois que recebeu sua mensagem:
Dentre milhões de espíritos celestes,
Onde ele em pé estava respeitoso
Nas esplêndidas asas embuçado
Logo se ergue e dos Céus no âmbito voa:
Dão-lhe lugar por toda a estrada Empírea,
Dividindo-se então dos lados ambos,
As séries dos angélicos poderes:
Chega dos Céus às portas que, rodando
Em quícios de ouro, por si mesmo se abrem
Imensas como cumpre às grandes obras
Que o Supremo Arquiteto fabricara.

Nuvem nenhuma ali, nenhuma estrela
Para lhe obstar a vista se entrepunha:
Posto que mais pequena, assim distinta,
Vê, como outro qualquer dos ígneos astros,
A Terra, — e aos montes todos sobranceiro,
Todo delícias, o jardim do Eterno.
(Assim de Galileu o vidro insigne
De noite observa menos luminosos
Os montes e as regiões cridas na Lua:
Assim o nauta vê Delos ou Samos
Mostrando-se entre as Cícladas primeiro
À maneira de mancha nebulosa).

Dali se atira a voo quase a prumo,

E, pelo vasto etéreo firmamento,
Entre mundos e mundos corta o espaço,
Batendo o dócil ar com asas firmes,
Seja forte ou macio o dúbio vento.
No alcance entrando das aéreas águias,
Parece às aves todas uma fênix
Como aquela que (a só na espécie sua)
Voa direita à nobre, egípcia Tebas,
Para depositar as próprias cinzas
Do fulgurante Sol no templo augusto.
Eis do Éden pousa no oriental rochedo,
E, recobrando a prístina figura,
Qual é se mostra serafim alado:
(Assim consta que foi de Maia o filho).
O corpo divinal seis asas lhe ornam:
As duas que dos largos ombros saem,
Cobrem-lhe o peito em teor de régio manto:
Do meio corpo as duas lhe decoram
Toda a cintura até chegar-lhe aos joelhos
Com penas de ouro e celestiais matizes
Larga zona estrelada afigurando:
Dos pés as duas com extrema graça
Lhos ataviam, ostentando airosas
O etéreo Azul, a púrpura brilhante:
Logo sacode as asas com que ao longe
Lança nos ares celestial fragrância.
Então dos anjos todos as cortes,
Que as avenidas do jardim guardavam,
Conhecem-no e lhe acatam respeitosos
A excelsa jerarquia, reputando
Ser a mensagem sua de alta monta.
Assim que passa as tendas fulgurantes,
Vai avançando nos ditosos prados,
De nardo, mirra, e cácia entre lamedas,
De aromas deliciosos perfumadas.

Ali ria-se ingênua a Natureza
Como em sua mais bela juventude,
E ostentava com livre exuberância
Os seus mimosos virginais caprichos,
Mostrando-se mais suave, inda que inculta,
Do que depois o foi com as regras da arte:
Ali sem termo tudo eram delícias.

Já das especiarias na floresta
Avista-o Adão que de seu fresco albergue
Sentado à porta estava, quando erguido
No zênite disparava o Sol a prumo
Seus mais férvidos raios sobre a Terra
Que no íntimo introduz calor mais vivo
Do que havia mister a espécie humana;
E Eva lá dentro, as costumadas horas,
Preparava o jantar com doces frutos
Que vista, olfato, e gosto lisonjeiam, —
Não esquecendo os líquidos nectários,
O leite, os sumos vegetais mimosos
Que tão gratos a sede lhes mitigam.
Então assim Adão por ela chama:
"Eva, depressa vem: olha quão lindo
Por entre aquelas árvores Eoas
Para nós se encaminha um ser ilustre:
Parece a aurora que ao meio-dia se ergue.
Talvez nos traz do Céu mensagem grande;
Nosso hóspede hoje ser talvez se digne.
Vem tu depressa; as provisões guardadas,
Põe-nas todas aqui em lauta mesa:
Recebamos assim com justas honras
O núncio celestial que nos visita.
Bem devemos os dons por nós gozados
Dar a quem no-los deu; com mão profusa
Os profusos presentes repartamos,
Aqui onde jucunda a Natureza

G. Doré

Os seus férteis produtos multiplica, —
Onde eles... quanto uns mais se vão colhendo,
Tanto mais abundantes nascem outros,
E a que não os poupemos nos convidam."

Eva lhe torna: — "Adão, primor da Terra,
Feito, inspirado pelo imenso Nume,
Mui poucas provisões reservam-se onde
Nas quadras todas sazonados frutos
Em pinha pendem dos curvados ramos
Os que ficam melhores quando secos
O nímio suco perdem, sós eu guardo.
Mas dou-me pressa e colherei cuidosa
Das balseiras, das árvores, das plantas,
Os frutos de sabor o mais mimoso
Para obsequiar dos Céus o hóspede insigne,
De modo tal que vendo-os assegure
Que Deus como ao Céu também na Terra
Os benefícios seus prodigaliza."

Disse e parte. Levando a ideia imersa
Nas civis cerimônias da hospedagem,
Examina de que ordem, de que escolha
Elegância mais fina lhe resulte,
De sorte que os sabores não se arrisquem
A confundidos ser por não bem juntos;
E, com perita gradação dispostos,
Coloca os frutos a melhores sempre.

Então começa: os vegetais pesquisa
Todos que nutre a terra, mãe de tudo,
Nas plagas orientais e ocíduas plagas,
Na Líbia e Ponto e nos vergeis de Alcínoo:
De todas as espécies colhe frutos;
Nuns é felpuda a pele e noutros lisa;
Estes têm casca dura, aqueles vage:
Põe-nos depois com profusão na mesa
Em forma de pirâmides vistosas.

O doce sumo de diversas bagas,
Dos rubros cachos o inocente mosto,

Para gratas bebidas ela espreme;
E, as gostosas pevides machucando,
Nectários cremes com primor prepara,
Deles enchendo convenientes urnas
Que a Natureza provida lhe oferta.
O pavimento então junca de rosas
E de ramos que aroma ao longe espalham
Sem que no fumo lho desprenda o fogo.

Já para receber o hóspede augusto
Se adianta o pai dos homens: por cortejo
Leva inocência, perfeições, virtudes;
Em si mesmo possuía a sua pompa
Mais solene que o insípido aparato
De que os príncipes vãos cercar-se folgam
Quando um vaidoso trem, longo, opulento,
De pagens áureos, de corcéis de estado,
Ofusca a multidão embevecida.
Assim que dele Adão se chega perto,
Faz-lhe submissa, afável reverência,
Não com temor mas com o respeito próprio
A outra mais elevada jerarquia.
"Prole dos Céus (lhe diz), — que tanta glória
Só pode tê-la um ser nos Céus nascido, —
Já que, dos tronos empireais descendo,
Estes sítios honrar te dignas hoje,
Serve-te de fazer-nos companhia
Nesta ampla terra a nós por Deus doada,
Além entrando no vergel sombrio
Onde os mais doces frutos te ofereço
Neste agradável Éden produzidos,
E descansas também até que abrande
Da meridiana calma a força ingente,
E pela fresca tarde o sol decline."
Meigo o poder angélico responde:
"Para isso venho, Adão; a tua essência,
Este lugar encantador que habitas,

Podem decerto convidar a miúdo
Espíritos do Céu a visitar-te.
Entremos, sim, no teu vergel sombrio:
Hoje tenho por minha a inteira tarde."

Encaminham-se à câmara silvestre
Que, parelha à latada de Pomona,
De flores se orna perfumando os ares.

Eva, em sua nudez que não conhece,
Mostrando-se mais linda, — mais amável
Que uma Napeia ou que essa ínclita Deusa
Das três que no Ida a Fábula coloca
Pleiteando nuas qual será mais bela, —
Esperava de pé, fora da porta
Para cumprimentar o hóspede ilustre:
Não precisa de véu, virtudes traja;
Nenhuma incasta ideia a cor lhe muda.

O anjo lhe deu a saudação sagrada
Com que se apresentou, passadas eras,
À ditosa Maria, Eva segunda.

"Salve (lhe diz), ó mãe da humana prole!
O inteiro Mundo povoarão teus filhos
Em número maior que os vários frutos
Nas árvores do Eterno produzidos,
Quais os que ostentas nesta mesa agora."

Amplo quadrado de relvosa leiva,
De musgosos assentos circundado,
Era a mesa: em toda ela frutos, flores
O outono e a primavera em montes punham.

Por algum tempo em conversar se aprazem
Sem temer que o jantar se lhes esfrie,
Até que deste modo Adão se expressa:

"Hóspede celestial, comer te digna
Destes dons com que Deus nos cria e nutre;
Ele, de todo o bem perfeita origem,
Faz com que imensos os produza a terra
Para alimentos e delícias nossas.
Talvez que para angélicas essências

Sejam eles comidas desgostosas:
O que eu sei é que a todos os franqueia
O nosso único Pai, autor de tudo."

"Por isso mesmo (o arcanjo assim lhe torna)
Pode pelos espíritos mais puros
Ser achado agradável alimento
O que Deus cria para dar ao homem,
Que espiritual porção em si encerra.
E, na verdade, as celestiais substâncias
De manjares tão puros se sustentam:
Demos portanto a Deus louvor contínuo.
A agenlical essência, a essência humana,
Ambas têm faculdades sensitivas,
Em virtude das quais possuem ambas
Ouvido, vista, gosto, cheiro, tato.
Corpóreos alimentos se assimilam
E em substância incorpórea enfim os mudam.
Quanto é criado nutrição exige:
Servem os alimentos mais grosseiros
De outros alimentar que são mais puros:
A terra nutre o mar; o mar a terra
O ar nutrem ambos; o ar os astros nutre.
Quando a Lua, que por ser mais baixa
Obtém primeira exalações terrenas,
O semblante redondo ofr´ece manchas,
Crassos vapores são que inda não foram
Na substância da Lua convertidos;
Também ela de seu mádido globo
Não deixa de exalar algum sustento
Para esses orbes que mais alto giram.
O Sol, que fulgurante se reparte
Por todos eles, deles todos colhe
Nutritiva exalada recompensa
E haure do Oceano a vespertinas ondas.
Se lá nos Céus as árvores da vida
Com frutos ambrosiais se condecoram,
E almo néctar os pâmpanos produzem, —

Se na manhãs o orvalho sacudimos
Dos ramos feito mel, e o solo achamos
De doces grãos de pérola coberto,—
Contudo, aqui seus dons o Eterno mostra
Com tanta variedade e tanto brilho
Que podem com os do Empíreo comparar-se:
Deles comer portanto não duvido."

Sentam-se e a refeição começam logo.
Sombra; ilusão não era o anjo comendo,
Fácil glosa comum da Teologia;
Com gostoso apetite saboreia
As iguarias que depois transmuta
Em substância celeste, transpirando
Quanto não pôde nela assimilar-se:
(Desta maneira o empírico alquimista
Pode mudar, ou crê que mudar pode,
Com o fogo do carvão fuliginoso,
Brutos fragmentos dos metais mais baixos
Em nativas porções de ouro brilhante).

Da mesa por então fazia as honras,
E de suaves licores arrasava
Os copos que amiudados se bebiam,
Formosíssima e nua a afável Eva.
Celestial inocência! A tal aspecto
Se em amor abrasados se sentissem
De Deus os filhos, dera-lhes desculpa:
Tais corações porém rutilam castos;
Nem conhecem sequer o que é ciúme,
Esse inferno de amantes ultrajados.

Estando já saciados sem excesso,
Grande e súbita ideia a Adão ocorre
De aproveitar o ensejo que lhe é dado
Neste feliz colóquio, — perguntando
O que há por cima deste nosso Mundo,
Que essências são as que ao Céu habitam,
Cuja excelência e majestoso aspecto,

Cujos poderes e esplendor divino
Tudo quanto era humano superavam.
Assim pois, com palavras cautelosas,
Ao mensageiro empíreo ele se expressa:
"Habitante do Céu, conheço agora
Quanto honras o homem neste teu obséquio,
Entrar querendo no seu teto humilde
E com ele comer terrenos frutos,
Manjar não de anjos mas por ti aceito
Tão boamente que se crê não comes
Nos celestiais festins com mais vontade.
Dos da Terra os do Céu quanto diferem!"
O alígero magnate a Adão responde:
"Existe só um Deus Onipotente
Que tudo fez, de quem procede tudo;
Regressam-lhe para ele as coisas todas
Quando se não depravam, mas perfeitas
Foram por seu poder todas criadas
Não há mais que uma só matéria-prima;
Pode variar de consistência e formas,
E em diferentes graus alcançar vida
Nos entes que a viver são destinados.
Quanto eles mais do Eterno se aproximam,
Ou quanto mais a aproximá-lo tendem,
Tanto mais se refinam, mais se apuram:
Cada um gira na esfera que lhe é própria
Té que o corpo em espírito se muda
Nos termos às espécies designados.
Das raízes assim se desenvolvem
Os verdes ramos menos densos que elas;
Destes as folhas mais ligeiras nascem,
Das quais a flor brilhante se sublima
Recendentes perfumes exalando:
Dela, por graus de majestosa escala,
Forma-se o fruto, nutrimento do homem.
Do assimilado fruto então se extrai
Substância que, por ser sutil e ativa

De *espíritos vitais* possui o nome, —
Da qual outra mais tênue se origina
Sendo *animais espíritos* chamada;
Desta requinta-se outra inda mais nobre
E *intelectuais espíritos* expressa, —
E de suas funções faz que resultem
Sentidos, fantasia, entendimento,
Cujo complexo constitui a vida
Donde emana a razão, essência da alma.
No homem terreno, no celeste arcanjo,
As almas são iguais por natureza;
Nos graus de perfeição porém diferem:
Pelo discurso enquanto o homem pesquisa,
O anjo pela intuição longe penetra.
Maravilha não é que eu não recuse
O que bom para vós achou o Eterno,
E que, qual vós o converteis na vossa,
Eu o transmute na substância minha:
Tempo virá, sem dúvida, em que os homens
Cheguem a ter a perfeição dos anjos,
E os manjares celestes lhes convenham:
Talvez, mesmo co´os térreos comestíveis,
Seus corpos em espíritos se mudem,
E, melhorados pelo andar do tempo,
Ao éter, como nós, subam alados,
Morando ou no éter, como for seu gosto,
Ou nas plagas do Empíreo rutilantes, —
Se obedientes à lei vos conservardes
E mantiverdes sempre inteiro e firme
O amor do imenso Deus de quem sois obra.
A dita em que viveis gozai no entanto:
Maior por ora vos é possível".

Replica-lhe o patriarca dos humanos:
"Espírito benévolo, bem mostras
Por onde o juízo nosso se encaminha,
E por que escala a Natureza marca
Os graus que, desde o centro dirigidos,

Vão terminar do círculo nas orlas:
Por ela, como ao Universo vimos,
Subir podemos té de Deus ao trono.
Mas o que impõe a cláusula que ajuntas
— *Se obedientes à lei vos conservardes?* —
Nós desobedecer também podemos?
Negar devido amor é-nos possível
Àquele que nos fez do pó da terra
E neste Éden nos pôs onde gozamos
A mor ventura que entender é dado
À fantasia do desejo humano?"

"Filho do Céu e Terra (o anjo responde),
És devedor a Deus da tua dita;
Mas de ti pende a permanência dela:
Grava bem a atenção isto que escutas.
Tua obediência cauteloso guarda:
Nela a caução da tua dita é posta.
Deus criou-te perfeito em tua espécie;
Mas imutável, não. Deu-te bondade,
Mas conservá-la pôs em teu arbítrio.
Fez-te livre; a vontade não tens presa
Ao fado imoto, à precisão restrita.
Deus quer de nós serviços voluntários:
Nele os obrigatórios nunca encontram
Benigna aceitação, honroso prêmio.
E como podem corações não livres
Provar que servem por vontade ou força,
Eles... cujo querer segue o do fado
E não lhe é dado ter diversa escolha?
Mesmo o dita que temos nós os anjos,
Que estamos juntos ao empíreo trono,
Tem, como a vossa, de durar somente
Enquanto na obediência persistirmos.
Sem obediência a dita se evapora.
Livres servimos porque amamos livres;
Podemos não amar, e amar podemos;
Se amamos, nosso dita continua;

Desgraça temos, se de amar deixamos.
Pela desobediência alguns caíram
Das alturas do Céu no Orco profundo:
Queda fatal, que de eternais delícias
Para sempre os lançou em crus tormentos!"
　　Assim torna-lhe Adão: — "Tuas palavras
Tenho escutado, preceptor divino
Com maior atenção com mais deleite,
Do que ouço os cantos que, na amena noite
Pelos ares trinando docemente,
Os coros querubínicos entoam
Do cimo desses montes circunstantes.
Não sabia que livres se criaram
As minhas obras, a vontade minha;
Contudo, nunca me esqueci que devo
Amar o autor de tudo, e ser exato
Em cumprir seu preceito único e justo:
Razão e instinto assim me encaminhavam
E sempre nesse teor serão meus guias.
Mas do Céu os sucessos, que apontaste,
Em mim alguma dúvida promovem;
Por isso tanto mais ouvir desejo
Deles a narração, se for teu gosto;
Na verdade, será ela estupenda,
Digna de ouvir-se com mudez sagrada.
Do dia espaço largo ainda nos resta
Pois que o Sol, tendo feito meio giro,
A outra metade começou agora
Dos Céus extensão que nos circunda."
　　Assim Adão pediu. Depois o arcanjo,
Fazendo curta pausa, assim começa:
　　"De árdua tarefa, de elevado assunto,
Ó primeiro dos homens, me encarregas.
A sentidos humanos como posso
Referir as proezas invisíveis
Por guerreiros espíritos obradas?
Sem dor como hei de relatar a ruína

De tão gloriosos, tão perfeitos anjos,
Enquanto firmes na obediência estavam:
Do outro Mundo como hei de expor segredos,
Que talvez revelá-los se proíba?
Porém dispensa justa se confere
Já que dela o teu bem tanto precisa.
Porque humanos sentidos me percebam
Expressar-me-ei, assemelhando aos corpos
As formas dos espíritos: e atende
Que é dos Céus uma sombra o orbe da Terra;
Parecem-se entre si as coisas de ambos
Muito mais do que tu julgá-lo podes."

"Quando inda não havia este Universo
(Reinando o rude Caos onde agora
Os Céus se movem e descansa a terra
Sobre seu próprio centro equilibrada),
Um dia (pois que o tempo unido ao moto
Abrange a eternidade, — e tudo mede
Por presente, pretérito e futuro),
Nesse dia em que fausto começava
Um dos anos amplíssimos do Empíreo,
Foram, de Deus por citação solene,
Chamados os exércitos dos anjos
Que, das regiões do Céu todas e logo,
Vêm, e ao redor do trono onipotente
Em ordem fulgurante se colocam,
Seus grandes generais trazendo à testa.
Dez milhões de bandeiras, de estandartes,
Pelo âmbito se erguiam das colunas
E, fuzilando aos sublimes ares,
Distinguiam os graus das jerarquias:
Também nos seus tecidos refulgentes
Divisas sacrossantas se estampavam,
Com veementes expressões mostrando
Do seu amor e zelo os puros atos.
Do exército depois que a massa imensa

Em círculos concêntricos foi posta,
O Poderoso Pai, tendo à direita
O Filho que existido sempre havia
Da Bem-aventurança no almo seio,
Do tope da flamífera montanha,
Que inundações de luz todo encobriam,
Dirigiu ao congresso estas palavras:
— "Ouvi vós todos que da luz sois filhos
"Dominações, virtudes, principados,
"Poderes, tronos: escutai atentos
"Este decreto meu irrevogável.
"Hoje nasceu de mim este que vedes,
"E meu único Filho aqui o aclamo;
"Ungido tenho-o neste sacro monte:
"Vosso chefe o nomeio. Hão de as falanges
"Dos Céus sublimes adorá-lo todas,
"E há de seu soberano confessá-lo:
"Por mim mesmo o jurei. Ficai unidos
"Sob o reinado seu em dita eterna,
"Quais de uma alma porções indivisíveis.
"Quem negar-se ao seu mando, ao meu se nega;
"Cerceia toda a união que a mim o enlaça:
"Nesse dia será fora do Empíreo
"E da visão beatífica expulsado,
"E cairá na escuridão eterna,
"Golfo profundo, horrível, tormentoso,
"Sem dó, sem redenção, sem fim sem pausa".
O Eterno assim falou. De quanto ouviram
Cheios de almo prazer parecem todos;
Parecem todos... mas nem todos o eram
Este dia, que ombreia os mais pomposos,
Passam-no inteiro em cânticos, em danças
Do sacro monte em torno dirigidas, —
Mística dança, igual à que executam,
No âmbito da estrelada, azul esfera,
Os astros que em si tem, fixos e errantes,
No giro seu tecendo labirintos

Intricados, excêntricos, confusos,
Mas que a tanto mais ordem se sujeitam
Quanto mais se afiguram fora de ordem.
Nessas danças com tanta melodia
As sua vozes divinais adoçam,
Que o mesmo Deus ouvindo-as se deleita.
À tarde (nós também manhã e tarde
Temos no Empíreo, — não que as precisemos,
Mas como deliciosa variedade)
Passam da dança a opíparo baquete:
Em círculos, como eles se formavam,
Erguem-se as mesas que se encheram logo
De angélicos manjares, espumando
Em vasos de ouro que abrilhantam gemas
O suavíssimo néctar rubicundo,
Que das vinhas do Céu emana em ondas.
Sobre flores mimosas repousando.
Todos coroados das mais ricas flores,
Saciam-se da ambrósia e puro néctar,
Mas sem que demasias lhes provoquem
O que de excessos resultar costuma:
Lá de imortalidade e de alegria
Bebem tragos dulcíssimos e longos;
E o bondadoso Rei, que ali presente
Com larga mão lhes dá tão gratos mimos,
Alegra-se de ver que eles se alegram.
Nisto a noite, com as nuvens exaladas
Do alto monte de Deus que ao longe verte
Luz e sombra, dos Céus na face pura
Tora o brilho em crepúsculo agradável:
Ela, que ali não traja o véu mais negro,
Já de rosa os orvalhos dispusera
Para o sono que todos necessitam,
Exceptuando só Deus que nunca dorme.
Sobre vasta planície, átrios do Eterno,
Mais vasta que deste orbe a inteira face
Se reduzida a terrapleno fosse,

A multidão angélica, dispersa
Em mós de vário vulto, ali acampa
Pelas margens das vívidas correntes
Que da vida entre as árvores sussurram.
Pavilhões, tabernáculos celestes
Armam-se de repente sem quantia,
Onde gozam do sono da inocência
Pelas auras mimosa bafejados, —
Exceto os que em redor do Empíreo trono
Por toda a noite em turnos se revezam,
Do costume cantando os doces hinos.
Porém com este fim Satã não vela
(Tal hoje o chamam; seu primeiro nome
Não mais foi desde então nos Céus ouvido):
Ele que de um dos principais arcanjos
Tinha o lugar, se o principal não era,
Grande em poder, no grau, a estima grande,
Encheu-se de atra inveja aquele dia
Em que o Filho de Deus, com toda a pompa
Feito, aclamado por seu Pai imenso,
Messias foi, universal monarca:
E em seu orgulho suportar não pôde
Tal vista, ideia tal, que o desluziam.
Respirando desprezo e ardente raiva,
Decidiu, tão depressa à meia-noite
(Tempo mais próprio do silêncio e sono)
A hora escura bater a martelada,
Ir-se com todas as legiões que manda
E deixar do alto Deus o trono augusto
Em desprezo, sem culto e sem louvores.
Então o que imediato em mando lhe era
Manso acorda, e em segredo assim lhe fala:
— "Dormes tu, companheiro? Como podes
"Os olhos teus pregar? Já te não lembras
"Do decreto que inda ontem proferido
"Nos foi do Eterno pelo próprios lábios?
"Soías-me confiar teus pensamentos,

"E eu te fazia o mesmo: éramos ambos
"Um só; mútua amizade nos unia.
"Por que fatalidade esse teu sono
"Hoje te faz desconcordar comigo?
"Tu vês que novas leis nos são impostas?
"Novas leis de um monarca sempre devem
"Nos vassalos criar ideias novas,
"E promover debates que examinem
"Os resultados que seguir-se podem:
"Aqui dizer-te mais não é prudente.
"As imensas miríades convoca
"De quem somos os chefes e lhes dize
"Que, antes de retirar-se a noite umbrosa,
"Com pressa eu parto, — e que por ordem minha
"As inteiras falanges, que floreciam
"Seus estandartes sob o meu comando,
"Para os quartéis boreais súbito voem.
"Ali as festas preparar nos cumpre
"Com que o nosso monarca, o grão Messias,
"E suas novas ordens recebamos:
"Passar por entre as jerarquias todas
"E dar-lhes leis tenciona vir em breve
"Com triunfante pompa o Nume-Filho."
Deste modo falou o falso arcanjo;
E perverso infundiu danoso influxo
Do companheiro ao ânimo imprudente,
Que logo todos os poderes chama
Subalternos a si, cada um à parte.
Conta-lhes que ates de acabar a noite
O grande chefe em movimento punha
Seu estandarte: inculca-lhes arteiro
As noções que lhe foram sugeridas,
E ambíguas expressões que o ciúme ateiem
Lança entre eles a ver se assim os sonda,
Ou se a fidelidade lhes perverte.
Subitamente obedeceram todos
Ao sinal costumado, à voz do chefe,
Porque o seu nome a dignidade sua,
Eram, sem hesitar, ao Empíreo grandes.

O rosto seu, igual da Estrela-d´Alva
Que pelo firmamento pastoreia
Das estrelas o fúlgido rebanho,
Com malicioso embuste os alicia
E para o crime seu consigo arrasta
A terça parte das celestes hostes.
De Deus no entanto os olhos, que discernem
Os pensamentos mesmo os mais ocultos,
Viram (por entre as lâmpadas douradas
Que fronteiras ao sólio ardem de noite,
Mas não delas co´o auxílio) levantar-se
Fora do sacro monte a rebeldia:
Viram por quem e como se espalhara
Entre os filhos aspérrimos da aurora,
E as multidões que então bandeadas eram
Para os decreto augusto se lhe oporem.
Deus, sorrindo-se, disse ao Filho amado:
— "Filho, em que jubiloso estou olhando
"Em seu inteiro brilho a minha glória,
"De toda a minha potestade herdeiro,
"Agora mesmo assegurar nos cumpre,
"Lançando mão das invencíveis armas,
"O nosso império, a divindade nossa,
"A nossa onipotência sempiterna.
"Tem tal audácia o rebelado imigo
"Que intenta a par do nosso erguer seu trono
"Nas plagas extensíssimas do Norte:
"E, inda não satisfeito, premedita
"Decidir por batalha, vem vasto campo,
"Nosso poder e jus que base tenham.
"Convém-nos ponderar e à pressa opor-lhe
"Toda a força que fiel se nos manteve
"Tudo empreguemos na defesa nossa
"A fim que por surpresa não percamos
"Este monte, este império, este alto sólio."
Com aspecto sereno, quieto e puro,
Com inefável resplendor divino
Ao Pai o Nume-Filho assim responde:

— “Onipotente Pai, razão te assiste
“Para te rires de teus vãos contrários
“E seguro tratares com desprezo
“Seus tumultos e ardis, inúteis, fátuos.
“A sua rebeldia dá-me glória,
“Que por seu ódio tanto mais se ilustra.
“De todo o teu poder quando me virem
“Para vencer sua altivez armado,
“Conhecerão pelo fatal evento
“Se menos que eles ser nos Céus me cumpre
“Ou se impor sei o jugo a tais rebeldes”
Disse. No entanto já Satã mui longe
Tinha voado veloz com as forças suas,
Exército que em número supera
As estrelas que fulgem na alta noite,
Ou as gotas do orvalho matutino
Na flor a planta, pelo sol tornadas
Em pérolas que estrelas afiguram.
Passam regiões e impérios poderosos
De tronos, serafins e potestades,
Três jerarquias mas em grau diversas
(Regiões, às quais se o Mundo teu comparas,
Não é mais amplo do que vês este Éden
Comparado com a terra e extensos mares
De esféricos a plano reduzidos).
Aos limites por fim chegam do Norte:
Então entra Satã seus régios paços
Que, edificados sobre ingente serra,
Afiguram, de longe sendo vistos,
Em cima de montanha outra montanha.
Constam de cubos de diamante e de ouro
As torres, as pirâmides, os muros
Que de Satã compõem o *palácio*,
Nome que no dialeto dos humanos
Há de dar-se a parelhas estruturas:
Pouco antes o orgulhoso o construíra,
Querendo ter com Deus toda a igualdade,

Pelo modelo do sagrado monte,
Onde foi o Messias proclamado
Do Céu perante as jerarquias todas:
Então *Monte da Aliança* o nominara.
Os exércitos seus ali ajunta,
Pretextando que assim o dispusera
Para se concertar com que alta pompa
Seria recebido o grão monarca,
Que ia chegar ali em prazo breve.
E com sutis calúnias procurando
Toldar todas a luzes da verdade,
Fere-lhes com tais modos os ouvidos:
— "Dominações, virtudes, principados,
"Tronos, poderes, se são vossos inda
"Estes imensos títulos pomposos,
"Se acaso inda não são nomes inúteis:
"Há quem, por um tirânico decreto,
"Todo o poder a si vem arrogar-se
"Fazendo dele horrível monopólio,
"E, sob o nome de monarca ungido,
"Eclipsa nossa glória e privilégios.
"Toda esta marcha rápida, noturna,
"Esta convocação acelerada,
"Promove-as ele, a fim de vermos como,
"Como que pompas nos cumpra recebê-lo
"Quando vier extorquir de nós — escravos! —
"Tributo genuflexo agora imposto,
"Vil prostração, que feita ante um já cansa,
"Que feita a dois se torna insuportável!
"E não pode outro arbítrio mais sisudo
"Dar-nos mais elevados pensamentos,
"Que a sacudir tal jugo nos ensinem?
"Curvareis vosso colo majestoso?
"Súplice joelho dobrareis humildes?
"Decerto o não fareis, se não me engano,
"Que vosso jus por vós é conhecido:
"Bem sabeis que no Céu nascidos fostes,

"No Céu antes de vós nunca habitado;
"E, se entre vós não sois iguais de todo,
"Iguais contudo sois na liberdade:
"As várias gradações, a jerarquias
"Da liberdade os foros não estragam,
"Antes maior firmeza lhes transmitem
"Quem dentre iguais na liberdade pode
"Por direito ou razão alçar um cetro
"Sobre consócios seus, posto mostrarem
"Menor poder em si, menos fulgores?
"Não temos leis impor-nos pode ou deve?
"Ninguém pois pode ser monarca nosso,
"Nem de nós exigir tão vil tributo
"Em desprezo dos títulos excelsos,
"Que atestam destinada nossa essência
"Para ser dominante e não escrava."
Assim tão virulento, audaz discurso
Foi sem oposição todo escutado.
Mas entre os serafins eis se levanta
O impávido Abdiel; ninguém mais que ele
Adorava com zelo a divindade
E as ordens soberana lhe cumpria.
Severo e santo zelo então o abrasa,
E assim a seu furor lhe solta as rédeas:
— "Oh blasfêmia! Oh soberba! Oh falsidade!
"No Céu ninguém supunha ouvir tais vozes,
"Principalmente a ti, traidor ingrato,
"Que além de teus iguais tão alto te ergues!
"E ousas tu, pronunciando ímpio reproche,
"Condenar o decreto sempre justo
"Em que Deus legislou com juramento
"Que a seu único Filho (a quem dotara
"Co´o cetro real, de seu poder insígnia)
"O joelho dobrariam reverentes
"Dos vastos Céus as jerarquias todas
"Confessando-o legítimo monarca?!
"Tacha de injusto, e grandemente injusto,

"Que se liguem com leis essências livres?
"Que sobre iguais o igual impere, reine,
"Um sobre todos com poder infindo?
"Mas serás tu que leis a Deus promulgues
"E que da liberdade os pontos queiras
"Com ele disputar, — Ele que pôde,
"Só porque o quis, seu gosto sendo a norma,
"Fazer-te a ti qual és, quais são do Empíreo
"Todos os coros, os poderes todos
"A cada um sua essência prescrevendo?!
"Pela experiência nossa doutrinados
"Imutável e bom o conhecemos;
"E como, sendo bom, coarctar quisera
"O nosso bem, a nossa dignidade?
"Mas... longe disto, e, como providente,
"Vai de alto chefe às ordens mais unir-nos
"Subindo a mais feliz o nosso estado.
"Mas concedo-te agora como injusto
"Que sobre iguais o igual impere, reine;
"Contar-te-ás, inda que és glorioso e grande,
"Ou juntos num dos Céus os coros todos,
"Como igual do Unigênito do Eterno?
"Por ele, como por seu Verbo, tudo
"O Pai fez, fez-te a ti: formou por ele
"As essências do Céu cheias de glória;
"E, para a glória acrescentar-lhes inda,
"Em vários graus as dividiu brilhantes,
"Chamando-lhes virtudes, principados,
"E tronos, e domínios, e poderes.
"Pelo reinado seu o Nume-Filho,
"Longe de nos toldar, mais nos ilustra:
"Se é nosso chefe, é companheiro nosso;
"Dá-nos as mesmas leis que nele imperam:
"E a honras todas que lhe forem dadas
"Com brilho ingente sobre nós redundam.
"Cessa pois teu furor, tua impiedade;
"Cessa pois de iludir os que te escutam:

"Cuida, sem mais demora, de aplacares
"A torva indignação do Pai, do Filho,
"Cujo perdão se obtém pedido a tempo."
O fervoroso serafim destarte
O zelo seu desprega; mas não houve
Quem apoio lhe desse, — e foi julgado
Sem razão, disparate, desatino.
Com isso folga o apóstata perverso,
E com maior audácia assim se explica:
— "Nós temos sido, dizes tu, formados
"Em tarefa que o Pai transfere ao Filho,
"De secundárias mãos sendo feituras?
"Que nova descoberta! essa doutrina
"Desejava eu saber donde a deduzes.
"Quem viu dos Céus fazer a imensa mole?
"Lembras-te tu de como foste feito,
"De quando aprouve a Deus assim formar-te?
"Não conhecemos época nenhuma
"Em que não existíamos como hoje;
"Ninguém antes de nós não conhecemos.
"Quando chegou a sempiterna massa
"Em seu giro fatal ao grau preciso,
"Fermentou: dela assim os Céus brotaram,
"E deles nós; intrínseca virtude
"Nos gerou, nos ergueu da essência própria.
"Nós somos pois do Céu etéreos filhos;
"Em nós mesmos reside a força nossa:
"A nossa própria destra vai ditar-nos
"As mais alta ações e pôr patentes
"Quem de ser nosso igual mereça a fama.
"Verás então se nós nos resolvemos
"Se sólio com súplicas humildes:
"Se sólio onipotente nós cercamos
"Para perdão pedir-lhe ou dar-lhe assalto.
"Tal participação e tais notícias
"Leva ao monarca ungido; vai-te, foge,
"Antes que hórrida ruína te obste a fuga."

Disse. Qual som de catadupa enorme
Pelo espaço troou rouco sussurro
Com que o discurso seu foi aplaudido
Pelas infindas, rebeladas hostes:
Mas assim mesmo de fervor dobrando,
Inda que só no meio de inimigos,
O serafim valente lhe responde:

— "Inimigo de Deus anjo maldito,
"Desamparado das virtudes todas,
"Já decidida vejo a queda tua
"E em tua fraude pérfida envolvidos
"Teus inúmeros sócios desgraçados,
"Lavrando como por contágio neles
"Teu crime atroz, teu hórrido castigo.
"Não te fatigues mais, urdindo planos
"Para do Ungido sacudir o jugo:
"Nunca mais suas leis justas e brandas
"Alcançar poderás; outros decretos
"Já sem apelação se te fulminam.
"Aquele cetro de ouro, a que insensato
"Negaste obedecer, tornou-se agora
"Vara de ferro que em vingança justa,
"Tua desobediência abola e talha.
"Bem me aconselhas: pressuroso eu fujo
"Destes malditos palvilhões perversos
"(Não por conselhos teus, nem teus ameaços;
"Mas temo que o furor quase iminente,
"Dentro de flama súbita enraivado,
"Não distinga entre culpas a inocência).
"Sobre a cabeça tua em breve aguarda
"De Deus o raio, devorante fogo:
"Conhecerás então, mil ais soltando.
"Que é o que te criou quem te aniquila."
Desta sorte Abdiel se desagrava.
Entre tantos infiéis é fiel só ele:
Cercado por inúmeros falsários,

Firme, arrogante, intrépido, inconcusso,
Não se seduz, não treme, não se abala:
Nem torva multidão, nem tanto exemplo,
Separá-lo puderam da verdade
Ou mudar-lhe o constante pensamento?
Ele, posto que só, guardou sem mancha
Sua lealdade, seu amor, seu zelo.
Eis foge deles, indo largo espaço
Entre mofas e ultrajes dos perjuros;
Mas ele superior afronta o p´rigo,—
E com desprezo audaz retorque insultos,
Virando costas às soberbas torres
A destruição já pronta destinadas."

ARGUMENTO DO CANTO VI

Rafael continua a relatar como Miguel e Gabriel foram mandados a combater Satã e seus anjos. Descrição da primeira batalha. Satã com seu exército retira-se de noite: convoca um conselho, e inventa máquinas diabólicas, com as quais, na batalha do segundo dia, lança Miguel e seus anjos em alguma confusão; — mas eles depois, arrancando montanhas, esmagam com elas as tropas e máquinas de Satã. Indo o tumulto avante, Deus no terceiro dia manda o Messias, Filho seu, para quem tinha reservado a glória de vencer ali: — Ele, com o poder do Pai, chegando ao campo e ordenando a toda as suas legiões que ficassem firmes, entranha-se com seu carro e com seus raios pelo meio dos inimigos, persegue esses desgraçados, que não têm ânimo de resistir-lhe, até às muralhas do Céu: então estas se abrem e eles despenham-se com horror e confusão no lugar de seu castigo que lhes estava preparado no Abismo. O Messias regressa vencedor para a destra de seu Pai.

CANTO VI

olitário, cortando o etéreo espaço,
Prossegue toda a noite o anjo valente
Até que a Aurora provida destranca,
Pelas girantes horas despertada,
Com as róseas mãos os pórticos do dia.
No monte do Senhor, chegada ao sólio
Gruta se abre onde em turnos sempiternos
Sai e entra, uma após outra, a luz e a sombra,
Nos Céus mostrando a alternativa bela

Que a noite e o dia no teu Mundo formam.
Assim que por um lado a luz se ausenta,
Do outro vem vindo complacente a sombra,
Semelhante ao crepúsculo terrestre,
Pelo assinado prazo os Céus toldando.
Ao zênite elevada então a Aurora
De ouro empíreo se arreia, e a noite impele
Diante de si co´os orientais fulgores.
Eis o anjo encara em todo o campo do éter
Linhas brilhantes de esquadrões maciços,
Carros, feros corcéis, flagrantes armas.
Sobre flamas ali refletem flamas;
Já pronta a guerra está, tudo arde em guerra:
Vê que às claras ali se conhecia
Quanto por novas relatar tentava.
Logo entra ovante nos celestes coros
Que, em viva aclamação e gosto intenso
Recebem-no, ele o só que volta puro
Dentre tantos milhões de reprovados.
Levam-no, alto aplaudindo, ao sacro monte
E em frente o postam do superno sólio.
Eis dentre rolos de douradas nuvens
Este nectário acento fez ouvir-se:
— "Servo de Deus, cobriste-te de glória
"Tu que, às sós, contra inúmeros rebeldes,
"A causa da verdade sustentaste:
"Das palmas a melhor na destra empunhas.
"Tens em tua constância mais grandeza
"Do que eles mostram ao poder das armas
"Da alta verdade o testemunho dando
"Chamaste a ti o universal opróbrio,
"Mais duro de sofrer que a dor mais dura:
"Viste que mundos mau te reputavam
"E só de Deus a aprovação quiseste.
"Só resta a teu valor fácil conquista:
"Regressa, ataca as inimigas hostes,
"Que em glória mais subida hoje lhes fulges

"Do que o desprezo foi que te votaram.
"Vence por força os que a razão recusam.
"Os que a reta razão por lei não querem
"Nem por monarca o intrépido Messias,
"Que em mérito e no jus sustém seu trono.
"Parte, ó caudilho da celestes tropas,
"Parte, Miguel, e tu, Gabriel invicto,
"Que nas lides guerreiras lhe és segundo;
"Meus invencíveis filhos ponde em campo,
"Ponde em campo esse exército do Empíreo;
"Milhares e milhões mostrem-se armados,
"Igualem a aluvião de ímpios rebeldes.
"Com brio os assaltai, com ferro e fogo,
"E dos Céus perseguindo-os té às orlas,
"Longe de Deus e celestial ventura,
"No antro os lançai da punição eterna,
"Caos Tartáreo que, a sorvê-los prontas,
"Abre do golfo ardente as vastas fauces."
A soberana voz assim se expressa.
Eis de toda a montanha o âmbito envolvem
Escuras nuvens que medonhas vertem
Rolos de fumo e turbilhões de flamas,
Sinal de despertar-se a ira do Eterno;
E do cume dos Céus a etérea tuba
O estrondoso clangor seva dispara.
Logo das tropas celestiais os chefes
No campo empíreo impávidos as formam
Em imensa coluna impenetrável:
Marcha em silêncio o exército brilhante
De instrumental guerreiro ao som que incita
Ao p´rigo ilustre os corações heroicos,
Obedecendo a generais divinos
De Deus, do filho seu na augusta causa.
Na marcha os liga indissolúvel nexo:
Nem montanha, nem vale, ou rio ou bosque,
Lhes urde estorvo, lhes desune a filas;
Afastadas do chão levam-se a plantas,

Sustém-lhes o ar submisso os ígneos passos.
Qual voando ao Éden em regradas turmas
Citada veio a geração das aves
Para de ti seus nomes receberem, —
Tais do lúcido pólo eles avançam
Por extensas regiões, por longas plagas,
Deste teu Mundo décupla grandeza.
No horizonte boreal eis que se avista,
De banda a banda, um campo ignivertente,
Indício fiel de bélico aparato, —
E de mais perto visto nos descobre
De Satã os exércitos unidos:
Eriçam-se sem conta as duras lanças,
Cerram-se os elmos, e os escudos mostram
Jactanciosos emblemas insculpidos:
Lá se apressam com fúria, imaginando
Que nesse dia, por astúcia ou força,
A montanha de Deus conquistariam,
E que da Onipotência imensurável
O invejoso rival, o êmulo altivo,
Se assentaria no supremo trono;
Mas em meio caminho os seus projetos
Descobriram-se logo írritos, loucos.
Ao primo intuito nos parece estranho
Que anjos, opondo-se em feroz batalha,
Uns contra os outros férvidos se arrojem, —
Eles que tão unânimes soíam,
Como filhos de excelso potentado,
Em festins de prazer e amor unir-se,
Ao sempiterno Pai hinos cantando:
Mas ideias de paz, brandos projetos,
Evaporam-se, assim que brama e troa
O alarma temeroso, a voz de assalto.
O apóstata, do exército no centro,
Monta um coche que o Sol no brilho iguala:
Entre ígneos querubins e escudos de ouro
Tal porte ostenta que simula o Eterno.

Assim que estreito e pavoroso espaço
Entre ambos os exércitos avista,
Que fronte a fronte mútuos se alardeiam
Terríveis massas de extensão medonha,
Desce Satã do sublimado sólio;
E, com passo avançando altivo e vasto,
Todo fulgindo de brilhantes e ouro,
Nos mais altos projetos engolfado,
Vai logo pôr-se à frente das colunas
Onde mais p´rigos proporciona a guerra.
Abdiel, que das ações as mais ilustres
Sempre se adorna e que de heróis se cerca,
Encara-o, — e, cheio de insofrida fúria,
Ideias tais no coração rumina:
— "Céus! Como do Altíssimo o transunto
"Existe onde a pureza e a fé já faltam?
"Como, depois da perda das virtudes,
"Inda resta valor, potente heroísmo?
"E como é crível que o mais fraco possa
"Parecer de invencível valentia?
"Eu, confiado de Deus no auxílio ingente,
"Vou essas forças debelar, eu que ontem
"Suas razões provei fúteis e falsas.
"Justo é que vença, quando a espada empunha,
"Quem venceu defendendo a sua verdade, —
"Num e noutro conflito obtenha os louros,
"Não obstante da inveja o estorvo infame,
"Quando a razão recorre urgente às armas
"Contra as armas que alçou fera injustiça,
"Deve sempre a razão cantar vitória."
Assim, pensando, avança da coluna
Contra o inimigo audaz que em campo o espera
Por essa prevenção embravecido.
Desta maneira impávido o provoca:
— "Soberbo, então achei-te? O fito punhas
"Em chegar, sem que alguém te urdisse estorvos
"Às alturas que fero ambicionavas,

"Do imensurável Deus ao lado, ao trono
"Que abandonados e indefensos crias
"Só pelo medo, difundido ao longe,
"De tuas forças, da eloquência tua;
"Louco! Sem distinguir fútil a empresa
"De contra o Onipotente pôr-se em armas!
"Ele que pode, co'o o mais leve aceno,
"Criar, armar exércitos infindos,
"Que tua audaz insânia aniquilassem, —
"Ou de um só golpe e só com a destra sua,
"Que além se estende dos limites todos,
"Exterminar-te a ti, tuas falanges,
"E no Orco tenebroso submergir-vos!
"Mas vês que o teu pendão nem todos seguem:
"Milhões de anjos ali, que o Eterno adoram,
"Preferem da piedade o fiel partido:
"Porém vê-los teus olhos não puderam
"Quando eu a sós, de todos discordando,
"Combati sabedor teu vãos sofismas.
"Eis minha crença: Vê, posto que tarde,
"Que às vezes poucos acertar conseguem
"Enquanto muitos mil no erro se engolfam."
Assim o arqui'inimigo lhe responde,
Com ar de mofa, e de través olhando:
— "Por teu mau fado, investes tu primeiro,
"Quando me abraso na ânsia de vingar-me!
"Já volta da fugida, anjo rebelde?
"Vem, toma os prêmios que o dever te outorga
"Como primícias deste braço justo
"Por tua insana língua provocado,
"Ousando sediciosa, em cúria plena,
"Opor-te ao terço dos sublimes Numes
"Que ilesa em si a divindade querem.
"Enquanto os animar divino alento,
"Ninguém de Onipotente há de jactar-se.
"Sei que dos sócios teus certo te adiantas
"Para te ornares do meu amplo espólio,

"E demonstrares às cortes minhas
"Os seus desastres na vitória tua.
"Pois bem: mas quero que entretanto me ouças,
"E nem te gabes que ao silêncio me urges.
"Sempre julguei que Céu e liberdade
"Eram comuns a todo o empíreo Nume:
"Vejo agora porém que hórrida inércia
"A todos esses constitui escravos
"Que tão armados me apresentas hoje,
"Da música e festins ao gozo entregues,
"Do Céu serventes vis, histriões, comparsas.
"Por que demência tão risível cuidas
"Que a liberdade ao servilismo ceda!
"Ambos se hão de mostrar no dia de hoje."
Logo Abdiel desabrido assim lhe torna:
— "Apóstata, prossegues sempre no erro;
"Afastado da viela da verdade
"Nem mesmo do erro te eximir procuras:
"Manchas de escravidão co´o o injusto nome
"A obediência que todos tributamos
"A Deus, à Natureza, sempre acordes.
"Quem pode mais e se avantaja em tudo,
"Inevitáveis leis aos outros dita:
"De Deus, da Natureza, eis o diploma;
"Eis à nossa obediência o jus supremo.
"É sim escravo o que obedece ao louco
"Que contra o que mais pode se rebela:
"Tais são os teus agora a ti submissos,
"A ti não livre, de ti mesmo escravo,
"E que não coras por atroz malícia,
"De nossos ministérios exprobrar-nos.
"Lá tens teus reinos no Orco, impera neles:
"No Céu eu sou feliz servindo o Eterno,
"Obedecendo a seus divinos mandos
"Que têm supremo jus a ser cumpridos:
"No Orco, de cetro em vez, grilhões te aguardam.
"No entanto, pois que da fugida volto

"Por meu mau fado, como agora dizes,
"Recebe a ímpia fronte este tributo."
Disse. E do alto vibrou um talho heroico
Que, pronto como o raio, cai em peso
No elmo orgulhoso do feroz imigo
Sem que ele possa co'o tremendo escudo,
Com a vista perspicaz, co'o ardente gênio,
Prever, desviar a furibunda ruína
Passos recua dez Satã enormes;
Sobre um curvado joelho então caindo,
Pode a metade interceptar da queda
Na lança robustíssima apoiado
(Assim do seio do terráqueo globo
Rompendo um pé de vento ou peso de águas,
Tudo arrombando que por diante encontram,
Batem num monte e lhe deslocam parte
Que com todo o arvoredo se submerge).
De espanto se enchem os rebeldes tronos;
Mas dobram de ira ao ver com tanto insulto
O seu mais alto chefe enxovalhado.
Nisto o exército nosso rompe em vivas,
Exulta, quer vencer, pede a batalha.
Eis manda troar Miguel a empírea tuba
Que na amplidão dos Céus ribomba e brama,
E ao Altíssimo logo o *Hosana* augusto
Entoam fiéis as celestiais falanges.
Não pasma o inimigo, e requintando a fúria
Com choque horrendo sobre nós se atira:
Tal bramido então ruge e tal estrondo,
Como jamais se ouviu dos Céus no espaço:
Com feroz confusão tinem, retinem
Umas contra outras férvidas as armas,
E hórridas rangem das carroças brônzeas
As arrojadas rodas furibundas;
Rechinam as descargas flamejantes
De ígneos dardos que inúmeros cobriam
Todo o Céu co'uma abóbada de fogo.

Espantoso terror se difundia
Do estampido e prospecto da batalha
Com ímpeto e furor inextinguíveis
Os exércitos dois mútuo se assaltam.
Todo o âmbito dos Céus troa e retumba, —
E, se o Mundo formado então já fora,
Em seus eixos tremera inteiro o Mundo:
E por que não? Se os combatentes eram,
De uns e de outros, milhões de anjos terríveis,
Dos quais o menos forte, o braço alçando,
Nos astros todos agarrar pudera
E, em vez de dardos, ao amplo Céu brandi-los!
Tinham poder tão válidas coortes,
No truculento arrojo das batalhas,
De envolver tudo em combustão horrível
E perturbar da pátria a ordem ditosa
Se do seu trono o celestial Monarca,
Lhes não marcasse às indizíveis forças
Com mão potente imprescritíveis metas.
Dividem-se em legiões; porém cada uma
Formidoloso exército parece,
E cada braço armado se afigura
Uma inteira legião em valentia.
Campeando no mais forte das batalhas
Cada simples guerreiro é cabo, é chefe;
Certo no ensejo das manobras todas,
Sabe avançar, parar, mudar de frente,
Abrir, cerrar a impávida coluna:
A nenhum lembra fuga ou retirada,
Nem deslustrosa ação que indique medo;
Confia em si cada um, crendo que existe
No próprio braço o arbítrio da vitória.
Várias ações de perdurável fama
Nesse dia brilharam infinitas;
No espaço se estendeu confusa a guerra.
Ferve ferida a pugna, ora a pé firme, —
Ora, as asas imensas agitando,

Atormentam todo o ar; todo o ar parece
De hórridas labaredas abrasado.
Longo tempo a balança do destino
Teve ouro-fio a sorte da batalha.
Então Satã, que prodigiosas forças
Naquele dia em si tinha provado
Sem anjo achar que lhe impedisse o impulso,
Viu, quando sob o fogo punha em ordem
Os serafins que a guerra dispersara,
A espada de Miguel que alto brandida
Descarrega feroz, rompendo os ares,
O acicalado gume, e a cada golpe
Abola e talha batalhões inteiros;
Correu a opor-se a destruição tamanha,
Do amplo escudo coa enorme redondeza,
Penhasco orbicular que hórrido cobrem
Dez pranchas de diamante impenetrável.
O grande arcanjo, assim que perto o avista,
Deixa as que entre mãos tem ações de glória,
E, alegre coa esperança de ali mesmo
Dos Céus findar as guerras intestinas
Ou derrotando o inimigo ou pondo-o em ferros,
Com hostil catadura e aceso rosto
Dirige-lhe primeiro estas palavras:
— "Autor do crime inominado e ignoto
"Nos Céus te que um rebelde em ti notaram,
"Mas (como observas) espalhado agora
"Brotando odiosa guerra, odiosa a todos
"Posto que há de fazer, por plano justo,
"Em ti, nos teus, o mais horrendo estrago, —
"Como turbaste aos Céus a paz ditosa
"E o mal na Natureza introduziste
"Que antes dos crimes teus ela ignorava?
"Como em quantia de anjos tão subida,
"Sempre justos e fiéis, hoje falsários,
"Tua malícia destilar pudeste?
"Mas com o resto sagrado em vão tu instas;

“Fora de seus confins o Céu te expulsa.
“Dos puros Céus com as eternais delícias
“Incompatíveis são violência e guerra.
“Vai-te co´os sócios teus, quais tu, malditos;
“O crime de que és pai contigo leva
“Do crime para a estância, o Inferno hediondo:
“Lá teus distúrbios desenfreia. Vai-te
“Antes que minha espada vingadora
“Do teu julgado a exeção comece,
“Ou antes que de Deus o ódio flumíneo
“Te precipite em tresdobradas penas.”
— “Não julgues tu” (responde-lhe o contrário)
“Que essas ameaças vãs pelo ar desfeitas
“Possam mais que teu braço reprimir-me.
“Algum dos sócios meus puseste em fuga?
“Se alguns prostaste... não se ergueram logo?
“Como esperavas transigir comigo,
“Soberbo! e com ameaças expulsar-me?
“Erras pensando que esse fora o termo
“De tanta guerra que de crime alcunhas
“Mas que chamar nos praz guerra de glória.
“O Céu por força conquistar queremos,
“Ou do Inferno esse horror por ti sonhado
“O Céu introduzir, e ali ao menos
“Ser livres se reinar nos for defeso.
“No entanto assume quanto tens de forças,
“Invoca o Deus que Onipotente dizes;
“Não fujo, hei de alcançar-te ou longe ou perto.”
Assim falaram. Pronto se aparelham
Combate inexprimível. Quem pudera,
Inda com língua de anjo, relatá-lo!
Ou quem a tal prodígio iguais no Mundo
Encontrara expressões que conseguissem
Alevantar o entendimento humano
A tal altura do poder divino!
Em ações, em grandeza, em porte, em armas,
Pugnando ou quedos, pareciam Numes
Aptos a disputar dos Céus a posse.
Brandindo a espada de ígnea folha ondeante,

Traçam nos ares círculos imensos,
E (quais dois grandes sóis) em frente um do outro
Seus escudos flamejam: tudo pasma!
De ambos os lados rápida recua
A multidão dos anjos; — e, onde há pouco
Da batalha o furor mais se acendia,
Abre-lhe largo pavoroso campo
Revolto com borrasca tem medonha,
(Desse teor, se contudo as coisas grandes
Podem de outra pequena deduzir-se, —
Dois planetas, no caso que árdua guerra
Entre a constelações se declarasse
Rota a harmonia que une a Natureza,
Se investiriam nos etéreos campos,
As órbitas disformes confundindo
Do destrutivo duelo ao rudo abalo!)
Logo cada um erguendo o braço altivo
Que só cede ao do Eterno, ajeita um golpe
Que decisivo de uma vez conclua
A renhida pendência. Iguais em ambos
Balançam-se ouro-fio astúcia e força.
Mas de Miguel a espada, — havendo obtido
Têmpera tal nos arsenais celestes
Que outra, por mais que fosse ou forte ou buída,
Ceder-lhe havia, — de Satã encontra
A espada atroz descarregada de alto:
Em duas lha partiu; e, ao mesmo instante,
Brandida em roda se entranhou profunda
Em toda a ilharga do assanhado monstro.
Então Satã, que pela vez primeira
Soube o que é dor, torceu-se, recurvou-se, —
Com tamanha ferida e tão violento
Ousou vará-lo o fulminante alfanje!
Porém compostos de substância etérea
Cerram-se prontos os órgãos divididos,
Vertido havendo um rio caudaloso
De sangue espiritual, nectáreo fluido,

Que as armas lhe manchou dantes fulgentes,
Logo lhe acodem mil valentes anjos
Que o abrigam do contrário, enquanto ao coche
Outros em seus escudos o transportam
Deixando-o longe ali do horror da guerra
Então aflito o monstro os dentes range,
Furibundo, timbroso, envergonhado
Por ver-se ombreado de outrem, reprimido
Com tal desonra seu feraz orgulho,
E desfeita a misérrima vaidade
Porque se cria igual do Onipotente.
Mas de novo, eis Satã! foi breve a cura
(Diversos do homem, cuja frágil vida,
Repartida por órgãos tão conexos,
Se extingue em todos mal que num se extingue,
Os espíritos gozam permanente
Em cada órgão a vida; são baldadas
Quaisquer feridas, por mortais que sejam,
Feitas na sua líquida substância
Como o ar subtil e puro; só possível
Por aniquilação dar-lhes a morte:
Neles tudo ouve, vê, sente, medita;
Cada um, como lhe praz, retém ou muda
Voz, densidade, cor, forma, grandeza).
No entanto ações, — como estas, memoráveis, —
Noutros sítios o campo condecoram:
Gabriel, à frente de coluna invicta,
Ali peleja e com fervor derrota
Umas sobre outras as profundas linhas
Do cruento rei Moloch. Este insensato
O arcanjo desafiou, — e prometera
Levá-lo de rojão preso a seu carro;
Té insultou do Onipotente o Filho!
Mas logo um talho do celeste alfanje
Lhe abriu té a cintura o corpo e as armas;
Louco o monstro com a dor fugiu urrando.
Uriel, Rafael, do exército as alas,

De Adramaleque e de Asmodeu triunfam,
Tronos potentes de estatura enorme,
De adamantinas rochas guarnecidos,
Que, embriagados com os fumos da jactância,
De ser menos que Deus se desonravam.
Mas trespassados de hórridas feridas,
A malha rota, espedaçada a cota,
Fogem cheios de horror, já não altivos.
Nem se esqueceu Abdiel de erguer o alfanje
Contra o bando traidor que a seus despreza;
Mas, repetindo estragos sobre estragos,
De Ariel, Arioche, Ramiel, o insano impulso
Rompe, suplanta, estrui, aterra, abrasa.
Pudera eu inda de milhares de anjos
Neste teu Mundo eternizar os nomes;
Mas essas puras, divinais essências
Contentam-se dos Céus coa fama ilustre,
E do aplauso dos homens se dispensam.
Nossos rivais, que perdurável fama,
Por guerreiras ações, força estupenda,
Com brio ingente como nós ganharam,
Deixo-os sem nome ao negro olvido entregues,
Que dos Céus nos registros por sentença
Esses rebeldes cancelados foram
(Não merece louvor a valentia
Se a justiça e a verdade a não regulam;
Só lhe cumpre esperar desprezo, infâmia:
Ambiciona renome, aspira à glória,
Nefandos desacatos perpetrando?
Sofra a sentença, suma-se no Letes).
Dos contrários a flor então vencida,
Toda a ordem de batalha se interrompe:
Soltos em correria escaramuçam.
Surge desordem torva, hórrido estrago:
De armas quebradas todo o chão se junca,
E derribados em montões jaziam
Coches, aurigas, ignitos cavalos.

Seus postos té então guardaram firmes;
Mas, já lassos recuando, vão de encontro
Às linhas de Satã que, desfalcadas,
Cheias de susto e só a defensiva,
Romper se deixam das fugintes turmas.
De medo, fuga e dor, isentos dantes,
Eis que de medo e dor estão pungidos:
Em vergonhosa fuga arrancam todos,
Sofrendo tanto mal os infelizes
Da rebeldia pelo crime infando.
Do exército de Deus outro era o aspecto:
Em cúbica falange avança firme,
Impassível inteiro, impenetrável;
Seu coração imaculado e puro,
Sua obediência aos Céus, lhe conferiram
Sobre os contrários em tanta vantagem
Infatigáveis nas batalhas eram:
Não conseguia golpe algum feri-los, —
E, se árduo repelão os deslocava,
Tornavam de repente a entrar em linha.
Já surge a noite, e sobre o polo estende
Seu manto escuro, complacente impondo
Da guerra ao cru motim silêncio e trégua:
Os vencedores e os vencidos folgam
Das nebulosas sombras circundados.
Miguel e seus heróis ali acampam,
E em roda postam querubins de *elite*
Que alerta voam quais ondeantes lumes.
Porém Satã, à frente dos rebeldes,
Rompendo a escuridão, longe se aloja;
Lá, contínuo velando, ajunta os chefes
Em conselho noturno e ousado diz-lhes:
— "Ó vós que o p´rigo demonstrou valentes
"E o valor invencíveis, caros sócios,
"Não só mui dignos sois da liberdade,
"Que assaz mediana pretensão reputo,
"Mas de honra, fama, poderio e glória,

"Da nossa alta ambição votos primários.
"Do Céu contra as mais válidas coortes,
"Empíreas guardas que mandou o Eterno
"A subjugar-nos à vontade sua
"Crendo-as capazes de tamanha empresa,
"Hoje batalha dúbia sustentastes:
"E sempre não sereis o que hoje fostes?
"De que ele se enganou, prova o fato:
"E, se onisciente foi té'gora crido,
"Dora em diante falível se nos mostra.
"Certo é, com menos solidez armados,
"Alguma perda e dor temos sofrido,
"Nunca sentido mal em nós té hoje;
"Mas foi sentido e logo desprezado.
"Já conhecemos que a substância nossa
"É, pela origem que do Empíreo obteve,
"Não susceptível de mortal injúria;
"Que, sendo penetrada de algum golpe,
"Logo une e sara por vigor nativo.
"Fácil remédio cura um mal tão leve:
"Talvez nos outros próximos conflitos
"Mais fortes armas, golpes mais violentos
"Nos ganhem louros, o inimigo arrasem,
"Ou dele a par nos ponham, não havendo
"Grau algum superior na essência de ambos.
"Se as vantagens lhe vêm de causa oculta,
"A inteligência nossa, o nosso gênio,
"Inda perfeitos, atilados inda,
"Busquem-na: de a saber têm certa a glória.
Disse e assentou-se. Em rápida seguida
Se ergueu Nisroch, dos principados chefe;
Mui cansado, em pedaços a armadura,
Fugido o creras de hórrida batalha;
De carregado vulto assim responde:
— "Libertador, que válido nos firmas
"De nosso jus de Deuses livre o gozo
"E os nós nos quebras do recente jugo:

“Somos de certo inabaláveis Deuses;
“Mas, sujeitos à dor na liça entrando
“Contra impassíveis entes dela a salvo,
“Claro é que desditosos prosseguimos
“Com armas desiguais ímpar contenda,
“Que vai lançar-nos em ruinoso apuro.
“Que podem, mesmo em grau inacessível,
“Valor ou força quando a dor os tolhe,
“A dor que tudo abate e vence tudo,
“Que do mais forte herói decepa os braços?
“Talvez podemos da existência nossa
“O prazer separar sem grande custo,
“Vivendo em paz, da vida o bem mais doce;
“Mas a dor é a suma das desgraças,
“Dos males o maior, — e, em grau de excesso,
“Rouba a paciência, os ânimos deprime.
“Assim, quem ache os meios de arrasarmos
“O inimigo nosso, invulnerável inda,
“Ou de possuirmos, dele à semelhança,
“Escudos e broquéis impenetráveis
“(Segundo julgo) não merece menos
“Do que o fautor da liberdade nossa.
Eis Satã diz, tomando ar de importância:
— Não está por achar-se o que em teu siso
“Crês essencial da nossa empresa à glória:
“Ei-lo; eu o trago. Qual de vós observa
Com tão leviano olhar o brilho augusto
Dessa fábrica etérea em que existimos,
Dos Céus imensos o âmbito que ilustram
Com as cores todas, com fragrantes cheiros,
A planta, a flor, o fruto, as gemas, o ouro,
Que logo se não lembre que se entranham
Desta ampla mole ao âmago profundo
Seus brutos materiais, informes inda,
De violência expansiva, de ígnea escuma,
Té que, do Céu pelo calor tocados,
“Deixam de ser embriões, surgem tão lindos,

"Abrilhantados pela luz ambiente?
"Abrindo seus nativos, negros antros,
"Tiremos desses materiais informes
"Os que de fogos infernais se impregnem:
"Calcados dentro em grossos, longos tubos,
"Dilatar-se-ão da flama ao toque, e longe
"Atirarão com estrondoso ruído
"Sobre os iminigos aluviões de estragos,
"A poeira reduzindo, aniquilando.
"Toda a sua altivez, seu valor todo, —
"De sorte que eles cuidarão confusos
"Que ao Eterno, tonante privativo,
"Nós arrancamos os trovões e os raios.
"Esta obra será breve e antes da aurora
"Seu fim terminará nossa esperança.
"No entanto revivei, desassombrai-vos:
"Pela prudência a força dirigida
"De nada desespera, alcança tudo."
Falou, — e aos ditos seus a luz da vida
Nos sócios tinge os descorados rostos;
A lânguida esperança em forças medra.
Admira-se a invenção e como pôde
Ter escapado de qualquer ao senso:
Depois de achada foi por fácil tida,
Impossível se creu antes de achada.
(Talvez ainda nos futuros tempos,
Se a malícia puder campear ufana,
Alguém da raça tua dado a crimes,
Ou de influxos satânicos vexado,
Vir , em punição de enormes culpas,
A inventar semelhantes instrumentos
Para dessossegar os filhos do homem
Inclinados à guerra e mútuo estrago!)
Finda o conselho, voa tudo e as obras
Sem alguma objeção fervem, avultam:
Nelas braços inúmeros trabalham.
A vastidão do celestial terreno

Num instante revolvem, esquadrinham;
Nele da Natureza os mistos acham,
De crua rispidez embriões informes.
Com perícia sutil escolhem, mesclam,
De enxofre e nitro elásticas escumas
Que em candentes fogões cozem, calcinam;
Logo de escuros grãos feitas em montes
Recheiam arsenais. Veias ocultas
Uns escavaram de metais, de pedras
Que deste orbe também ao seio existem,
Deles depois fundindo os grossos tubos
E as balas, em que a ruína enraiva e voa;
Outros aprontam incendiário facho
Que inflama pernicioso ao toque os mistos.
Assim ultimam todos antes da alva
A servir prestes as ocultas obras:
Tudo segredo foi que só as viram
Os olhos fiéis da silenciosa noite.—
Eis formosa a manhã nos Céus aponta;
Do sono os anjos vencedores se erguem
E às armas toca a matutina tuba.
Todo vestido de armaduras de ouro
Pronto se forma o exército fulgente;
E exploradores à ligeira armados
Bater em roda vão do oriente os montes,
Nada deixam por ver, percorrem tudo,
Para espiar onde está o inimigo ausente,
Se fugiu, se parou, se às pugnas volta.
Logo o avistam movendo-se já perto,
Coluna firme, a passo vagaroso,
Desenrolados os pendões soberbos.
Então com voo arrebatado volve
Zofiel, dos querubins o mais ligeiro,
E assim do ar lhes bradou com voz de alarma:
— "Eis o inimigo! Às armas, ó guerreiros!
"Julgamo-lo fugido... e ei-lo que entanto
"Nos poupa o afã de longe irmos buscá-lo.

“Não mostra medo: vem qual grossa nuvem,
“E escrita no semblante lhe diviso
“Resolução segura e meditada.
“Apertai bem a cota adamantina,
“Segurai bem o capacete de ouro,
“E, movendo o broquel firmes e astutos,
“Cobri a fronte, resguardai o peito:
“Tem hoje de cair, se não me iludo,
“Não leve chuva de espalhadas flechas,
“Mas decerto com hórrido estampido
“Borrasca imensa de farpões de fogo.”
Com tal aviso e acautelados de antes,
Livres de estorvos formam-se ligeiros,
Sem confusão avançam em batalha.
Eis o inimigo: a passo vagaroso
Não longe vem marchando espesso e vasto,
E no centro da cúbica falange
Rodando vêm as máquinas quinas terríveis
Com batalhões profundos encoberta,
Para mais disfarçar o ardil nefando.
Os exércitos ambos, mal se avistam,
Param. Logo, dos seus tomando a frente,
Satã os manda assim com voz que troa:
— “Divida-se a vanguarda sobre os flancos:
“Nossos contrários presenceiem todos
“Como composição e paz queremos,
“E com que aberto peito os aceitamos,
“Se lhes apraz a singeleza nossa,
“Se a costas nos não viram de perversos.
“Mas contra eles suspeito.... Embora! Ouvi-me,
“Céus! Por testemunha, ó Céus, vos tomo
“De quão bom grado, com que livre anelo
“Nós lhes perdoamos as ofensas nossas.
“E vós, que os designados postos tendes,
“As dadas instruções cumpri exatos;
“Pronto fazei ouvir quanto propomos,
“Saibam-no todos, trovejai terríveis.”

Apenas acabou o rei das sombras
Estes confusos, mofadores termos,
A testa da coluna logo se abre
E sobre ambos os flancos se desprega.
Eis descobrimos (vista estranha e nova!)
Três longas linhas de hórridos pilares
Montados sobre rodas corpulentas,
Robles e faias parecendo enormes
Nas montanhas ou selvas derribados,
Ocos ao longo, decotada a rama
Feitos eram de ferro e pedra e bronze;
Com as vastas fauces para nós abertas
Das tréguas a ficção prognosticavam:
De cada qual após, um anjo empunha
Sulfúreo facho de tremente flama.
Nosso exército então, no primo intuito,
Suspenso fica e mesmo se amedronta:
Logo os anjos a linha da vanguarda
Com repentino impulso e mão certeira
O facho estendem, vão tocar flama
Um tênue furo aos colossais cilindros.
Eis todo o amplo dos Céus se enche de lume
E súbito o escurece o fumo em rolos,
Que das profundas bocas abrasada
Vomitaram as máquinas tremendas,
Rasgando os ares desmedido estrondo:
Expulsaram de envolta amplo granizo
De férreos globos, de encadeados raios,
Hórrida lava de hórridas crateras.
Em pontaria às vencedoras hostes
Tão fortes esses projéteis a feriam
Que em pé nenhuma lhes sustinha o impulso,
Posto a firmeza ter de um promontório:
Prostrados a milhões anjos e arcanjos
Rolavam de tropel uns sobre os outros.
Davam azo à derrota as armaduras;
Se não os empecesse o estorvo delas,

Fora-lhes fácil evadir-se aos danos
Por veloz contração ou voo etéreo,
De espíritos sutis gozando os dotes;
Mas do destroço horrendo acompanhada
Forçava-os dispersão irresistível:
Mesmo espaçar as filas fora inútil.
Que mais fariam? Investir briosos?
Haviam ser de novo repelidos
Que outra fileira de adestrados anjos
Ia descarga separar segunda,
E... desonra do novo desbarato
Pulara o inimigo de desprezo e mofa!
Fugir vencidos? Semelhante infâmia
Não sabem suportar almas tão nobres!
Satã, vendo-os em lance tão mesquinho,
Assim aos sócios seus zombando brada:
— "Amigos, esses bravos vencedores
"Por que param? Pouco há, tão feros vinham!
'E... quando cortesmente os convidamos
"A fronte e o centro da coluna abrindo,
"Todos se acanham, de projeto mudam,
"Vão-se e nos deixam! Nós que mais podemos?
"Que devaneio o seu! Olhai que dança!
"Mas, inda que dançar neste momento
"Pareça um tanto extravagante e inculto,
"Talvez a paz proposta assim aplaudam.
"Suponho, pois, que, se outra vez ouvirem
"As nossas condições, hão de prestar-se
"pronta ultimação do nobre ajuste."
Belial lhe torna, por igual zombando:
— "Meu Chefe, as condições que lhes mandamos
"Têm peso assaz, têm sólido contexto;
"Com tal força os persuadem, como vemos,
"Que os alegram a ponto de aturdi-los.
"Os que as ouviram com garboso porte
"Têm da cabeça aos pés sido intimados:
"Os que do assunto o principal ignoram,

"São inimigos que de rojo marcham."
Crendo infalível a vitória sua,
Com tão faceto humor se divertiam:
Ser-lhes mui fácil igualar supunham
Com suas artes o poder do Eterno,
Motejar dos trovões, rir-se dos raios:
Às falanges de Céu deram apupos,
Enquanto as turba efêmera desordem.
Mas pronto a raiva os punge, incita, impele,
Armas próprias lhes acha com que invistam
Do inferno contra os danos ardilosos.
De repente (vê tu que enorme força
Dispensa Deus aos poderosos anjos!)
Dão às armas de mão, e arrebatados,
Não menos que o relâmpago instantâneo,
Rompem, atiram-se às mais altas serras
(Que é dos Céus que este globo o encanto imita
Dos frescos vales, dos apricos montes);
Pelas arbóreas grenhas as agarram,
De seus fundos cimentos as sacodem:
Eis lá vão pelos ares oscilando,
Té-li imóveis, as mais altas serras
Penduradas das mãos desses guerreiros
Com o peso inteiro de águas, brenhas, rochas.
Mal que as hostes rebeldes presenciaram
Que a prumo vão cair-lhes tão tremendas
Coas arrancadas bases as montanhas,
Enchem-se de terror, de susto pasmam:
Já imaginam ver de todo opressas
As linhas três das máquinas malditas,
E em abismos, das serras sob o peso,
Toda a sua confiança sepultada.
Quando nisto... — Sobre eles se desfecha
Uma aluvião de vastos promontórios
Toldando o polo coas mais negras trevas,
Que as inteiras legiões lhes cobre e oprime.
Aumentavam seu dano as armaduras;

Amolgadas, torcidas, lhes esmagam
Metida nelas a substância fluida
Que, de implacáveis aflições vexada,
Urra gemidos que ao espaço troam,
Enquanto emprega esforço desmedido
Para de tal prisão desentalar-se;
Que, se foram espíritos outrora
Da mais sutil e fulgurante essência,
Grosseiros torna-os hoje a horrenda culpa!
Assim que podem, ousam imitar-nos:
Arrancam prontos a vizinhas serras,
E, iguais em armas, contra nós se lançam.
Com hórrida impulsão de um lado e de outro
Arremessadas na amplidão dos ares,
Montanhas com montanhas abalroam:
Às escuras enraiva a atroz peleja
De alados montes sob espessas nuvens;
Comparadas com ela as pugnas de antes
Por jogos festivais podiam ter-se:
Com terror infernal retumba o estrondo,
É tudo confusão, é tudo estragos,
Decerto o Céu, cedendo a tanta ruína,
Ia em peso cair desmoronado
Se o Pai Onipotente, que previsto
Se assenta em seu santuário inabalável,
Das coisas todas consultando a suma
E conflito tão grande permitindo,
Lhe não tivesse as metas assinado:
Só queria cumprir seu alto intento
De encher de honras seu Filho sacrossanto,
Vingando-o de seus hórridos contrários
E declarando que depunha nele
De sua potestade a plenitude.
Ao caro Filho então assim se exprime
O Pai que junto a si ao trono o assenta:
— "Meu Filho, minha glória, imagem minha,
"Filho querido, em cuja face augusta

"Ostentas a grandeza imensurável
"Que a divindade minha em si esconde;
"Em cuja mão, segundo Onipotente,
"Susténs todo o poder quanto eu possuo;
"Dois dias há, dos que ao Céu contamos,
"Depois que foi Miguel com seus guerreiros
"A insolência domar dos revoltosos.
"Tem sido a pugna atroz, como era crível
"Se armados tais inimigos se encontrassem;
"Iguais os criei, — só pode a culpa entre ambos
"Pôr diferença apenas perceptível:
"Neutral deixei-os a si mesmo entregues,
"Sustei a execução do meu julgado.
"Mas sem fim, deste modo, e sem regresso
"Em perpétua batalha ficariam;
"Nenhuma solução possível fora:
"Da guerra todo o ardil se tem tentado
"E a mais subir não pode o horror da guerra;
"Té de dardos serviram as montanhas.
"O Empíreo a tais abalos estremece,
"E pode subverter-se o mais que existe,
"Lá vão dois dias; cabe-te o terceiro:
"Quanto vês, para ti dispus destarte;
"Tanto sofri para te dar a glória
"De pores fim a tão terrível guerra
"Que tu (e mais ninguém) findar só podes.
"Imensa cópia de virtude e graça
"Tão pródigo entranhei a essência tua, —
"Que teu poder dirão incomparável
"Todo o âmbito dos Céus, o Inferno todo.
"Só sirva esta perversa rebeldia
"De demonstrar que, — se és, por jus sagrado,
"Monarca e herdeiro do Universo todo, —
"Por mérito sem par também te aclamo
"De obter grandeza tal o ente mais digno.
"Eia pois, Filho meu! sobe ao meu carro,
"Co'o paternal poder tu invencível;

"As rodas lhe encaminha arrebatadas
"Com que a base dos Céus se abala e estruge.
"Meu arsenal tens franco; arma-te e leva
"Todo o meu trem, as minhas armas todas,
"Meu arco, os raios meus, a minha espada;
"Esses filhos das trevas talha e expulsa
"Dos celestes confins ao fundo do Orco:
"Deixa, como lhes praz, que ali aprendam
"Como Deus pune insultos perpetrados
"Contra ele e seu Messias, Rei do mundo."
Eis todo o seu fulgor lançou em cheio
No Filho que o recebe em seu semblante,
E nele o Pai, qual é, se ostenta e brilha.
A filial Divindade assim responde:
— "Pai, que nos tronos celestiais imperas,
"Que és o primeiro dentre os entes todos,
"O mais santo, o melhor, o mais sublime:
"Glorificar teu filho buscas sempre,
"Sempre eu busco também glorificar-te.
"Minha altivez, meu gosto, a glória minha,
"Ponho em que tu declares satisfeito
"Que à risca as tuas ordens executo;
"Cumpri-las constitui a minha dita.
"Teu cetro, o teu poder, de ti recebo,
"E cheio de alegria hei de entregar-tos
"Quando no fim dos tempos estivermos
"Tu todo sempre em tudo, em ti eu todo,
"E em mim todos que a ti forem aceitos:
"Detesto quem detestas; levo adiante
"A tua alta clemência, os teus terrores;
"Em tudo eu sou de ti cabal transunto.
"De teu poder me armando, vou em breve
"Dos revoltosos expurgar o Empíreo
"E arrojá-los aos cárceres das trevas,
"Pavorosa mansão que lhes destinas
"Entre serpes cruéis que eterno mordem,
"Já que, gozar podendo a dita suma

"Cumprindo as leis que justamente ditas,
"Preferiram contra elas rebelar-se.
"Separados mui longe dos impuros
"Então os santos teus serão extremes,
"E, em redor de teu monte fulgurante,
"Te hão de cantar, trinando o som no espaço,
"Hinos de alto louvor com voz sincera,
"Sendo eu dessa harmonia o chefe augusto."
Disse; encosta-se ao cetro, — e se levanta
Da direita do Pai onde se assenta.
Já pelo Céu rompendo despontava
O sacro brilho da manhã terceira: —
E o carro da paterna Divindade,
Qual furioso tufão, vinha correndo;
Por si movido em máquina de rodas,
Fuzila ao largo turbilhões de flamas
Animado de espírito celeste;
Sustem maravilhosas, quadrifrontes,
Figuras quatro a querubins parelhas,
Em cujos corpos e asas se abrem, fulgem,
De estrelas à feição, milhares de olhos,
Que ornam também as rodas de berilo
Ferindo lume coa veloz carreira;
Sobre as cabeças se alça das figuras
De cristal puro cúpula elegante
Em que se apoia um trono de safira
Todo embutido coas peritas cores
Do arco celeste, do mimoso alambre.
De ponto em branco empireamente armado
Co´o mais lustroso do arsenal divino,
O Unigênito sobe ao carro ingente:
À destra sua assenta-se a Vitória
Asas de águia sublimes ostentando;
Pendem prontos ali seu arco e aljava
De trifarpados raios fornecida;

E em redor dele arrebatados voam
Rolos de fumo e de tremente flama,
Coriscos no ar espadanando torvos.
De anjos por dez milhões seguido avança
De longe seu fulgor resplandecendo;
E carros vinte mil, por mim contados,
Do trem do Eterno vindos, o ladeiam:
Sobre o cristal, no safirino trono
Que os querubins coas asas erguem, firmam.
Brilhante fende a vastidão do espaço.
Tanto que o fido exército o pressente,
De insólita alegria se enche absorto,
E vê, de anjos em mãos, a real bandeira,
Que precede nos Céus sempre o Messias,
Solta e fulgente tremular nos ares:
Miguel em torno dela pronto ajunta
As dispersas falanges, e num corpo
Todas dispõe sujeito ao Nume-Filho.
O divino poder, fúlgido arauto,
Franqueia-lhe a passagem majestosa:
Por ordem dele as arrancadas serras
A seus próprios lugares se retiram;
Mal que lhe ouvem a voz, submissas partem.
Toma o Céu outra vez seu lindo aspecto;
E, de viçosas flores adornados,
Montes e vales outra vez se riem.
O inimigo infeliz observa tudo,
E, mesmo assim, empedernido teima;
A rebelde batalha impele, arroja
Todas as forças que insensatas ruem,
Por desesperação vencer tentando.
Como pode em espíritos celestes
Obrar, caber perversidade tanta?!
Mas com que fatos se convence o orgulho?
Com que prodígio a pertinácia abranda?
Do grão Messias contemplando a glória,
De inveja se enchem, de aflição enraivam;

O que influir-lhes devia alta virtude,
Com mais sanha no crime os enfurece.
Subir-lhe até seu nível aspirando,
Loucos de novo metem-se em batalha:
Têm como opróbrio a retirada, a fuga;
Querem de um talho terminar a guerra,
Imaginando que por força ou fraude
Podem por fim vencer o Eterno e o Filho, —
Ou, quando mais não seja, sepultar-se
Na subversão inteira do Universo.
O Unigênito então, presente a todos,
Ao exército seu falou destarte:
— "Anjos, firmes ficai, firmes, ó santos,
"Em vossa refulgente formatura:
"Descansai neste dia de batalha,
"Penhoram vossas proezas ao Eterno;
"Por sua causa justa em vós provastes
"O invencível valor que dele tendes.
"Sabei que dessa multidão maldita
"De outrem às mãos a punição pertence:
"É de Deus exclusiva esta vingança
"Ou de quem dele a comissão receba.
"Não é prefixo que a batalha de hoje
"De multidão numérica precisa.
"Firmes ficai; por mim vede lançadas,
"Nesses ímpios ateus, do Eterno as iras:
"Não a vós, mas a mim, professam, juram
"Todo o desprezo e inveja, a raiva toda,
"Porque meu Pai, que do alto Céu possui
"A glória, o poderio, a majestade,
"De honras me cumulou, cumpriu seu gosto.
"Encarregou-me a mim de exterminá-los:
"Franquear-lhes quis (pois o desejam tanto!)
"Uma batalha em que decida a força:
"Ver-se-á quem pode mais, se eu só contra eles
"Ou se eles contra mim armados todos.
"Creem ser a força tudo e não lhes peja

"Noutros dotes quaisquer ser excedidos:
"Dedigno-me portanto, em tal contenda,
"De outros servir-me; empregarei a força."
Disse. Eis acende em fúrias o semblante
Que de medonho os olhos horroriza
E às coortes hostis terror dardeja.
As quatro querubínicas figuras,
A asas estreladas logo abrindo,
Em torno lançam pavorosa sombra;
E as rodas da carroça furibundas
Com ruído tão tremendo giram, voam,
Qual de exército enorme troa o ataque
Ou com feroz tormenta estruge o oceano.
Tão temeroso como a horrenda noite
O Messias investe os seus contrários;
Da ígneas rodas coa violência treme
Do imoto Empíreo a redondeza toda,
Toda... exceto de Deus o sólio augusto.
Sem demora os alcança, — e dez mil raios,
Que empunhava na destra, lhes atira:
Lá na íntima substância dor lhes cravam.
Então cheios de horror os ímpios perdem
Ânimo, forças, esperança, brio;
Até deixam das mãos cair as armas.
Derriba, esmaga co´o fulmíneo coche
Broquéis brilhantes, emplumados elmos,
Válidos serafins, ingentes tronos,
Na ânsia anelando que outra vez lançadas
Contra eles fossem arrancadas serras
E de furor tamanho os abrigassem.
Ao mesmo tempo, de uma banda e de outra,
Os inúmeros olhos deslumbrantes,
Que das quatro figuras quadrifrontes
Se abrem e fulgem pelos corpos e asas
E pelas rodas do animado coche,
Vibram, do mesmo espírito regidos,
Uma aluvião de devorante fogo

Que, por entre os malditos espalhado,
Forças, valor, de todo lhes consome,
E derribados pelo chão os deixa
De impotente aflição no horror imersos.
Contudo, só metade o Nume-Filho
De suas forças empregou, prudente,
E aos raios permitiu só meio impulso;
Exterminar dos Céus os inimigos
Levava em vista e não aniquilá-los.
Erguer fazendo os que prostrado tinha,
Todos diante de si, qual grei medrosa,
Furibundo os impede arrebanhados,
Persegue, abrasa, do fulgente Empíreo
Para os confins e cristalinos muros
Que, mui extenso espaço então abrindo,
E para dentro sobre si rodando,
Descobrem do atro Abismo o imenso vácuo.
Vendo tão pavorosa perspectiva,
Lá recua de horror o bando impuro;
Mas, dos raios que o seguem mais receoso,
Avança logo às temerosas margens
E da altura dos Céus se precipita,
Indo o eternal rancor sempre após ele
Do Báratro pelo âmbito insondável.
O Inferno, ouvindo tão feroz estrondo
E crendo que arruinado o inteiro Empíreo
Vinha sobre ele desabando a prumo,
Tremeu, — e fugiria amedrontado,
Se invencível o fado o não prendera
Em fundos alicerces, arraigados
Do tenebroso Abismo à base imóvel.
Nove dias durou a enorme queda:
O Caos mui espantado, ribombando,
Sente elevar-se décupla desordem
Entre sua congênita anarquia
E de hórridos destroços entulhar-se.
Por fim o Inferno, galardão dos ímpios,

Da dor e mágoa habitação hedionda,
Cheio de eterno, devorante lume,
Abriu as amplas, famulentas fauces,
Sorveu-os todos, e as fechou sobre eles.
Livre de tanto horror o Céu exulta;
Dos muros tapa logo o aberto espaço,
As deslocadas, lúcidas cortinas
Para seu sítio prístino rodando.
Único vencedor de seus contrários
Volta o Messias no triunfante coche;
E os santos, silenciosas testemunhas
De suas tão magnânimas proezas,
A recebê-lo partem jubilosos,
Insignes palmas da vitória erguendo,
E descantando, em refulgentes coros,
O triunfo imenso do Monarca ovante,
Herdeiro e Filho da eternal Deidade,
Empunhando igualmente o cetro augusto
Porque o mais digno de reinar se mostra.
Entre cânticos tais pomposo avança
Dos Céus pelas diáfanas campinas,
E chega breve ao majestoso alcáçar,
Onde, no erguido sólido do Universo,
Acha o potente Pai que à destra o assenta
Entre as delícias da inefável glória."

"Assim, Adão, por comprazer contigo,
No alcance pus da inteligência humana
A descrição de celestiais sucessos,
Que, a não ser eu, ninguém soubera no Orbe:
Eles te guiem, na memória os guarda.
No Empíreo, entre os angélicos poderes,
Segundo ouviste, ardeu discórdia e guerra;
Rebeldes aspirando ao grau de Numes,
Foram punidos pela queda no Orco
Os ímpios todos com Satã, seu chefe,
Que, o teu feliz estado hoje invejando,

Trama os ardis que seduzir-te possam
A negar a obediência a Deus devida,
Da tua dita assim te despojando
E fazendo que em ti também recaia
O seu castigo e desventura eterna.
Se aos infortúnios seus puder ligar-te,
Exultará em bárbara vingança
Vendo que acinte tal magoa o Eterno.
A tão vis sugestões fecha os ouvidos,
De tua frágil sócia esteia o ânimo.
Da rebeldia a punição, que ouviste,
Como exemplo terrível a contempla:
Puderam ser no Céu sempre felizes,
Porém no Inferno despenhados foram.
Alerta! as leis de Deus nunca transgridas."

ARGUMENTO DO CANTO VII

Rafael, a pedido de Adão, relata como e por que foi formado este Mundo; que Deus, depois da expulsão de Satã e de seus anjos para fora do Céu, declarara ser seu gosto criar outro Mundo e outras criaturas que nele habitassem; então manda seu Filho, cheio de glória e no meio de corte de anjos, formar a obra da Criação em seis dias. Os anjos celebram com hinos o Mundo já feito, e a ascensão do Criador ao Céu.

CANTO VII

rânia, vem dos Céus, Musa divina:
De tua voz seguindo os sons sagrados
Muito inda além me remontei do Olimpo,
A regiões onde o Pégaso não sobe.
De uma das nove irmãs, que as priscas eras
Do Olimpo os topes habitar fabulam,
Só tens o nome: tu, nos Céus nascida
Antes de erguer-se o bipartido monte,
Antes de fluir a límpida Castália,
Descantavas harmônica, entretida
Coa sapiência eternal que irmã é tua,
Na presença do Pai Onipotente
Embebido em teu canto majestoso.
Filho eu da terra, ousei, por ti guiado,
Entrar no Céu dos Céus e éter divino
Haurir nas fontes que me deste francas.
Descendo agora aos pátrios elementos
Em meu ígneo frisão, infrene, alado,
(Qual noutro tempo o audaz Belerofonte,

Posto descesse de mais baixos climas),
Também me vale, ó Deusa! Obsta-me a queda,
Que me faria em campos Aleanos
Desamparado, errantes, envergonhado!
Metade falta de meu canto ainda;
Mas dentro da visual esfera diurna
Mais cerrados confins o circunscrevem.
Já não do polo além, mas sobre o globo
Erguerei mais seguro a voz terrena,
Inda doce, inda altíssona, inda grande;
Posto que dias maus, perversas línguas,
P´rigos sem conto e trevas me circundam
Na solidão... Mas não: só não me encontro;
Tu me acompanhas, sacrossanta Musa,
Enquanto gozo do ligeiro sono
E des´que surge a aurora purpurina.
Meu canto sempre, ó tu, dirige, Urânia:
Hábeis ouvintes dá-me, inda que poucos;
Mas lança longe o bárbaro alarido
Dessas bacantes loucamente alegres,
Cuja terrível ascendência outrora
No Ródope estroncou o Trêicio bardo
Que encantava os rochedos e as florestas
De sua voz coa mágica doçura,
Té que o rudo clamor da turba fera
Os sons da lira e o canto lhe sufoca.
Não pôde a Musa defender seu filho;
Mas tu, a quem te implora, vales sempre:
De fantástico sonho ela não passa,
Tu de existência real no Empíreo gozas.
Conta, ó Deusa, os sucessos que ocorreram
Depois que Rafael, a Adão mostrando
Com meigo aviso o temeroso exemplo
Feito nos Céus aos anjos rebelados,
Lhe aconselhou de cauto premunir-se
E a prole sua contra o crime enorme
De comer frutos da árvore vedada,

Sob pena de incorrer na mesma ruína
Se tão fácil preceito postergassem,
Quando podiam em mil outros frutos
Saciar os mais variados apetites.

Atento ouviu Adão, tendo Eva ao lado,
A história que, de Deus perto do trono,
Do Empíreo nas pacíficas moradas,
Lhe traçou com atônita surpresa
Discórdias, confusões, guerras, estragos.
À primeira impressão de tais sucessos,
Dúbio de Adão o entendimento nuta;
Mas logo refletiu que, não podendo
Ao bem unir-se o mal, força é que volte
Para os perversos em que teve origem,
Como um rio que às fontes regressasse.
Assim todas as dúvidas repele.
Mas saber tenta como desejo inócuo
Como, por que, de que, por quem e quando,
Tenha sido criado este Universo
Que de Terra e de Céus composto encara;
O que existia dentro e fora do Éden
Antes dele gozar o bem da vida;
De imediato interesse altos objetos.

Qual viandante sequioso, debruçado
Sobre límpido arroio trepidante,
Mitigada mas não extinta a sede,
Fita ambicioso as ondas que o convidam
Co´o brando arruído a que de novo beba, —
Tal vai Adão interrogando o arcanjo:

—"Portentosos sucessos inauditos
Nos tens contato, empíreo mensageiro:
Quanto deste orbe alheios se me antolham!
Tu, de Deus por favor, dos Céus baixaste
Para avisar-nos, a oportuno tempo,

De tudo que, a não ser por nós sabido,
A nossa ruína ocasionar pudera.
Devemos dar a Deus eternas graças,
Munidos de propósito solene
De imutáveis cumprir-lhe as leis augustas,
Que têm por fim o bem da humana prole.
Mas tu, — que afável, com bondade tanta,
Nos tens instruído de sucessos onde
Não alcança o mundano entendimento,
Posto em sabê-los muito utilizarmos
Segundo ao juízo pareceu do Eterno, —
Mais abaixo descer digna-te agora:
Relata, o que nos é de igual proveito,
Como tiveram estes Céus princípio
Que em tão longínqua altura se nos mostram
Cheios de fogos móveis, sem quantia;
E este ar que, vastamente derramado,
Ocupa o espaço inteiro, cede a tudo,
E esta florida terra em torno abraça;
Que tempo têm da Criação as obras;
Em quanto tempo se ultimaram elas;
E por que Deus se decidiu tão tarde,
Gozando de repouso sacrossanto
Até então por toda a eternidade,
A fabricar no Caos o Universo.
Dize-nos pois, se te não é dado
(Não que de Deus nos eternais arcanos
Entrar instemos com profana audácia!
Mas, quanto mais soubermos seus prodígios,
Por tantas causas mais o louvaremos).
Do seu curso inda ao Sol resta metade;
Para ouvir teus acentos majestosos
Tem vagaroso remanseado o giro.
E inda o fará por que de ti escute
Como foi feito, e como do atro Abismo
Se ergueu recém-nascida a Natureza:
Ou para ouvir-te se mais pronto acorrem

Vésper e a Lua, certo há de acatar-te
A noite silenciosa, atento o sono,
Té que, findado teu augusto canto,
Aos Céus te leve da manhã o brilho."

Destarte Adão implora o arcanjo ilustre,
Que se compraz de assim satisfazê-lo:

"Sim; cumpro tua cauta rogativa:
Porém... de Deus para contar as obras
Que língua ou termos bastam, mesmo de anjos!
Para entendê-las na grandeza sua
Acaso basta a concepção humana?
Contudo, espera ouvir quanto é mais próprio
Para glorificares o alto Nume
E obteres dita em grau possível no homem.
Do Onipotente recebi poderes
Para, dentro de metas circunscritas,
Cumprir o anelo de saber que mostras;
Porém delas além nada perguntes:
À perspicácia tua em tais matérias,
Somente é dado percorrer humilde
Onde a revelação caminho lhe abra,
Quanto nas trevas suprimido tenha
O rei oculto, o só que tudo sabe,
Ninguém pode indagar no Orbe, no Empíreo.
Contudo, assaz a indagação humana
Tem por onde ambiciosa se apascente:
Porém a ciência temperança exige;
Deve saber-se o que somente baste
Para do entendimento encher as metas,
Mas não com imprudência transpassá-las:
Se a nímia cópia de alimento gera
Perturbações que a máquina desmancham,
A nímia ciência torna-se em loucura.
Atenta pois no que ora te revelo."

"Depois que, atravessando o fundo abismo,
Dos Céus caiu nos cárceres do Averno
Co´os exércitos seus das trevas o anjo
(Té então sendo Lúcifer chamado
Porque dos anjos era nas coortes
Mais fulgurante que da tarde a estrela
Entre as estrelas de que a noite se orna),
E o Nume-Filho regressou ovante
Co´os santos seus dos campos da vitória, —
O Onipotente Pai, do alto do trono,
Deles a imensa multidão contempla,
E destarte se exprime ao filho amado:
— "Nosso inimigo se enganou, julgando
"As hostes celestiais todas rebeldes,
"Pelas quais socorrido nos lançasse
"Deste iminente alcáçar inacesso,
"Estância da suprema divindade.
"Contudo, conseguiu que em torpe engano,
"Em ciladas sutis caíssem muitos
"Que hoje nos sítios seus o Céu não acha:
"Vejo porém que dos empíreos coros
"A maior parte se manteve fida.
"Sei que este nosso império populoso
"Tem, para povoar seus reinos amplos
"E para celebrar os sacros ritos
"Neste alto templo, junto destas aras,
"Multidão suficiente de habitantes:
"Mas — para que esse pérfido invejoso
"Não blasone com feros insolentes
"Que despovoou dos Céus o imenso espaço,
"E que ao insulto que me fez, unira
"Em detrimento meu pesares, danos, —
"Eu, reparando semelhante perda
"(Se é tal perder perversos tão perdidos),
"Vou num momento fabricar um Mundo
"Em que, de um só casal da estirpe humana,
"Inumeráveis povos se originem:

"Ali têm de morar té que, elevados
"Por claras provas de obediência longa,
"Por graus de não equívocas virtudes,
"Se abram caminho e entrar no Empíreo venham.
"Sendo um só reino então, sendo um só todo
"Terra e Céu, transmudada em Céu a Terra,
"Todos desfrutarão, de Deus no grêmio.
"Interminável paz, eterna dita.
"No entanto, ó vós, celestes potestades,
"Gozai de toda a vastidão do Empíreo.
"E tu, meu Verbo, Filho meu dileto,
"Farás em meu lugar quanto medito:
"Fala e verás que te obedece tudo.
"Meu poder, meu espírito que abrangem
"Coa sombra sua as existências todas,
"Contigo mando; vai, traça, constrói,
"Em parte desse Abismo ilimitado,
"O Céu e a Terra com limites próprios:
"Vai; sou quem sou; a imensidade ocupo;
"Não há vazio para mim no espaço;
"Incircunscrito sou, — porém escondo
"Em mim, quando me apraz, meu atributos:
"Fogem de mim necessidade e acaso;
"Na mente, nas ações, no ócio, sou livre;
"Minha ordens o fado constituem."
O pai Onipotente assim se expressa,
E logo o Nume-Filho as ordens cumpre.
São imediatas as ações do Eterno;
Vão do tempo e do moto além do alcance;
Porém do homem terreno elas não podem
Entrar no ouvido, penetrar na mente,
Sem que as narre uma série de palavras.
Júbilo grande, pompas de triunfo
O Céu mostrou assim que foi do Eterno
Ouvida a decisão. Todos entoam:
— "Glória ao supremo Deus, autor de tudo!
"Boa vontade nos futuros homens,

"E paz ditosa nas moradas suas!
"Glória a Deus justiceiro que os perversos
"Expulsou, com benéfica vingança,
"De sua vista e habitações dos justos!
"Glória e louvor a Deus que, Onisciente,
"O bem tira do mal, criando e pondo
"No lugar dos espíritos malignos
"Prole melhor! Sua bondade alcance
"A séculos e mundos infinitos!"
Assim cantaram os celestes coros.
No entanto pronto para a grande empresa
Eis ovante se mostra o Nume-Filho:
Do Eterno a onipotência, a majestade,
Com vívido esplendor o c´roa e cerca;
Da sapiência e do amor nele fulguram
As imensas, puríssimas torrentes;
Inteiro o Eterno está dentro em seu Filho.
Inumeráveis de seu coche em torno
Se difundiam querubins, virtudes,
Co´os serafins, dominações, e tronos.
Cada espírito tinha asas brilhantes,
E montava soberbo um carro alado
Dos imensos milhares que, do Eterno
Nos arsenais, de bronze entre montanhas,
Desde evos longos se guardavam prestes
Para o cortejo dos solenes dias:
Era das rodas espontâneo o moto;
Animadas de espírito vivente,
Serviam seu senhor prontas, submissas.
De per si, par em par, no entanto se abrem
As imensas do Empíreo eternas portas,
Que, harmônicas rodando em quícios de ouro,
Dão passagem da glória ao Rei supremo,
Figurado em seu Verbo poderoso
Que vai dar existência a novos mundos.
Chega às margens do Céu o grão cortejo,
Donde descobre o Abismo imensurável

Que, semelhante ao mar, todo se agita
Escuro, destrutivo, furibundo,
Com repelões dos ventos açoitado,
Erguendo vagas que afiguram serras
Contra o Céu dirigidas, ameaçando
Mesclar-lhe em amplas ruínas eixo e polos.
— "Silêncio, ó torvo mar! Sossega, Abismo!"
O Verbo disse; e logo, levantado
Dos querubins nas flamejantes penas,
Ornado todo coa paterna glória,
Voa e se entranha na extensão do Caos
Ao sítio onde existir devia o Mundo.
E respeitoso — o Caos a voz lhe acata,
E todo o seu cortejo ovante o segue
Para da Criação ver os prodígios,
De seu poder incomparáveis obras.
Ali as rodas férvidas suspende:
Então, pegando no compasso de ouro
(Que, preparado no arsenal do Eterno,
Guardado estava para em tempo fixo
Circunscrever os términos do Mundo),
Firma-lhe uma das pontas, e sobre ela
A outra vira em redor pelo amplo Abismo.
E disse: — "Os teus confins, ei-los, ó Mundo;
"Estende-te até´qui, daqui não passes".
Deus, de uma vez, assim fez Céus e terra, —
Contudo inda matéria inerte e informe,
Do Abismo imersa na profunda noite.
Logo porém sobre as imóveis águas
O Espírito de Deus, fonte da Vida,
Abre as asas e infunde-lhes com elas
Vivificante, tépida virtude,
Que as fezes não vitais lhe precipita:
As concordes moléculas destarte
Em harmônico arranjo põe e ordena,
E os vários sítios das discordes marca:
Fica entre as massas o ar que extenso as cerca;

Sobre seu centro se equilibra o globo.
— "Haja luz" (disse Deus). Logo do Abismo
Nasceu a luz, porção do éter mais pura,
Da criação a cândida primícia
Que do nascente seu vem caminhando,
Pela extensão dos ares tenebrosos,
Dentro de um tabernáculo de nuvens.
Deus a viu e achou nela o que intentara.
Não havendo inda Sol, dispõe o Eterno
Que a luz num hermisfério se limite
Enquanto no outro a sombra se difunde:
À luz *dia* chamou, à sombra *noite*.
Assim composto de manhã e tarde
Foi o primeiro dia do Universo.
Os coros celestiais o celebraram
Assim que viram com ovante arroubo
A luz nativa rebentar das trevas:
De jubilosas explosões e de hinos,
Ao majestoso som das harpas de ouro,
Enchem o inteiro côncavo do Mundo
De Deus em honra, e *Criador* o aclamam.
De novo disse Deus: — "Dentre essas águas
"Avulta, ó firmamento, e umas das outras
"Dividam-se por ti em baixas e altas."
Eis do ar mais puro e transparente um globo
Se forma ingente, côncavo, brilhante,
Chegando desta vasta redondeza
Aos remotos confins, barreira firme
Que as altas águas separou das baixas.
Bem como entre águas foi formada a terra,
Assim entre um oceano cristalino
Foi também fabricado o firmamento.
Dele em distância, que julgou precisa,
Deus afastou o turbulento Caos
Para de suas margens as desordens
Não arruinarem, sendo-lhe contíguas,
A fábrica do Mundo. Então o Eterno

LAPLANTE

Ao firmamento deu de *Céus* o nome;
E os coros cantam o segundo dia
Também constando de manhã e tarde.
Formada estava a terra, mas oculta,
Imaturo embrião dentro das águas
Que tépidas, prolíficas, a banham,
Pouco a pouco a textura lhe amolecem.
No fluido produtor toda embebida
A grande mãe-comum então fermenta;
E, vendo-a Deus a concepções disposta,
— "Águas, que subjazeis ao firmamento,
"Num só local vos congregai" — ei disse —
"E enxuta desde já mostra-te, ó terra."
Fora das águas de repente surgem
Vastas montanhas, cujos crespos ombros
Até dentro das nuvens se alevantam,
E cujos topes pelos Céus se escondem.
Tão altas sobem túmidas as serras,
Quanto profundos, amplos, escabrosos
Descem alcantilados precipícios
Que às águas próprio leito proporcionam.
As fluidas massas logo ovantes correm
Buscando esses declives, enroladas
Como no seco pó gotas da chuva.
Quais das trombetas ao clangor marchando
Os exércitos, já por mim contados,
Avançam co´os pendões que no ar fuzilam —
Assim da aquosa multidão as massas,
Rolando umas sobre outras, se despenham
Das altas catadupas, ou pausadas
Através de planícies vão descendo, —
Umas, erguidas de cristal quais muros,
Outras, rochas a prumo afigurando:
Deu-lhes tal força o espírito divino.
Debalde as obstam montes e penhascos;
Sempre fluida torrente passo encontra,
Já penetrando a umedecida terra,

Em profundos canais arrebatada:
Lá mais a mais os caudalosos rios
Vão engrossando até que altivos entram
No imenso abismo do agregado fluido.
Deus chamou *terra* ao árido elemento,
E *mar* ao receptáculo da águas.
Depois nas obras prosseguiu, dizendo:
— "Cobre-te, ó terra, de árvores, de plantas
"Que te adornem co´um manto de verdura,
"Dotadas, cada qual, como lhe é próprio,
"De folhas, flores, de sementes, frutos."
Apenas acabou, súbito a terra,
Té ali desagradável, erma, nua,
Brota relva que a inteira superfície
Lhe tapiza de nítida verdura:
Todas as plantas súbito florescem
De mil cores mostrando a variedade,
E mil gratos aromas exalando.
Logo as videiras basta se carregam
De purpurinos ou de argênteos cachos;
Cresce a rojo a cheirosa abobadeira:
Searas se elevam em batalha postas;
E vão surdindo com modesto anelo,
A sarça emaranhada, o humilde arbusto;
Levantam-se depois, como osciladas,
As corpulentas árvores, curvando
Os longo ramos com o pendor dos frutos,
Ou já brotando recendentes flores;
De altas florestas c´roam-se as montanhas;
De mirtos se ornam, de rosais sombrios,
As claras fontes, os amenos vales;
De brancos choupos ornam-se as ribeiras.
Assim, parelha ao Céu, mostra-se a Terra
Pomposa habitação digna de Numes:
E, — se inda a não rociava a chuva fértil,
Nem para a cultivar havia homens,
Contudo, dela mesma se elevavam

Largas névoas de mádidos vapores
Que, baixando depois, umedeciam
Os tenros germes que inda o chão esconde,
O arbusto, a relva, a planta inda sem caule.
Deus viu bom tudo; — e assim se terminaram
Manhã e tarde do terceiro dia.
De novo toma o Altíssimo a palavra:
— "Astros, surgi, brilhai no firmamento,
"Do claro dia, separai a noite;
"Daí luz à Terra, assinalai os giros
"Dos dias, meses, estações, dos anos."
Disse; e assim fez-se. Logo rutilaram
Dois grandes astros na extensão celeste
Para alumiar, por alternados turnos,
Os dias o maior, as noites o outro:
Mostraram-se depois no firmamento
As estrelas que ao dia se recusam
E que ressurgem nítidas de noite,
A luz assim das trevas separando.
Nas obras suas atentando o Eterno
Achou serem da fábrica sublime.
Formou primeiro o Sol, grandiosa esfera,
Substância etérea mas opaca ainda;
Logo a Lua; depois essas estrelas
Que, de grandeza vária, pelo Empíreo
Bastas semeou, quais pelo prado flores.
Da luz a maior parte então tirando
Desse seu tabernáculo de nuvens,
Pô-la no orbe do Sol, poroso e firme
Para embeber o fluido refulgente
E o foco lhe suster de imensos raios,
Da luz ficando o majestoso templo.
Como de rica fonte, dela tiram
Em urnas de ouro a luz com que se ufanam
Os demais astros que lhe são submissos, —
Assim, à custa de seu brilho e cores,
Doura-se e fulge da manhã a estrela

E as outras todas que, por mui remotas,
À vista humana tênues se afiguram.
Súbito o Sol resplendeceu no oriente;
Rei do dia, com seu fulgor dourado
O âmbito inteiro ocupa do horizonte,
E ovante o giro seu perfaz no Empíreo:
Vêm diante dele com mimoso influxo
A branca Aurora e as Plêiades dançando.
Fronteira no ocidente viu-se a Lua;
Do Sol espelho, menos rutilante,
Dele enche co´o fulgor seu pleno disco,
E some-se à medida que se adianta
No firmamento a lâmpada do dia, —
Té que a noite no oriente clara fulge
Do grande eixo do Céu passeando em torno,
E com milhões de estrelas, que abrilhantam
De menos viva luz todo o hemisfério,
Seus poderes benéfica reparte.
Então, ornadas pela vez primeira
De astros brilhantes que, em regrado giro
Sobem e descem do horizonte a escarpa,
Deliciosa a manhã e a tarde amena
Formam o quarto dia jubilosas.
Torna Deus a dizer: — "Enchei-vos, águas,
"De vivente, prolífica progênie,
"E sobre a terra, no amplo firmamento
"Abri as penas, o ar fendei, ó aves."
Logo nas águas e no espaço do éter
Os tipos das espécies nadam, voam,
Vários em castas, vários em tamanhos.
Deus vendo-os folga, e os abençoa, e diz-lhes:
— "Gerai fecundos, tende infinda prole,
"Peixes, nas águas; pássaros, na terra."
Logo o alto mar, os golfos, as baías,
Os rios, as lagoas, se enchem, fervem
De cardumes de peixes sem quantia:
Uns, encorpados rasgam velozmente,

Nas barbatanas lúcidas librados,
Das verdes ondas o âmago flexível
E em grupos pelo mar assédios formam;
Outros, de menos vulto, ou sós ou pares,
Andam pascendo na alga, ou já vagando
De coral pela rúbidas lamedas,
Ou viram para o Sol, brincando alegres
De líquido ouro as úmidas espaldas
Que de vivos fulgores relampeiam;
Estes esperam em argênteas conchas
O úmido nutrimento descansados;
Aqueles, sob o abrigo de altas rochas
As próprias armas em comum juntando,
A presa sempre sôfregos pesquisam.
As nédias focas, os delfins curvados
Brincam e pulam nas macias ondas:
Outros de enorme vulto e gesto enorme,
Tardios removendo a mole vasta,
Profundamente os mares atormentam.
Lá se vê, avultando ao longo, ao largo,
O Leviatã, aquático gigante,
A maior das viventes criaturas:
Quando dorme, assemelha um promontório;
Quando nada, parece ilha boiante;
Nas guelras sorve e pelas tromba expele
Jorros de mar que altíssimos derrama.
No entanto as grutas, os pauis, as praias,
Incubam amornando os férteis ovos,
Que, dentro em breve de per si quebrados,
Ninhadas de aves dão à luz sem conto:
Primeiro piam, nuas, pequeninas;
Logo se emplumam estendendo as asas
E, no ar sublime voando clangorosas,
Da Terra deixam longe o globo opaco
Parecendo-lhes nuvem sotoposta.
A águia, a cegonha, ali fundam seus ninhos
Nos cimos dos penhascos, sobre os cedros:

Outras aves além a sós no espaço,
Voam como lhe praz; mais cautas outras,
Das estações reconhecendo os turnos,
Em colunas maciças se incorporam
E assim, compondo aéreas caravanas,
Coas asas se prestando auxílio mútuo,
Atravessam regiões, transpõem mares:
Governam desta sorte os grous previstos
Seu giro anual na direção dos ventos;
E ao crebro adejo das imensas asas
Oscilam flutuando os campos do éter.
De menos corpo as aves, todo o dia,
Escoaçando com penas multicores,
De ramo para ramo alegres pulam
E cantando recreiam as florestas:
De melodia nem carece a noite
Que, enquanto dura, docemente a encanta
Com seu trinado o rouxinol solene.
Outros nos rios, nos argênteos lagos,
Banham os peitos de macia pluma:
Nota-se entre estes o soberbo cisne
Que, em arco, erguendo com galhardo porte
O colo níveo sobre as níveas asas,
Rema co´os ágeis pés e as ondas fende,
Assim passeando em majestosa pompa, —
Ou, já deixando o aquático remanso,
Nas firmes asas libra-se e remonta
Às alturas do etéreo firmamento.
Outros com pé seguro a terra pisam,
Como o cristado galo que repete
Com seu forte clarim da noite as horas, —
E o formoso pavão que se adereça
Com longa cauda ovante aberta em orbe,
Do íris coas flóreas cores matizado,
Todo esparzido de estrelados olhos.
Assim com aves o ar, com peixes a água,
Brilham ovantes, e do quinto dia

Solenizaram-se a manhã e a tarde.
Da tarde e da manhã ao som das harpas,
Refulgente assomou o sexto dia,
Dia da criação o derradeiro:
E assim se expressou Deus: — "Produze, ó Terra,
"Teus próprios animais que sejam tipos
"De suas variadíssimas espécies."
Eis obediente a terra, o seio abrindo,
Deu logo à luz viventes numerosos
Perfeitos como são na idade adulta.
Como do seu covil, ergue-se e rompe
O feroz animal de sob a terra
Nas matas, nas florestas, nas balseiras,
Ovantes por ali passeando a pares:
Dalém a grei levanta-se já mansa
Dos verdes campos, dos floridos prados;
Uns em rebanhos, solitários outros,
Tão depressa nasceram, vão pastando.
Lá se entumecem os torrões relvosos.
E dentre eles o fulvo leão jubado
Ergue o peito, no chão as garras ferra,
E, nelas firme, pelas ancas puxa
Té que de todo com violência nasce
Como se férreos vínculos rompesse,
E soberbo sacode a juba hirsuta.
A onça, o leopardo, o tigre, o chão abrindo,
Surdem como a toupeira, sublevando
A terra que arremessam pulverosa,
E em montículos fica partilhada.
Ali do cervo alípede aparece
A ramosa cabeça e logo todo:
Ajoujado coa própria corpulência,
Dificilmente de seu molde surge
O Beemoth, da terra o maior filho:
Quais plantas os lanígeros rebanhos
Saem fora do chão, balam, retouçam,
Vivendo por igual no mar, na terra,

Assim nasce o conchado crocodilo,
E o dentado hipopótamo sanhudo.
A um tempo em muitas partes penetrando,
Rojam, gozando a luz, répteis e vermes:
Uns são alados; outros em vez de asas
Ostentam lindos, agitados leques;
E quase todos fúlgidos se enfeitam
De mui tênues debuxos mas exatos,
Feitos na cores do vistoso estio;
Nuns o ouro brilha, a púrpura se acende,
Noutros agrada o verde, o azul encanta,
Desenvolvendo dimensão comprida
Estoutros vão listrando a branda terra
Com seus sinuosos rastos; nem é destes
A mais somenos prole entre os nascidos,
E muitos são serpentes formidáveis
De grande comprimento e vasta mole,
Que ora amplíssimas roscas alardeiam,
Ora adejam com asas membranosas.
Logo gira a econômica formiga,
De grande coração, pequeno corpo;
Cauta previne urgência do futuro;
Junta-se em tribos onde alcança a todos
Jus igual, perda igual, igual proveito;
Talvez por isso nos vindouros tempos
Venha a ser no governo dos humanos
Nobre modelo de igualdade justa.
Depois vêm das abelhas os enxames;
Ali as fêmeas, que industriosas fazem
Co´o mel nectáreo, que das folhas tiram,
Da crócea cera os celulosos favos,
O ocioso esposo com regalos nutrem.
Quanto aos demais, supérfluo é relatar-tos,
Pois que lhes deste os nomes que os distinguem
E as índoles cuidoso lhes notaste:
Não te escapa sem dúvida a serpente,
Mais sutil animal dos campos todos;

Adquire às vezes extensão enorme,
Olhos revolve que parecem brasas
E irada encrespa a temerosa crista;
A ti, contudo, guarda-te respeito, —
Acode ao brado teu submissa e pronta.
Então em plena pompa os Céus brilhavam:
Pela impulsiva direção, que dera
O grão-motor, os orbes se dirigem,
No âmbito azul girando reluzentes.
Vendo-se terminado, belo e rico,
O térreo globo de prazer exulta;
Pelos ares serenos voam aves;
Pelas argênteas águas nadam peixes;
Pela terra frutífera caminham
Répteis, insetos, vermes e quadrúpedes.
Mas perfeito de todo o sexto dia
Não era; uma obra-prima lhe faltava,
De toda a criação remate augusto, —
Vivente que, dos brutos mui diverso,
De santidade e de razão dotado,
Sua origem sublime conhecendo,
Sustido a prumo, aos Céus levante a fronte
E sobre as outras criaturas reine, —
Que, do supremo Deus que o fez tão nobre,
Aos benefícios grato, lhe tribute
Respeito, amor, adoração e preces,
Por tal correspondência portentosa
Aos sublimados Céus ligando a Terra.
O Onipotente então, que abrange tudo,
Em plena corte fala ao Nume-Filho:
— "Façamos o homem; nele resplandeça
"A semelhança nossa, a nossa imagem;
"Como em domínios seus ele governe
"Em toda a terra, nos viventes todos."
Disse: — e do pó da terra, Adão, formou-te,
Suas próprias feições em ti moldando;
O alento divinal deu-te da vida.

Criou depois a companheira tua.
Então, abendiçoando a espécie humana:
— "Crescei, multiplicai, enchei a terra"
(Disse), "sobre ela dominai e em tudo
"Que nela, no ar, no mar, goza da vida."
Desse lugar onde formado foste
(Inda os lugares nome então não tinham)
Aqui trouxe-te Deus, como bem sabes,
Para este almo jardim, delícias todo,
Plantado e cheio de árvores divinas,
Grato ao sabor, ao cheiro, à vista grato:
Dos frutos que produz inteiro o globo
Aqui tens as multíplices espécies;
Para sustento teu dispõe de todos.
Mas... da Árvore que o mal e o bem revela
A quem se atreva saborear-lhe os frutos...
Não é dado comer: olha o que fazes;
Se comes dela, nesse dia morres:
Tal pena impõe-se ao que esta lei transgride.
Teu apetites provido regula;
Vigia, teme que hórridos te assaltem
Os dois sócios cruéis Pecado e Morte.
Aqui Deus terminou quanto fizera,
E a seus projetos viu conforme tudo:
Com os aplausos da manhã e tarde
Assim se terminou o sexto dia.
Então o Criador sempre incansável
Ao Céu dos Céus voltou donde no Mundo,
De seus domínios adição recente,
Os olhos alongasse e visse o aspecto
Que esse globo magnífico daria
Visto da altura do superno trono.
Sobe; sem conto aclamações o seguem,
E de vinte mil harpas o concerto,
Cuja harmonia angélica enlevava,
Tangiam sonorosos (bem te lembras)
As estrelas, os Céus, a Terra, os ares:

Os Planetas pararam respeitosos
Enquanto ia subindo o grão cortejo.
— "Abri-vos, portas eternais, abri-vos,
"Dos Céus portas viventes" (descantavam
Todos os anjos em cadentes coros),
"Deixai entrar o Criador supremo
"Que vem de edificar uma obra insigne,
"O Universo, em seis dias completado:
"Desde hoje a miúdo abri-vos-eis; o Eterno
"Designar-se-á de ir sempre complacente
"Santificar dos justos a morada
"E mandar-lhes, por vezes repetidas,
"Seus alígeros núncios que lhes levem
"De sua graça os divinais tesouros".
Assim subiam pelo etéreo espaço
Ao Céu que abrira seus portões fulgentes;
E, entrando-os, vão de Deus ao sacro alcáçar
Por ampla estrada reta, onde brilhando
É ouro o pó, o pavimento estrelas,
Como na Láctea Via, que de noite
Vês em forma de zona os Céus cingindo
De inúmeras estrelas semeada.
Eis a sétima tarde surge no Éden:
Já se escondera o Sol; núncio da noite
Já do oriente o crepúsculo subia, —
Quando ao monte dos Céus o mais excelso,
Onde de Deus o trono inabalável
Por toda a eternidade se sustenta,
Chegou o Nume-Filho: então sentou-se
Junto ao Pai que dali, sem levantar-se,
Fez, presenciou as obras invisível,
Porque enche imenso as existências todas,
De tudo sendo o autor e o fim de tudo.
Consagrado ao repouso e abendiçoado
Foi o sétimo dia pelo Eterno,
Porém não em silêncio; a doce flauta,
A harpa solene, o tímpano sonoro,

Os graves órgãos, enchem de harmonia
A vastidão do Empíreo sacrossanto,
Concertados com cânticos augustos;
Ora de um coro as variações abalam;
Ora enleva de um solo a melodia,
Enquanto áureos turíbulos acesos
Nuvens de aromas dão que o monte ocultam.
— "Jeová soberano!" (os Céus destarte
Cantam da Criação as maravilhas)
"Quão magníficas são as obras tuas!
"Teu supremo poder não tem limites!
"Que entendimento compree´nder-te pode?
"Que língua ousa contar os teus prodígios?
"Quando co´os raios teus em pó fizeste
"Os soberbos arcanjos rebelados,
"Decerto foste imensamente grande;
"Mas, vindo agora de formar um Mundo,
"Fulguras muito mais, maior te vemos.
"*Destruir* pode ser ação heroica;
"Mas *criar* é de glória mais subida.
"Prejudicar-te, limitar teus reinos
"Ninguém pode, monarca poderoso:
"Da infiel apostasia derrotaste
"Empresas arrogantes, vão conselhos
"Ao passo que ela imaginava insana
"Pôr teu império em ruínas e roubar-te
"De adoradores teus porção imensa.
"Projetos contra ti executados
"Só servem de realçar teus atributos.
"Do mal que urdiram tenebrosos anjos
"Tiraste um bem maior criando um Mundo,
"Que vemos outro Céu dos Céus às portas,
"Vasto, brilhante, de cristal num lago,
"Recamado de estrelas sem quantia,
"Das quais talvez cada uma um Mundo seja
"Que devam habitar viventes próprios.
"Dele a clara porção tu bem distingues,

"O térreo globo, habitação dos homens,
"Grato, formoso, de delícias cheio,
"Tendo em redor o subjacente oceano.
"Oh! mil vezes feliz a humana prole
"Que Deus criou à semelhança sua
"Para morar nesse Éden e adorá-lo,
"Dominando, nas águas, no ar, na terra,
"Da criação inteiros os produtos,
"Multiplicando a raça justa e santa
"De seus adoradores escolhidos!
"Oh! mil vezes feliz, se ela conhece
"A dita sua e se mantém virtuosa!"
Os coros celestiais assim cantaram;
O Céu ressoou de ovantes aleluias:
O sábado destarte foi guardado.

"Contei-te a formação deste Universo,
Das coisas a primeira perspectiva,
E os variados sucessos que ocorreram
Antes que a luz da vida tu gozasses:
Esta história transmite a teus vindouros.
Se queres saber mais, — não excedendo
Da mente do homem os limites, — fala."

ARGUMENTO DO CANTO VIII

Adão interroga o arcanjo acerca do movimento dos corpos celestes: teve resposta duvidosa, e ouviu a exortação para antes se ocupar na indagação de coisas cujo conhecimento lhe seja de proveito maior. Convence-se desta verdade; — e, desejoso de mais demorar ainda Rafael, relata-lhe o que lhe lembra desde que foi criado; como veio ao Paraíso; sua conversação com Deus a respeito da solidão e da sociedade tão necessária ao homem; seu primeiro encontro e suas núpcias com Eva. Sobre este assunto aconselha-o também o arcanjo; e, depois de repetir-lhe as admoestações, retira-se.

CANTO VIII

á tinha a narração findada o arcanjo;
E inda a voz sua no encantado ouvido
De Adão ressoa, que inda o crê falando
E, por que nada perca, atento escuta.
Mas logo, como quem de êxtase acorda,
Destarte lhe responde agradecido:
"Que dignas graças, que devido prêmio
Te posso eu dar, historiador divino,
Que assim saciado tens tão largamente
A sede de saber que me abrasava,
Tendo a condescendência tão amiga
De relatar-me coisas estupendas
Que eu jamais de outra sorte descobrira,
E o que ouço agora com prazer e arroubo
Atribuindo a devida glória delas

Ao sábio Criador? Restam contudo
Em minha mente dúvidas que certo
Resolver podes com franqueza pronta.
Quando esta bela máquina contemplo,
Este Mundo que os Céus e a Terra formam,
E aprecio as grandezas respectivas,
Acho esta Terra um grão, um ponto, um átomo
Comparada ao sublime firmamento
Com todos esses lumes numerosos
Que parecem girar no espaço imenso
(Que imenso o provam deles as distâncias
E o diurno velocíssimo regresso).
Observo que em redor da Terra opaca,
Deste át´mo desde ponto, eles volteiam
Tão somente ocupados, dia e noite,
A ministrar-lhe luz sem que aproveitem
À demais extensão imensurável.
Racionando então, muito me admira
Como tão sóbria e sábia a Natureza
Caísse em tais desproporções, criando
Com mão supérflua corpos tão sem conto,
De muito mais nobreza, vulto e brilho,
De rotações perpétuas, incansáveis,
Para este uso somente, — enquanto a Terra
Que por giro menor se moveria
Mais facilmente, em tempo menos longo,
A seu fim chega, imóvel, sedentária,
Servida por mais nobres astros que ela,
Dos quais, como tributo, aceita ufana
O calor que a fecunda, a luz que a doura,
Por viagens tais e tantas conduzida
E ligeireza tal que não avondam
Para avaliá-la os números que temos."
    Assim falou Adão: seu porte abstrato
O inculca entrado em pensamentos grandes.
    Eva, que um tanto à parte se assentava,
Do esposo o intento vê; ergue-se; e logo

Com majestade humilde e ingênua graça,
Que ateava em quem a via o doce anelo
De que nunca dali se lhe ausentasse,
Dirige os passos os vergel viçoso
A observar como as árvores, as plantas,
Que dispusera lá, preparam, brotam
As flores, os botões, gomos e frutos,
Que dela à vista e pela mão tocados
Se abrem e crescem com presteza ovante.
Mas não se entenda que ela se retire
Porque discursos tais não se ajustem
A quanto há de sublime: ela se guarda
Para o prazer de ouvir a Adão dizer-lhos,
Sendo ela única ouvinte; antes do esposo
Quer sabê-los que do anjo a quem perguntas
Não ousara fazer, tão fáceis no outro
Que amáveis digressões (ela o sabia)
Havia de entremear no grande assunto,
Também entrando conjugais carícias,
Que ela cheia de amor nem só palavras
Dos lábios dele receber costuma:
(Onde se ajunta agora um par como este,
Unindo-o mútuo amor, lealdade mútua?)
 Lá se retira; tem de deusa o porte,
E não sem corte vai porque é rainha:
Das graças mais gentis soberba pompa
Sempre a rodeia; de seu ar divino
Despedem-se desejos fulminantes
Para todos os olhos que admirados
Procuram sempre apascentar-se nela.

 Eis Rafael, benévolo, agradável,
Às dúvidas de Adão assim responde:
 — "Tuas indagações, tuas perguntas
Eu não condeno. Os Céus, que a ti se mostram,
São do supremo Deus o livro aberto,
Onde de suas obras os prodígios

Ler podes e aprender como se medem
As horas, dias, meses, quadras, anos.
Logo que isto alcançares, não te importe
Se o Céu se move ou se move a Terra,
Ou se a respeito tal tu bem calculas:
Do Arquiteto imortal a augusta ciência
Esconde tudo o mais de homens e de anjos,
E seus grandes segredos não divulga
Aos exames dos que antes só deviam
Admiração humilde tributar-lhes.
A fábrica dos Céus ele abandona
A fátuas conjecturas e argumentos,
Talvez para sorrir quando insensatos,
Com vastas opiniões, lidado estudo,
Componham no porvir do Céu os moldes,
As estrelas ao cálculo submetam,
Deem vibração à máquina do Mundo,
Desmanchem-na, fabriquem-na de novo
Para de inconvenientes ressalvá-la, —
Quando cinjam com círculos a esfera
Concêntricos, excêntricos, confusos,
Com ciclos, epiciclos, uns sobre outros.
Pelo teu raciocínio bem conheço
(E tu serás de tua estirpe a norma)
Que entendes que esses corpos fulgurantes,
Maiores do que a Terra, não deviam
Servir a Terra que é menor e opaca;
Que não devia o Céu fazer tais giros,
E a terra, a só que se utiliza, queda.
Primeiro atende que a grandeza, o brilho,
Só por si primazia não infundem:
Comparada co´os Céus pequena, opaca,
Pode a Terra possuir mais excelência,
Bem maior do que o Sol que estéril brilha,
Cuja virtude, improdutora nele,
Só na Terra frutífera se mostra;
Ali os raios seus, de outrarte inúteis,

Vigor adquirem, mil efeitos causam.
Conclui, entanto, que em serviço à Terra
Esses brilhantes orbes não fulguram,
Mas em serviço a ti que a Terra habitas.
Do Céu o âmbito ingente é quem mais pode
Falar de seu Autor no imenso gênio
Que as amplas raias lhe estendeu tão longe,
Que tão vasto edifício ergueu no espaço.
Contente-se o homem de saber que mora
Em uma habitação que não é sua:
Tão grandes paços ocupar não pode;
Só pequena porção habita deles:
O uso do resto, só o Eterno o sabe.
De sua onipotência tu deriva
A rapidez inúmera dos astros...
Ele que dota as corporais substâncias
De quase espiritual velocidade —
Que tu bem aprecias, atentando
Que eu hoje de manhã parti não cedo
Dos elevados Céus, de Deus morada,
E cheguei antes do mei´dia ao Éden,
Distância para sempre inexprimível
Por números que tenham nome no orbe.
Dando o mover-se aos Céus, assim me exprimo
Para o motivo inválido mostrar-te
Que em dúvidas te lança; mas contudo
Nada te afirmo, posto que isto quadre
A ti que tens morada aqui na Terra.
Para os caminhos seus deixar a salvo
Da pertinaz indagação humana,
Deus colocou na Terra os Céus tão longe, —
De sorte que, se ousasse a humana vista
Querê-los indagar, errasse sempre,
E vantagem nenhuma conseguisse.
Mas que disseras tu, — se o Sol brilhante
Deste Universo teu o centro fora,
E os demais astros em diversos giros

Por atração recíproca obrigados
Andassem dele em torno? Em seis percebes
Vaga carreira, erguida, baixa, oculta,
Progressiva, retrógrada, parada;
E que disseras se, como eles, fosse
A Terra tua o sétimo planeta
Indo insensivelmente circulando
Com movimentos três, diversos todos,
Ela que tão imóvel te parece?
Dado isto, atende que admitir não podes
Que em rumo oposto e em direção oblíqua
Esferas diferentes se revolvam,
Para trabalho enorme ao Sol poupares
E ao rombo que supões mas não observas,
Por cima das estrelas, presidindo
Da noite e dia ao círculo alternado.
Não ganhas nada em conhecer se a Terra,
Sobre o oriente rolando e em próprio moto,
Vai em busca do dia, e segue a noite
Co´a face oposta que do Sol se esquiva,
Enquanto dele a luz resplandecente
A outra face lhe doura, e lhe abrilhanta.
E que disseras se essa luz, que corre
Do ar espaçoso as diáfanas campinas,
Repercutida pela diurna Terra,
Vai alumiar a Lua, qual de noite
À luz da Lua a Terra se alumia?
Talvez existam, como nesta, na outra
Habitantes gentis, campos fecundos,
Que de tão mútuo auxílio se aproveitem:
Vês ali manchas que parecem nuvens:
Nuvens dão chuva, chuva frutos cria
Em solo fértil que nutrir bem podem,
Os que por sorte ali nascido houvessem.
Talvez também que a descobrir tu chegues
Mais sóis que de outras luas se acompanhem,
Cujas luzes, os sexos dois possuindo,

Se unam, se comuniquem, se propaguem,
E o Mundo assim animem, entranhando
Em cada orbe prolíficas virtudes.
Talvez também que tão imenso espaço
Nenhum vivente espírito o povoe,
E antes deserto, inabitável seja,
Só próprio a transmitir da luz os raios
Descidos lá de tão longínquos orbes
Sobre este, o só que se orne de habitantes,
E que a seu turno lhos reenvie logo.
Todas estas hipóteses dão azo
A intermináveis, férvidas disputas.
Mas se isto é certo ou não, se às soltas no éter
Da Terra em torno o Sol se eleva e gira,
Do oriente vindo em flamejante pompa
Ou se do Sol dá volta ao disco a Terra
Do ocidente avançando imperceptível
E, ao mesmo tempo, sobre si rodando
Em seu eixo macio, sonolento,
Te embala e leva a ti qual leva os ares, —
Esse oculto problema não te canse:
Deus na altura dos Céus mui bem o entende.
Temer, servir a Deus, a ti só cumpre.
Segundo lhe aprouver, dispor o deixa
Dos mais viventes onde quer que assistiam:
De quanto ele te deu, contente goza;
No Éden e em Eva tens a humana dita.
São para ti os Céus muito elevados
Para o que neles passa conheceres:
Sê modesto, coa ciência não te ufanes;
Tua existência e cômodos só busca:
Se outros mundos existem não indagues,
Nem se neles habitam criaturas,
Qual delas seja o grau, estado ou sorte:
Satisfaça-te o quanto, à larga e franco,
Da Terra e do alto Céu te hei revelado."

Já dúvidas não tendo, Adão lhe torna:
"Satisfeito de todo estou decerto,
Arcanjo puro, inteligência empírea;
E ensinado por ti conheço ao justo
A mais fácil estrada, a mais sem riscos,
Por onde a vida encaminhar se deva
Isenta de perplexas fantasias
Que a tranquila doçura lhe interrompem;
A vida que Deus quer que penas e ânsias
Nunca perturbem, nela nunca habitem,
Exceto as que nós mesmos procurarmos
Com vãs ideias e erradios planos.
Mas a imaginação, o entendimento,
Propendem a vagar sem fim, sem modo,
Até que, por alguém sendo avisados,
Ouvindo a si por experiência própria,
Conhecem que a sapiência não consiste
Em perscrutar às soltas mil objetos
Escondidos, sutis, que nunca se usam, —
E sim o que na vida cotidiana
Achamos ante nós e a nós preciso:
É vaidade, ilusão, loucura o resto;
E o pensar nele... faz sermos, em tudo
Que à nossa utilidade mais respeita,
Inexperientes, imprevistos, broncos.
Vamos pois a descer de altura tanta
Para mais baixo voo, e pratiquemos
Em coisas do uso a que alcançamos sempre:
Talvez de algumas delas me permitas
Fazer menção que imprópria não entendo,
E obter sabê-las da indulgência tua,
Se continuar-me o teu favor te dignas.
Tens-me contado acontecidas coisas
Antes de mim: contar-te agora apraz-me
A história minha que talvez ignores.
Inda é muito de dia: bem conheces
Com que ardil inocente me proponho

A demorar-te aqui, te que ele acabe,
Pedindo-te me escutes complacente;
E isto seria em mim loucura grande
Se em teu *sim* generoso não confiasse.
Contigo enquanto estou, no Céu me creio;
E mais suaves encontro os teus discursos
Do que os frutos mimosos da palmeira
(Gratos, depois do afã, à sede e à fome)
Nas horas do jantar apetecido:
Gratos decerto são, mas fartam pronto, —
E teus discuros, que enche a graça empírea,
Têm tal doçura que jamais me fartam."

Rafael então, pelos seguintes termos
E com celeste agrado lhe responde:

— "Não destituídos tens, ó pai dos homens,
De graça os lábios, de eloquência a língua;
Também o Eterno quis em larga cópia
Com suas grandes dádivas prendar-te:
No íntimo, no exterior fala o silêncio,
Reluz decerto em ti a sua imagem,
Os seus encantos, a beleza sua;
E modula-te a voz, forma-te os gestos.
Nós no Céu, e de Deus quanto ao serviço,
Nosso igual sócio te julgamos no orbe,
E inquirimos com gosto quais do Eterno
As vias sejam para a dita do homem,
Por vermos quanto de honras te cumula
E que ama por igual os homens e anjos.
Conto pois: nesse dia estive ausente,
Como sucede a miúdo; fui mandado,
Da legião minha em frente e em quadro posta,
A descoberta ocasional, longínqua,
Té aos negros portões do horrível Orco,
A fim de obstar que algum dos condenados
De lá em guerra ou como espião saísse
Enquanto Deus formava este Universo,
Para ele então, de audácia tal pungido,

Não vir a ponto de fazer estragos
No tempo em que da Criação se ocupa
(Não decerto que os réprobos consigam
Sem permissão de Deus sair do Inferno;
Mas ele como rei seus altos mandos
Por pompa nos impôs, também querendo
Nossa obediência pronta sujeitar-lhes.)
Fechada com firmíssima pujança
Achamos a portada temerosa,
Munida de trincheiras invencíveis;
Porém muito antes de chegarmos perto,
Ouvimos dentro sons que denotavam,
Não dança ou canto, e sim raivas e fúrias,
Prantos, lamentações, dores, tormentos.
No sábado, e antes de acabar-se a tarde,
Regressamos à luz do Céu contentes;
Esta ordem ao partir nos fora dada.
Agora pois prossegue a tua história;
Atento te ouvirei: os teus discursos
Me são tão gratos como os meus encontras."

Falou o arcanjo assim. E Adão lhe torna:
"Acha-se o homem perplexo quando narra
Como teve princípio a vida humana!
Quem se conhece a si quando começa?
Contudo contarei: grande é meu gosto
De por mais tempo conversar contigo.
Como acabando o mais profundo sono,
Deitado em mole relva, em flores lindas,
De mim dei tino, e em suor de cheiro grato
Que o Sol, nutrido de úmidos vapores,
Co´os vastos raios seus de pronto enxuga.
Para o Céu volvo logo a vista errante:
Atônito por largo espaço admiro
Todo o amplo firmamento, até que me ergo
Por instintiva rapidez movido,
E, como procurando ir-me de um salto

Além ao Céu, nos pés firmei-me a prumo.
Vejo em redor de mim vales e montes,
Campos cheios de sol, bosques sombrios,
Cristalinas correntes murmurantes,
E criaturas que andam, correm, voam;
Cantar nos arvoredos ouço as aves:
Tudo acho encantador, risonho tudo;
Meu coração transborda de alegria.
Examino-me então; por miúdo indago
Quando em mim vejo, tento as móveis juntas,
Ando e corro: interior prazer me impele.
Mas quem eu era, conhecer não pude,
Nem de quem tinha o ser, nem onde estava.
Diligenciei falar, falei de pronto;
A língua obedeceu-me, e a quanto via
Consegui adaptar os próprios nomes.
— "Tu, Sol, formosa luz" (eu exclamava),
"Tu alumiada Terra, ovante e linda,
"Vós, montes, rios, vales, campos, bosques,
"Criaturas que tendes moto e vida,
"Contai-me, sim contai-me, se o souberdes,
"Donde provenho, como aqui me encontro!
"Não me fiz eu a mim; logo, outrem fez-me,
"Possuindo em si os necessários dotes
"De poder sumo, de bondade imensa.
"Dizei-me: — como me será possível
"Conhecer e adorar o Autor supremo
"Da vida e intelecção de que me adorno,
"E por quem mais feliz me considero
"Do que à primeira vista me supunha?"
Falava e andava sem saber onde ia,
Do sítio me afastando em que primeiro
Vira a ditosa luz e respirara:
Não ouvindo resposta, pensativo
Sentei-me à sombra num mimoso banco
Onde a verdura matizavam flores.
Ali colheu-me o sono a vez primeira,

Que, por suave opressão tomando posse
Dos meus sentido cada vez mais fracos,
Me fez pensar que regressando eu ia
Ao que era dantes, insensível, mudo,
E que passava logo a dissolver-me.
Eis um sonho agradável, de improviso,
Minha imaginação tendo abalado,
Deu-me o prazer de me mostrar ao certo
Que inda eu gozava de existência e vida.
Pareceu-me que alguém de empíreo aspecto
A mim se chega e diz-me: — "Homem primeiro,
"Tu, destinado pai de imensos homens,
"Ergue-te, Adão; tens prestes a morada.
"Por ti chamado, venho ser teu guia
"Para os jardins ditosos que te aguardam."
Disse, tomou-me a mão, alevantou-me;
E, pelos ares que macios cedem,
Sem precisão de andar, me foi levando
Sobre campinas e águas iminente,
Até me colocar numa montanha
Cujo cimo era um plano em torno vasto.
Cercava-se ele de árvores formosas,
Entremeado de flores e de plantas
Ora em caramanchões, ora em latadas,
Já em vistosas moitas, já dispersas,
Cortadas de lindíssimos passeios, —
De maneira que a terra dantes vista
Por muito menos bela eu reputava:
Cada árvore enfeitava-se de frutas
De variedade encantadora, e os olhos
Subitâneo apetite me entranharam
De as colher e comer. Eis nisto acordo
E vejo tudo real, como dormindo
Me fora vivamente afigurado.
De novo andara, se o que foi meu guia
Para estes sítios se me não mostrasse,
Com seu divino porte, no arvoredo:

Cheio então de respeito e de alegria,
Prostrando-me a seus pés submisso o adoro.
Logo ele me levanta e diz-me afável:
— "Eu sou quem buscas, sou o Autor de tudo;
"Quando vês em redor, por cima, em baixo,
"Por mim é feito: este Éden te franqueio;
"Cultiva-o, dele goza e come os frutos:
"Com plena liberdade e ânimo alegre,
"De todas estas árvores te nutre
"No jardim postas; nada aqui te falta:
"Mas da Árvore que em quantos dela comem
"Produz do bem e mal a infausta ciência,
"Que eu mesmo, junto da Árvore da Vida,
"No meio do Éden pus, caução singela
"Da obediência e da fé que haver te incumbe,
"Nem sequer proves; nunca isto te esqueça;
"Evita as consequências amargosas
"Que há de ter a infração deste preceito;
"E sabe que no dia em que a provares,
"Meu único preceito transgredindo,
"Decerto morrerás, — e desde logo
"Tens de perder estado tão ditoso.
"E de ires para um mundo desabrido
"Onde só há desgraças e misérias."
Esta rígida ameaça temerosa,
Ele ma pronunciou com tom severo;
E inda soa espantosa em meu ouvidos,
Posto que eu possa preservar-me dela.
Mas logo serenou o aspecto lindo
E continuou gracioso o seu discurso:
— "Nem só confins tão gratos te franqueio
"Mas toda a terra a ti e à raça tua:
"Tem-na como senhor; impera em quantos
"Vivem nela, ou no mar, ou campos do éter,
"Andem, nadem ou voem: toma posse
"Deles todos; observa as várias castas:
"Eu, os da terra e do ar, aqui tos chamo

"Para de ti seus nomes receberem;
"E sujeição igual fica entendida
"Nos peixes que recinto aquoso ocupam,
"Não vindo aqui porque sair não podem
"De seu próprio elemento, ou do ar ambiente
"As ondas respirar por mais delgadas".
Tal falou: ante mim vêm logo vindo
Do ar e da terra os animais aos pares;
E chegando, o seu voo aqueles sustam,
Estes curvam-se humilde. Quando passam,
Sei quem são — e lhes ponho os próprios nomes
(De inteligência tanta Deus me ornara)
Porém não descobri em nenhum deles
Aquele que eu supunha inda faltar-me,
E tal reparo ouviu-me o Autor de tudo.
— "Que nome te hei de dar, ó tu de outra essência
"Mais alta que ela, e te sublimas tanto
"A tudo que há, se muito aquém te fica
"Qualquer dos nomes que eu me anime e dar-te?
"Como adorar-te posso, Autor do Mundo,
"Autor de todo o bem tão visto no homem?
"Provido em cópia larga o tens de tudo;
"Mas com quem a reparta não diviso.
"Na solidão que dita se concebe
"Susceptível de gozo a sós estando?
"Ou, dado o gozo, que prazer se lhe acha?"
Assim falar ousei. E a visão linda,
Mais linda co´um sorriso se tornando,
Assim me diz: — "Por solidão que entendes?
"Não está vendo cheia a terra e os ares
"De tantos, tão multímodos viventes;
"E às ordens tuas não acorrem todos
"Diante de ti a divertir-te prestes?
"Não lhes conheces propensões, linguagens?
"Eles pensam também, também combinam,
"E têm direito a que os não desprezes:
"Impera neles; teu império é vasto:

"Neles teu passatempo constitui."
Destarte se exprimiu quem tudo manda,
E pareceu que essa ordem me intimava.
De falar-lhe pedindo antes licença,
E com humilde submissão, lhe torno:
— "Não te estimulem as palavras minhas,
"Ó poder celestial, meu Deus, meu tudo:
"No que eu te vou dizer, sê-me propício.
"Teu substituto aqui não me fizeste,
"E inferiores a mim, por graus e muito,
"Todos os outros animais que existe?
"Em sociedade que prazer encontram
"Os que são desiguais a essência ou gênio?
"Desfrutar o prazer somente é dado
"Ao que, com proporção devida e mútua,
"De outrem, a quem o dá, também o aceita;
"Porém, tais circunstâncias diferindo,
"E unir querendo condições contrárias,
"Em vão se lida, e dentro em prazo breve
"Com tédio ambas as partes se repugnam.
"De própria companhia ouso falar-te
"Que ansioso busco para erguer-me co´ela
"A todo o grau do racional deleite
"Em que os brutos não são consortes do homem.
"Com sexos dois, cada um na sua espécie,
"Tu propriamente os animais combinas:
"Assim com mútua dita se comprazem;
"Ao lado um do outro, o leão e leoa exultam:
"Mas nunca entre eles as espécies várias
"Juntar-se podem; separados vivem
"As aves, os quadrúpedes, os peixes;
"E assim as castas; boi não se une a símia.
"Muito menos será possível no homem
"Tratar com brutos tão diversos dele."
De desagrado não mostrando indícios,
Destarte o Onipotente me responde:
— "Mui requintada e fina, Adão, me ostentas

“Em tua escolha a dita que procuras.
“Dizes que em solidão prazer não gozas,
“Posto que de prazeres circundado:
“Que ajuízas tu de mim, do estado meu?
“Serei ditoso ou não? De todo sempre
“Tenho eu estado só, não vendo nunca
“Outrem depois de mim, nem semelhante,
“E igual menos ainda, — como tenho
“Com quem recrear-me se me não dirijo
“Às criaturas que formei eu mesmo,
“Das quais as que em mais alto grau se encontram
“De mim abaixo estão infindamente
“Mais do que estão de ti as outras todas?”
Disse. E eu humildemente assim lhe torno:
— “Para chegar à profundeza e altura
“De teus caminhos eternais, não bastam,
“Entre supremo, os pensamentos do homem.
“Tu por essência a perfeição possuis;
“Nenhuma falta em ti achar-se pode:
“Assim o homem não é; de sua dita
“Por graus só chega aos términos bem curtos;
“Por isso anseia acompanhar-se sempre
“De semelhante seu com quem se ajude,
“Nos defeitos de essência limitada,
“Para alcançar de sua dita a posse.
“Tu não tens precisão de propagar-te
“Porque, inda que está só, és infinito
“E quanto há de numérico transcendes:
“Mas o homem só por números avonda
“A encher de sua imperfeição as metas;
“Assim de outro igual seu iguais propaga
“Multiplicando sua imagem própria
“Da unidade suprindo um tanto a falta
“Que em tal ato requer nas partes ambas
“A mais viva amizade, o amor mais terno.
“Na tua solidão, tu solitário
“Muito bem de ti mesmo te acompanhas

"Sem que precises de sociais prazeres;
"Contudo, se o quisesses, poderias
"Elevar tuas mesmas criaturas
"A grau divino, próprio ao fim proposto:
"Mas por conversação não me é possível
"Pôr a prumo animais que andam de bruços,
"Nem comprazer-me nos costumes deles."
Tomando ânimo, assim falei afoito,
E usei da permitida liberdade
Que, sendo aceita, pôde esta resposta
Alcançar da engraçada voz divina:
— "Adão, exp´rimentar-te assim me aprouve:
"Não só dos animais vejo que entendes,
"Nome apropriado a cada qual impondo;
"Mas de ti mesmo, porque bem expressas
"O espírito que livre em ti reside,
"Imagem minha, que não dei a brutos
"E cuja sociedade, a ti imprópria,
"Fortes motivos tens de rejeitares:
"Essa disposição conserva sempre.
"Antes de tua súplica eu sabia
"Que o homem, estando só, não é ditoso;
"E que nenhum dos animais que observas
"Será tua adequada companhia:
"Falei-te assim, a ver como julgavas
"Do que mais relação terá contigo.
"Descansa, que será muito a teu gosto
"A companhia que eu te der; tens nela
"Teu igual, teu auxílio, outro tu mesmo:
"Serão de todo os vívidos desejos
"De teu ansioso coração cumpridos."
Calou-se ele, ou mais nada ouvir eu pude:
Minha térrea substância, — fatigada
De tal colóquio celestial, sublime,
Em que subiu tão alto obedecendo
Tanto tempo de Deus à força empírea
Que a levava de envolta em seu influxo,

Sucumbiu, quais sucumbem os sentidos
Se os exercita e cansa um grande objeto:
Eis deixa-se cair como ofuscada,
E logo auxílio procurou no sono,
Que pronto acode à voz da Natureza,
Apossa-se de mim, fecha-me os olhos...
Fecha-me os olhos — mas liberta fica
Minha imaginação que é vista interna
Pela qual, como estático, presumo,
Posto dormindo estar que ali contemplo
A imagem fulgurante que acordado
Estava a ver. Então ela se inclina,
Abre-me o lado esquerdo, — e dali toma
Uma costela tinta em vivo sangue,
De espíritos vitais inda animada:
Foi grande o golpe e num instante a cura.
Deus coas mãos a costela vai moldando,
Té que uma criatura dela forma
Mui semelhante a mim mas de outro sexo
Pareceu-me tão bela e tão amável,
Que tudo quando dantes no Universo
Julgara belo agora o cri mediano, —
Ou que do Mundo as formosuras todas
Em corpo tão gentil se resumiam,
Principalmente nos benignos olhos
Que desde então mimosos infundiram
Dentro em meu coração tanta doçura,
Qual nunca exp´rimentado havia dantes:
Do porte seu também logo exalaram
O espírito de amor, graças, deleites
Que me toda a Natureza se esparziam.
Nisto ela foge e me deixou em trevas:
De repente acordei na ânsia de achá-la
Ou de carpir sem causa a perda sua,
Abjurando prazer que não fosse ela.
No entanto, quando menos a esperava,
Não longe a vi, tal como a vira em sonhos

Adornada de quanto o Céu e a Terra
Para fazê-la amável possuíam.
Ei-la que vem: condu-la o Autor celeste,
Guiando-a com sua voz, porém não visto:
Dos ritos conjugais vem informada,
Da santidade e candidez das núpcias:
Nos olhos traz o Céu, no andar as graças,
O amor e o brio nas maneiras todas.
Em tantas perfeições eu enlevado,
A erguer assim a voz fui compelido:
— "Ela volta!... Dissipa-se o meu susto!
"Cumpres quanto disseste, ó Deus benigno,
"Generoso doador de coisas belas;
"Mas esta sobrepuja as outras todas
"Que não se podem comparar com ela.
"Nela me estou a ver; dos meus por certo
"Seus ossos são, da minha carne a sua:
"Do homem tirada foi, mulher se chama:
"Por ela pai e mãe ele abandona,
"E esposo se une à esposa idolatrada, —
"Em deliciosa união ambos formando
"Um coração, uma alma, uma só vida."
Prestava ela atenção às minhas vozes:
Acabando de ser por Deus formada,
Inda toda pudor, toda inocência,
Já conhecia com clareza exata
O grande preço das virtudes suas;
Que deve ser com mimo requestada
E não ganhada sem que muito a roguem;
Que não deve óbvia ser, nem ser esquiva,
Mas recatada estar, assim causando
Mais vivo amor, mais ávido apetite;
Ou, por melhor dizer, a Natureza
Nos pensamentos tanto lhe influía,
Inda que isentos da mais leve mancha,
Que ela me olhou modesta e retirou-se.
Eu fui seguindo-a: percebeu em breve

Com que respeito e amor eu me portava,
E não tardou com majestoso obséquio
Em ceder à razão que me assistia,
Ao nupcial aposento a vou guiando,
Corada, semelhante à manhã bela:
Nessa hora inteiro o Céu e os astros todos
Sobre nós mandam mais seleto influxo,
E nos decoram com fulgor mais vivo:
Mais ataviados de verdura e flores
Dão-nos os parabéns montes e vales;
Suave e alegre concerto as aves tecem;
Frescas as virações, meigas as brisas,
Nossa união pelas árvores murmuram,
E coas asas brincando nos atiram
De arbustos próprios rosas e fragrâncias,
Até que o rouxinol entoou solene
O canto do himeneu, e assim convida
Da tarde a estrela a que de pronto acenda,
No arbóreo cimo da montanha sua,
Das sacras núpcias o brilhante facho.
Assim te hei relatado a minha história,
Levando-a te ao ápice da dita
Que neste Paraíso estou gozando:
E cumpre confessar que, — achando eu gosto
Em tudo o mais de que se adorna o Mundo,
Quais os passeios, plantas, frutos, flores,
A música das aves, tudo em suma
Que delicadamente me comove
O tato, o gosto, o ouvido, a vista, o cheiro, —
Por nada sinto na alma abalo vivo,
Desejo ígneo nenhum, goze ou não goze;
Mas outro é meu sentir por tal beleza.
Vejo-a abalado de transporte sumo,
Cheio de igual transporte a toco e apalpo;
Ardo por ela em comoção estranha,
Minha única paixão conheço nela:
Quaisquer outros prazeres não me agitam,

A todos eles superior me julgo;
Porém somente me confesso fraco
Ante os encantos,ante o mover d´olhos,
Com que a beleza triunfar consegue.
Ou pobre a Natureza em mim se mostra,
Fazendo-me imperfeito e assim não apto
De tal objeto a repelir encantos:
Ou mais talvez tirou do que bastava
Do meu lado, e essa falta me enfraquece:
Ou, quando menos, deu em demasia
Ornatos à mulher que, não obstante
Ser no seu interior menos sublime,
Mostra por fora as perfeições mais belas.
Não que eu deixe de ver que abaixo fica
No desígnio essencial da Natureza
E da alma nas internas faculdades,
Que são na espécie humana as mais distintas;
E que também por fora iguala menos
De quem nos fez a majestosa imagem,
E designa com menos expressão
O carácter de império impresso no homem,
Com que ele as outras criaturas rege.
Contudo, quando dela me aproximo,
Tão amável a julgo, tão perfeita,
Tão ciente de si mesma e extreme em tudo,
Que quanto ela pretende, ou faz, ou fala,
O mais discreto me parece sempre,
O melhor, o mais certo, o mais virtuoso:
A vista dela a ciência a mais profunda
Titubeia, desmente a usada força;
A mais grave e ilustrada sisudeza
Desconcerta-se e mostra-se loucura.
Como se antes de mim fosse ela feita
E não depois, qual foi por causa minha,
De autoridade e de razão se adorna:
E, para tudo ter, seu porte amável,
Candura e graças todo, em si ostenta
Nobreza de alma, pensamentos grandes,

Dela em torno espalhando reverência
Que faz o ofício ali de guarda de anjos."

O arcanjo, carregando-se no vulto:
"A natureza não acuses — diz-lhe —;
Cumpre ela o seu dever, o teu tu cumpre.
No facho da razão sempre confia;
Nos graves lances em que mais é útil
(Como esse em que ora estás de nímio creres
Em coisas que inda menos primorosas
São em si do que tu as consideras)
Não te há de ela deixar se a não deixares.
Quem te transporta assim? Que admiras tanto?
Um simples exterior? Bela é por certo
A esposa tua; mostra-se credora
De teu respeito, teu amor, teus mimos,
Mas nunca de que sejas dela escravo.
Compara-te com ela; e raciocina:
A estima de si próprio, se é fundada
Na ingênua retidão, na sã justiça,
A melhor guia do homem constitui;
E, quanto mais souberes conhecê-la,
Tanto mais Eva em ti verá seu chefe,
Sua bela aparência sujeitando
À realidade com que tanto te honras.
E não deixes de ver que a esposa tua,
Tão linda feita para altear teu gosto,
Tão respeitável para tu poderes
Com dignidade amá-la, entende quando
A estima de ti próprio desconheces.
Mas... a respeito das sensuais delícias
Pelas quais se propaga a espécie humana,
Repara que, se as julgas superiores
Às mais que tens, também são elas dadas
Aos brutos todos, o que assim não fora
Se elas possuíssem privativo império
De subjugar o entendimento do homem
Ou de paixões introduzir-lhe na alma.
Ama na esposa, sempre estima nela
Razão, bondade, pundonor, encantos;

Tu cumpres teu dever, amando-a muito;
Degradas-te, se tens paixão por ela.
O verdadeiro amor não se combina
Da paixão coas danosas turbulências;
No bom senso e razão tudo se firma;
Refina o juízo, o coração ilustra;
É caminho por onde erguer-te podes
Ao prazer eternal do amor divino;
Té as sensuais delícias não se abaixa;
Por tais motivos digna companheira
Nunca entre os brutos foi por ti achada."

Adão, meio corrido, lhe responde:
"Nem de Eva o corpo que Deus fez tão belo,
Nem os sensuais, prolíficos deleites,
De quaisquer outros animais partilha,
Possuem sobre mim poder tão grande, —
Inda que ao leito conjugal tributo
Misteriosa, sublime reverência:
Mas de tudo me encantam, me arrebatam
Suas nobres maneiras tão graciosas,
A decência que, imensa e ingênua sempre,
Das ações suas e palavras corre,
De amor e complacências misturada,
Provando não fingida a união solene
Que em nós faz uma só das alamas ambas,
Harmonia que, vista em par consorte,
Mais prazer causa do que sente o ouvido
Quando sons harmoniosos o deleitam.
Contudo, nunca dela sou escravo.
Assim a este respeito te descubro,
Tais quais são, meus internos pensamentos:
Mas os objetos vários, que os sentidos
Mostram de modos mil, não me subjugam:
O que é melhor, com liberdade aprovo;
Com liberdade, quanto aprovo, sigo.
Uma pergunta agora me concede,

Se legítima for essa pergunta:
Na raça humana o amor tu não condenas;
Dizes que pelo amor aos Céus se sobe,
Que é para os Céus o condutor e a estrada;
Os anjos porventura também amam?
E, se amam, como o seu amor exprimem?
Somente os olhos em tal caso empregam,
Ou seus mútuos fulgores entrelaçam?
Unir-se-ão estando um nos braços de outro,
Ou será essa união mental somente?"

O anjo, rindo, e nas faces cor tomando
Qual a da empírea, rutilante rosa,
A cor de rosa que é de amor emblema,
Assim responde: — "Basta-te que saibas
Que nós nos altos Céus somos ditosos,
E que, onde amor não há, jamais há dita.
Quantos puros prazeres tu desfrutas
No corpo teu, que puro o fez o Eterno,
No mais subido grau nós desfrutamos.
Sem os obstarem membros nem junturas,
Mais fácil do que do ar porções diversas,
Abraçam-se os espíritos e se unem
Com íntimo, instantâneo movimento,
Pureza com pureza misturando.
Adeus; não posso mais: o Sol, transpondo
O verde promontório e Hespérias ilhas,
Vai pôr-se e assim minha partida marca.
Sê constante e feliz: de amar não deixes...
Mas Deus primeiro, que é somente amado
Por quem restritamente lhe obedece:
Guarda-lhe o seu preceito soberano.
Toma cuidado que a paixão demente
Não force o juízo teu a ações que livre —
Ele de modo algum fazer quisera.
De ti, dos filhos teus, dita e desdita

Em ti postas estão, de ti dependem.
Não te descuides: eu e os demais anjos
Tua perseverança aplaudiremos.
Porta-te firme: livremente mandas
No arbítrio teu; em tua mão possuis
Firmeza ou queda. Basta-te a ti mesmo;
Não precisas pedir auxílio estranho:
A tentação de transgredir repele."

Calou-se; levantou-se, e foi seguindo.
"Pois que deves partir" (Adão lhe torna
E com saudosas bênçãos o acompanha),
"Vai, hóspede celeste, etéreo núncio,
Mandado aqui por Deus que temo e adoro.
Tua condescendência sacrossanta
Foi para mim afável, generosa:
E sempre tem de ser por mim honrada
Com mui viva lembrança agradecida:
Pelo gênero humano sempre nutre
Essa beneficência, essa amizade:
Tua visita a miúdo aqui repete."

Assim partiram, para os Céus o arcanjo,
E para o albergue seu, o pai dos homens.

ARGUMENTO DO CANTO IX

Satã, havendo percorrido em redor a terra, novamente se introduz no Paraíso de noite em forma de névoa com ardil meditado, e mete-se dentro da serpente dormida. Adão e Eva saem pela manhã para o trabalho, que Eva propõe dividir em partes diferentes, trabalhando cada um em separado. Opõe-se Adão alegando perigo por temer que o inimigo acerca do qual haviam sido tão admoestados pelo arcanjo, a acometesse a ela achando-a sozinha. Eva, agastada porque a julgam menos circunspecta ou constante, insta em partir só, e mesmo deseja deparar com ocasião em que prove a sua força: Adão afinal consente. A cobra vem, acha-a sozinha: sua aproximação astuciosa, primeiro fitando-a como embasbacada, depois falando-lhe com muitas lisonjas, e elevando-a acima de todas as outras criaturas. Maravilhada Eva de ouvir falar a serpente, pergunta-lhe como obteve a fala humana e tal entendimento que até agora não tivera: a cobra responde que as alcançara comendo frutos de certa árvore do jardim. Eva pede-lhe que a encaminhe a essa árvore, que acha ser a proibida Árvore da Ciência. Tomando então todo o seu ânimo, e usando de diversos e ardiloso argumentos, a serpente indu-la por fim a comer dos frutos da tal árvore. Muito Eva se deleita com o sabor desses frutos, delibera por algum tempo se fará ou não participar deles a Adão; depois leva-lhos e relata-lhe o que a persuadira a comê-los. Adão primeiramente fica aterrado; — mas, vendo que Eva se perdia, resolve, levado pela veemência do amor, a perecer com ela; extenua de propósito a transgressão, e come também dos frutos. Efeitos de tal transgressão em ambos eles: procuram com que encobrir sua nudez, e entram em desavenças e acusações um contra o outro.

CANTO IX

ão mais do canto meu serão assunto
Nem Deus, nem anjos, como sócios do homem
Que até´gora indulgentes o tratavam
Com familiar franqueza e porte amigo,
Que em seu rural festim tomavam parte

Mostrando a urbanidade generosa
De ouvir quanto ele lhes dizer quisesse.
Dora em diante usarei trágico estilo:
A desconfiança atroz, a infida quebra
Direi, e a negra rebeldia do homem.
Direi do Céu, que o amor lhe perde agora,
A raiva, os ódios, o reproche, as iras,—
E a lavrada justíssima sentença
Que ao mundo trouxe um pélago de males;
Os dois sócios cruéis, Pecado e Morte,
E a Miséria, da Morte a precursora.
Magoado assunto! Mas é mais sublime
Que a cólera de Aquiles truculento
Perseguindo o contrário que lhe foge
Da pátria Troia em roda das muralhas;
Ou de Turno o furor porque lhe vedam
Da Laurentina as prometidas núpcias;
Ou de Netuno e Juno a infesta raiva
Que aflições tantas urde ao Graio, ao Teucro.
Possa eu obter correspondente estilo
Da Musa celestial que me protege!
Ela, que se compraz de vir sem rogos
Na solidão da noite visitar-me,
Bondadosa me inspira, enquanto durmo,
Meus doces versos que espontâneos correm.
Muito há que para um canto heroico havia
Complacente escolhido este alto assunto;
Mas pude só agora começá-lo.
Meu gênio não me induz a cantar guerras,
Té´qui único assunto crido heroico,
Estro gastando, com ambages fúteis,
A narrar fabulosos cavaleiros
Em batalhas fingidas destroçados, —
Ao passo que no olvido mudo fica
De almas sublimes a constância mártir.
Meu gênio não me induz a dar ao metro
Equipagens, brasões, carreiras, jogos,

Telizes de brocado, finas letras,
Arneses de alto preço, ígneos cavalos,
Brilhantes cavaleiros, manobrando
De torneios e justas nos combates;
Depois de lauta mesa em torno postos,
Em magníficas salas onde os servem
Lestos pagens, solícitos trinchantes.
Do gênio o grão poder em baixo assunto
Não dá ilustre nome ao canto, ao vate,
De tais matérias a instrução recuso:
Este mais nobre emprego, que hoje tomo,
Basta para alcançar-me honrosa fama,
Se deste clima os gelos, se esta idade
Já crescida e morosa, não reprimem
Das minhas asas o seguido voo;
Mas o que eu canto não é meu somente;
Traz-mo aos ouvidos a noturna Urânia.
Tinha-se posto o Sol, indo após ele
De tarde a estrela que na Terra espalha
O crespúsculo, rápido intermédio
Dividindo os confins do dia e noite,
E já de todo a abóbada de trevas
Cobria os circunfusos horizontes, —
Quando Satã, que ultimamente do Éden
Fugira expulso de Gabriel coa lança,
Mais precatado agora e mais imbuído
Em meditada fraude e ardis astutos,
A peito sempre tendo a ruína do homem
Apesar de prever penas mais cruas,
Intrépido outra vez no Éden entrava.
Escarmentado se ocultava ao dia;
Chegou à meia-noite envolto em sombras.
Uriel, que rege o Sol, o descobrira
Na outra vez que ali veio e aviso dera
Aos coros de anjos que o jardim guardavam.
Coa dor dessa expulsão pungido sempre,
Girou de noites sete o inteiro espaço,

A linha equinocial torneou três vezes,
Quatro vezes cruzou de polo a polo
Coa carroça da noite os dois coluros, —
Té que na oitrava, pelo lado oposto
Às avenidas reforçadas de anjos,
Caminho lobrigou não suspeitado.
Ali um sítio havia (agora extinto
Pelo Pecado atroz, não pelo tempo),
Onde o Tigre, correndo junto do Éden,
Por caverna subtérrea ao jardim sobe
E, mesmo junto da Árvore da Vida,
Vai borbulhar em cristalina fonte.
Com o rio Satã se afunda e se ergue
Envolto em névoa aquosa, e logo encontra
Um sítio próprio que o tivesse oculto.
Havia ele indagado o mar e a terra
Desde o Éden te do Obi além das fozes
Passando o Euxino e a Meótide lagoa;
Dali foi-se do Antártico aos limites;
E enfim no rumo do Oeste o voo arranca
Do Oronte até Dárien que tranca os mares;
De lá para as correntes do Indo e Ganges.
Nesta viagem pelo orbe instou atento
Em conhecer, com perspicácia fina,
Uma por uma as criaturas todas
A ver qual a seus fins era mais apta;
E escolheu entre todas a serpente,
O animal mais sutil que habita os campos.
Por largo espaço meditado havendo,
Mas na resolução sempre indeciso,
Tal arbítrio afinal tomou, pensando
Achar da fraude o mais conforme tipo,
Onde, como em morada própria, entrasse
E seus negros projetos escondesse
Dos mais agudos, prevenidos olhos.
Julgou que suspeitosos não seriam
Ardis ou manhas vistos na serpente,

Crida sagaz e arteira por instinto, —
E que, em outro animal sendo notados,
Corriam risco de incutir a ideia
De algum gênio infernal ali metido,
Vendo-se astúcia nele estranha a brutos.

Resolveu. Mas a interna, ardente mágoa
Primeiro exala assim nestes queixumes:

"Quanto co'os Céus, ó Terra, te pareces,
Se os não excedes! Produzida foste
Por habituado gênio a insignes obras:
A mais própria mansão serás de numes!
Por que faria Deus obra somenos
Depois de tantas ótimas mostrar-nos?
Terrestre Céu, brilhantes Céus te cingem,
Lançando em ti e para ti somente
Sucessivo fulgor de luz perene,
E com porte obsequioso concentrando
Em ti seus raios de sagrado influxo!
Se Deus (cujo poder a tudo abrange)
De tudo é centro no celeste Empíreo,
De todos esses orbes tu recebes
Produtoras virtudes sem quantia,
Estéreis neles mas que em ti florescem
Com portentoso arcano partilhadas.
Por elas brotam de teu seio as plantas;
Nasce de ti por elas majestosa
A multidão variada dos viventes
Em órgãos, em beleza, em graus de vida,
Em aptidão corpórea, em luz de engenho,
Tudo em mor perfeição reunido no homem.
Com que prazer teu âmbito eu volteara
Se algum prospecto me alegrar pudesse!
Dali, na térrea superfície mostras
Vales, montes, ribeiras, selvas, campos;
Além, no mar um fluído amplo e luzente,
E em redor fulvas praias que se adornam
De arvoredos, de rochas, brenhas, furnas:

Que deleitosa variação!... Mas nela
Não me é dado encontrar refúgio, asilo:
Quanto em torno de mim mais ditas vejo,
Tanto dentro de mim mais penas sinto:
Sou como um turbilhão de át´mos discordes:
Todo o bem para mim fez-se em veneno,
E nos Céus meus tormento requintara.
Já não ínsisto em habitar no Empíreo,
Visto que ser monarca ali não posso;
Nem já espero nas empresas minhas
Ver que meus infortúnios tenham tréguas:
Mas farei que outros sejam desgraçados
Como eu, inda que em pior meu mal se mude:
Só podem ruínas dar certo descanso
Ao ímpeto voraz de meus projetos.
Trabalharei por seduzir esse ente
Para quem feito foi o inteiro Mundo,
A fim que ele a si próprio se acarrete
Sua perda total e nela envolva,
Como em férvida enchente inevitável,
Quanto à sua existência se refira;
Com tais estragos minha raiva cevo.
Dos deuses infernais o único eu seja
Que obtenha a glória de arruinar num dia
Quanto esse Onipotente apenas pôde
Formar de dias seis no inteiro espaço,
Fora o tempo que dantes despendera
Na alta meditação deste desígnio,
Que parece ligar-se ao meu denodo
De libertar de inglório cativeiro
Quase a metade dos celestes coros
Só numa noite, e de deixar mui raro
De seus adoradores o concurso.
Ele, — ou por se vingar, ou porque à míngua
Nos exércitos seus cuidoso supra,

Ou porque o seu poder já gasto e idoso
Perdesse o tino de criar mais anjos
(Se eles contudo a criação lhe devem),
Ou para mais nos abater, — pôs fito
Em povoar os lugares que são nossos
Pela estirpe de nova criatura
Feita de terra e, de tão baixa escória,
Por ele alevantada, enriquecida
Co´os espólios do Céu que a nós pertence.
Pôs por obra o que havia projetado:
O homem formou; maravilhoso o Mundo
Para ele construiu, dando-lhe a terra
Para sua morada e seu domínio;
E sujeitou (que vil indignidade!)
Dele ao próprio serviço, à guarda dele,
Alados anjos, fúlgidos ministros.
Deles muito receio a vigilância:
Para iludi-la corro manso, obscuro,
Embuçado na névoa da alta noite,
E espreito por arbustos, por balseiras,
Onde esteja a serpente adormecida
Para dentro em seus círculos meter-me
A mim e os negros planos que me ocupam.
Que vergonhosa quebra! Eu, que noutrora
Pugnei com deuses para ser mais que eles,
Apertado serei dentro de um bruto,
De um bruto coa substância hei de mesclar-me,
Tomar de um bruto carne, embrutecer-me!
Eu, alta essência que aspirava ufana
Ao mais subido grau da divindade!
Porém quanto a ambição, quanto a vingança,
Para seu fins obter, se não aviltam?
Quem pretende, há mister descer tão baixo
Quanto alto quer subir, e em tais manejos
Sempre às coisas mais vis se vê exposto.
É doce em seus princípios a vingança;
Em breve amarga contra si redunda:

Embora! Não me importa, está previsto
Desde que de tão alto me atiraram.
Vou-me contra esse que depois do Eterno
Logo provoca minha inveja ardente, —
Dos Céus contra esse novo favorito,
O homem de barro, filho do despeito,
Que Deus ergueu do pó em nosso ultraje:
Muito bem pago fica ódio com ódio."

Assim falando, vai, qual névoa negra,
Com raso voo percorrendo as balsas
A ver se em breve coa serpente encontra.
Eis que a vê: — enroscada em labirinto,
Coa cabeça no meio, imóvel dorme,
De ardilosas astúcias recheada;
Inda não causa dano, inda não busca
Escuras solidões, tristes cavernas;
Mas sobre farta relva em paz descansa
Sem ter sustos de nada e sem dar sustos.
Pela boca Satã lhe entra e se apossa
Dos sentidos brutais no peito e fronte,
E intelectual poder logo lhe inspira:
Mas não lhe quer afugentar o sono;
Nela encerrado pelo dia espera.

Logo a sagrada luz pelo Éden raia:
O deleitável, matutino incenso
As lindas flores úmidas exalam;
E os entes todos, que regula a vida,
Fazem subir do grande altar da Terra
Mudos louvores ao Autor de tudo
Que inspira com delícia o grato aroma, —
Quando do albergue sai o par humano,
E sua adoração vocal ajunta,
Das criaturas tácitas ao coro.

A melhor ocasião de aroma e fresco
Estão aproveitando; eles ventilam
Como vencer aquele dia possam

Mais trabalho, que a tão ampla cultura
As mãos ágeis só de ambos já não bastam.
E assim fala primeiro Eva ao marido:
"Muito até´gora, Adão, lidado havemos
Para dispor neste jardim por ordem
A árvore, a linda flor, a tenra planta;
E um junto do outro temos empenhado
Nossos desvelos em tão grata lida:
Mas ninguém mais té hoje nos ajuda;
E, por grande que seja o empenho nosso,
Cresce o trabalho em progressão contínua.
Se um dia a decotar supérfluos ramos,
A limpar este, a especar aqueles,
A atar outros, inteiro nós gastamos, —
De nós zombando, numa noite ou duas,
A bravios os traz seu pronto aumento.
Ouve o que a mente me sugere agora:
Deixa tu dividir nossos trabalhos;
Vai onde a escolha ou precisão te induza:
Ou nesse tronco enrosca a madressilva,
Ou a trepar ajeita essa hera errante, —
Enquanto eu acolá naquelas moitas,
Onde as rosas co´os mirtos se entremeiam,
Muito que ordene até mei´dia encontro.
Se junto um do outro assim um dia inteiro
A lida continuarmos, não admira
Que rir muito nos façam teus gracejos,
Ou puxem por conversa objetos novos,
Interrupção causando no trabalho
Que, principiando cedo, fica em pouco,
E a ceia sobrevém que não ganhamos."
Dá-lhe destarte Adão meiga resposta:
"Minha querida, incomparável Eva,
Desta alma único amor e única sócia,
Que além de todos os viventes amo, —
Juízos bons empregas, bem cogitas
Sobre o modo melhor por que exerçamos
O trabalho que Deus aqui nos marca.

Esse desvelo teu muito te louvo:
Na mulher nada se acha mais amável
Que o estudo no doméstico regime
E a coisas boas a que induz o esposo.
Mas nosso Criador não nos detalha
Tarefa tão restrita que nos vede,
Quando precisos são, o ócio, o sustento,
As falas mútuas, alimento da alma,
A sua troca de gracejos, risos, —
Os risos, que à razão a origem devem,
Refusados por isso sendo aos brutos,
E de amor o incentivo em si nos formam, —
O amor, notável precisão da vida.
Para prazeres que à razão ligara,
Não para árduos afãs, nos fez o Eterno:
Sem dúvida ambos nós com zelo fácil
Impediremos que a bravias voltem
As ruas e avenidas necessárias
Para passearmos, té que nos ajudem
Mais jovens mãos que nos tardar não devem.
Mas se a conversação vês distrair-te,
Eu consentira numa ausência curta:
Bem acompanha a solidão às vezes;
Depois de curta ausência é doce a volta.
Contudo, noutra dúvida me entranho;
Temo-te dano se de mim te apartas:
Ouvimos ambos que maldoso o imigo,
Dos infortúnios seus desesperado,
A dita nos inveja e firme e astuto
Buscar lançar-nos na desgraça e infâmia.
Perto ou junto de nós eu não duvido
Que atalaia com sôfrega esperança
A ver se encontra ensejo a seus desígnios:
Nossa separação lho põe mais apto:
Num, junto do outro, mor barreira encontra
Porque com mútuo auxílio assim podemos
Ardis e assaltos repelir num lance.

Queira ele começar por que estraguemos
Nossa fidelidade a Deus devida;
Ou por introduzir feia desordem
No conjugal amor que mais o enraiva
Que as outras ditas todas que gozamos;
Seja isto ou pior, — não deixes, querida,
O lado fiel de que nascida foste:
Nele achas proteção, achas amparo.
Se à mulher tramas urde o p´rigo, a infâmia,
Mais salva e airosa está junto ao marido
Que a guarda, ou qualquer mal com ela sofre."
Mas a virgínea majestade de Eva,
Qual dama que acha descortês o amante,
Com doce e austero porte assim replica:
"Prole da Terra e Céus, senhor da Terra,
Que um inimigo busca a nossa ruína
Bem sei, tanto por ti como pelo anjo
Que estive a ouvir num canto recatada
Quando ontem se fechava a tarde e as flores:
Mas... que duvidas da firmeza minha
Para contigo, para o mesmo Eterno,
Porque pode tentá-la esse inimigo,
Decerto ouvir de ti não o esperava!
Não sendo nós à morte e à dor sujeitos,
Nem receber, nem repelir nos cabe
Desse inimigo atroz, violência alguma:
De sua fraude então provém teu medo.
Temes que de Eva a fé e amor constantes
A fraude tal sucumbam seduzidos;
Como tão injuriosos pensamentos
Dentro em teu peito, Adão, abrigo encontram,
Julgando tu tão mal da esposa que amas?"
Esta resposta branda Adão lhe torna:
"De Deus e do homem filha, imortal Eva,
Por isso intacta de pecado ou mancha,
Por desconfiar de ti não é que eu busco
Dissuadir de meu lado a tua ausência.

Mas sim por te poupar qualquer tentame
A que nosso inimigo audaz se atreva.
O tentador, em vão mesmo lidando,
Contra o tentado lança atroz desonra,
Porque fé corruptível lhe atribui
Que não está da tentação à prova;
Tu mesma, com furor, ódio e desprezo,
Te ressentiras da tramada injúria
Posto efeito não ter. Vês que não erro
Se de ti solitária quero a afronta
Apartar, que a nós ambos o inimigo,
Posto que audaz, fazê-la não ousara;
Ou... se a fizesse, eu fora o alvo primeiro.
Suas malícias, seus ardis falsários
Não desprezes: sutil deve ser muito
Quem pôde seduzir no Céu os anjos.
Não são supérfluos os auxílios de outrem:
O impulso para todas as virtudes
Do influxo de teus olhos eu recebo:
Quando olho para ti, medrar me sinto
Em prudência, em valor, em vigilância,
E mesmo em forças se me são precisas:
Quando olhas para mim, no peito me arde
Com ascendente intensidade o pejo
De me ver enganado ou ser vencido.
E tu por que motivo não preferes
Sofrer a tentação sendo eu presente?
Por que a tua virtude em mim não busca
A testemunha que melhor lhe cabe
Para bem te apreciar essa vitória?"

Com porte familiar, Adão exprime
Destarte o seu cuidado e amor de esposo.

Mas Eva, que essas falas crê ditadas
Por suspeita que Adão contra ela tinha,
Replica-lhe inda assim em tom afável:

"Se é nossa condição viver no aperto
Onde inimigo nos cinge astuto ou fero,

E cada qual de nós em qualquer sítio
Não ter o justo dom de igual defesa, —
Como, em silêncio ataques aguardando,
Possível nos será sermos felizes?
Mas o castigo não precede a culpa:
O nosso tentador só nos afronta
Conceituando-nos frágeis na pureza;
E esse infame conceito enche-o de infâmia
Sem que desonra em nossa face imprima:
Por que evitá-lo então, por que temê-lo?
A má suspeita em si quem prova falsa,
O jus adquire a duplicadas honras;
Acha paz dentro em si; os Céus o prezam;
É testemunha de seus próprios louros.
Virtude, fé, amor, nunca tentados,
Nunca mantidos sem socorros de outrem,
Qual abonado crédito merecem?
De deixar imperfeita a nossa dita
Nosso Onisciente Autor não suspeitemos,
Supondo-a para um só menos segura
Do que é quando ele de outrem se acompanha.
Sendo assim, nossa dita fora frágil;
E o paraíso, a p´rigos tais exposto,
Não seria por certo o Paraíso".

Com ardente fervor Adão lhe torna:
"Ó mulher! Tudo quanto fez o Eterno
É quanto de melhor pode julgar-se.
À sua mão, em toda a Natureza,
Não escapou imperfeição ou falta,
E menos no homem, que o dotou de tudo
Que lhe possa firmar perpétua dita
Ou premuni-lo contra externa força:
Tem dentro em si o p´rigo e nele impera;
Dano o não lesa sem vontade sua,
E Deus deixou-lhe livre essa vontade,
E na obediência sempre a razão livre:
Reta ele a fez e indu-la a estar alerta,

Para do bem alguma falsa imagem
Não lançar-lhe a vontade em torpe engano
Que faça o que altamente Deus proíbe.
Vês pois que terno amor, não mau conceito,
Me impele muita vez que assim te avise:
Comigo o mesmo praticar tu deves.
Firmes estamos nós; mas é possível
Que de um dever sagrado desvairemos:
Preparado pelo hórrido inimigo,
Pode objeto especioso urdir ciladas
À razão que, esquecendo a vigilância
Tão restrita, por Deus recomendada,
Em repentino engano se despenhe.
Assim, a tentação tu não procures:
Evitá-la é melhor: quase que é certo
Que dela escapas se te não ausentas:
Teremos provas destas, não buscadas.
Dizes querer provar tua constância;
Tua ingênia obediência antes me prova.
Reconhecer ou atestar quem sabe
Não tentada a constância (tu perguntas)?...
Pois, se crês que essa prova não buscada
Há de achar-nos nós ambos mais seguros
Estando cada qual ausente um do outro,
Vai: se aqui não está porque bem queres,
És por mim reputada mais que ausente.
Vai coa inocência que trouxeste ao Mundo;
Tuas virtudes todas te auxiliem:
Fez seu dever para contigo o Eterno;
Para com ele o teu fazer te cumpre."

O patriarca da humana descendência
Falou assim. Mas Eva inda teimando,
Posto que em brando tom, por fim lhe torna:

"Pois vou com tua permissão: e levo
Tua próprias palavras bem na mente,
Posto que ditas em ligeira frase;

Por elas sei que melhormente pode
Da tentação o assalto repentino
Fazer-nos sucumbir, do que esperado.
Vou com muito prazer; nem muito espero
Que tão soberbo e túmido inimigo
Queira ao mais fraco arremeter primeiro:
Mas, se assim o fizer, maior vergonha
Tem de caber-lhe na derrota sua."

Assim tendo falado, a mão retira
Com terna mansidão da mão do esposo.
E, — qual ninfa ligeira das florestas,
Seja dos troncos, seja das montanhas,
Ou das que o coro adornam da alta Délia, —
Pelo bosque se entranha; mas no garbo
A mesma Délia, as deusas todas vence,
Inda que se não arma de arco e coldre
E sim de aprestos jardinais que as artes
Rudes inda e sem fogo haviam feito
Ou que trazidos pelos anjos foram.

Ornada assim, parece-se com Pales,
Ou com Pomona que a Vertuno foge,
Ou coa jovem Ceres, quando virgem
A Jove inda Prosérpina não dera.

Vai seguindo-a co´os olhos cintilantes
Por muito tempo Adão nela enlevado;
Mas... desejava mais tê-la consigo.
Que volte logo brada-lhe bem vezes;
Torna-lhe ela outras tantas que ao mei´dia
Já de volta estará e pronto tudo
Que no jantar e sesta se precisa.

(Frágil Eva infeliz, quanto te enganas
Em teu regresso crendo! Atroz desastre!
Desde então no Éden tu jamais aprontas
Delicioso jantar, sono tranquilo!
Do rancor infernal traça iminente
Lá te aguarda entre sombras e entre flores
Para te obstar a volta ou despojar-te

Da inocência, da fé, do empíreo encanto!)
Já desde o romper da alva o torno imigo,
Uma simples serpente afigurando,
Estava fora e indagações fazia
Onde era crível que encontrar pudesse
Os sós dois entes da progênie humana,
Mas nos quais se incluía a raça inteira
Contra quem seus projetos assestara.
Nas vicejacentes várzeas, nas lamedas,
Ao longo das ribeiras, junto às fontes,
Quaisquer canteiros ou pomares busca,
A ver se os pode achar na própria estância
Ou nalgum belo sítio de recreio.
Ambos queria achar; — porém mais gosta
Que lhe depare o acaso Eva sozinha:
Este é o gosto seu, mas não espera
O que tão raramente o acaso mostra.
Além da expectação, eis senão quando...
Eva sozinha ao longe lhe parece.
Cinge-a, qual raro véu, nuvem de aromas;
As rosas, que em circuito se lhe apinham,
Da bela o meio corpo só descobrem,
E maior cor acendem-lhe nas faces
Co´o lúcido reflexo purpurino.
Endireita ela então meio curvada
Das flores as vergônteas dobradiças,
Cujas cabeças, que risonhas fulgem
Carmesins, cor de neve, azuis, cor de ouro,
Sem poderem suster-se, estão pendentes:
Erguidas ela airosamente as ata
Às ramagens do mirto, — e não se lembra
Que ela, sendo das flores a mais linda,
Ali se achava só, desamparada,
Do seu arrimo longe... e o raio perto!

Ei-la a cobra que vem: passeios corta
Por onde cedros, álamos, palmeiras

Pomposíssima abóbada entrelaçam.
Serpeando, ora levanta o colo altivo,
Ora coa terra cose-se, ora assoma
Sobre os bastos arbustos que a mão de Eva
Entretecera de mimosas flores,
Dispostos pelas margens dos passeios.
    Continha este terreno mais delícias
Que os jardins fabulosos onde Adônis
Se diz que fora revocado à vida;
Mais que esses onde o filho de Laertes
Teve hospedagem do afamado Alcínioo;
Mais que esses (não ficção) onde o rei sábio
Coa linda egípcia esposa se entretinha.
    Muito admira o inimigo estes lugares;
Mas a pessoa de Eva mais o encanta.
Qual o habitante, que metido há muito
No encerro de cidade populosa
Onde a pureza do ar alteram, danam
Subterrâneos canais, casas em pinha,
Aproveita do estio a manhã bela
E vai os ares respirar à larga
Entre aldeias risonhas, gratas quintas
Onde o odor vegetal, a messe em feixes,
Nas queijeiras o leite, os bois mugindo,
Qualquer prospecto ou som próprio dos campos,
De insólito prazer a alma lhe inundam, —
Se casualmente então por ali passa
Virgem formosa com andar de ninfa,
Ele, em quanto até´li cria agradável,
Mais encantos encontra em razão dela,
Mas de vê-la o prazer excede a tudo;
Tal de gosto exultou a serpe horrível
Observando este flórido terreno,
Tão ameno retiro, a amável Eva
Assim madrugadora, assim sozinha.
    Da bela o empíreo gesto como o de anjo
Mas de mais fino talhe e mais brandura,

A engraçada inocência, as ações todas,
No maldoso Satã respeito incutem,
E com doce violência então embargam
De sua feridade o atroz intento.
Por breve espaço o Gênio da Maldade
Abstrato fica da maldade própria,
Esquece ódios, inveja, ardis, vingança,
E faz-se bom por distração momentos.
Mas do Inferno o furor que sempre o abrasa
E que ainda mesmo no âmago do Empíreo
Logo todo o prazer lhe sufocara,
Eis que em nova explosão tanto o atormenta
Quanto mais ele vê altas delícias
Jamais para seu gozo destinadas.
Súbito então recorda os ódios todos,
De sentir-se tão mau se congratula,
E excita assim seus feros pensamentos:
"Té onde, ó pensamentos, me levastes?
Com que suave impulsão vós conseguistes
Que eu me esquecesse do que aqui me trouxe?
Não me deleita o amor, de ódios me nutro:
Não quero Paraíso em vez de Inferno;
Nenhum prazer procuro; só intento
Lançar em ruínas os prazeres todos...
Exceto o que em destruir possa fundar-se:
Outra alegria para mim perdeu-se.
Tão fausto ensejo aproveitar me cumpre:
Eis sozinha a mulher; abre assim passo
A se intentarem as empresas todas:
O esposo (eu vejo ao largo) está não perto,
Cuja mente mais alta e ânimo forte,
Férvida valentia e heroicos braços,
Importa-me tratar com mais cautela.
Inda que consta de terrena massa,
Vejo nele um terrível inimigo,
E invulnerável é... não eu! Quão baixo
Posto o Inferno me tem, quão fraco a pena,

À vista do que eu fui na empírea corte!
De celeste beleza adorna-se Eva,
É credora de amada ser por numes:
Terror não mete, posto que ele exista
No fino amor, na insigne formosura...
Salvo se os acomete ódio tão forte:
Mais forte ódio lhe tramo, pois que o cubro
De amor coas aparências bem fingidas.
Por este rumo vou para perdê-la."

Estas palavras o inimigo do homem
Soltou, hóspede mau na serpe oculto;
E para Eva formosa se encaminha.

Como depois, não roja pela terra
Com sinuosos corcovos ondulantes;
Mas base circular coa cauda forma,
Acima vai-se erguendo em roscas bambas,
E em movediça máquina se ordena,
Sobre a qual entonado se sublima
O luzidio colo auriverdoso,
A cristada cabeça onde ígneos olhos,
Quais nítidos carbúnculos, cintilam:
Serpeando então co'o círculo da base,
E em sucessivas aspirais ondeando,
Avança pela relva em ar de torre.

Era jucundo e amável o seu gesto;
Casta nenhuma de serpente fora
Jamais, como esta, encantadora à vista:
Não eram destas em que Hermíone e Cadmo
No ilírico país se converteram,
Ou de Epidauro se mostrou o Nume,
Ou se viu transformado o mesmo jove
Quando, Ámon invocado, amou Olímpia,
Ou foi do Capitólio a ter coa bela
Que deu à luz Cipião, glória de Roma.

Anda primeiro em direção oblíqua,
Como o que busca e interromper receia
Sisuda personagem respeitando.

Qual nau, que entregue a perspicaz piloto,
Manobrando de bordo a miúdo vira
À foz de um rio ou sobre um promontório
Onde varia a cada instante o vento, —
Tal a serpe manobra: e à vista de Eva
Dispõe garbosa no cilindro ondeante
Curiosas, diferentes perspectivas,
A fim de ver se assim lhe atrai os olhos.

Ocupada ranger ela ouve as folhas;
Mas atenção não dá, que pelo campo
Diante de si costuma ver tais brincos
Em toda a casta de animais, que atentos
Vêm com mais prontidão cumprir-lhe as ordens
Do que o triste rebanho disfarçado
Vinha à potente voz da maga Circe.
Mais a cobra se afoita, — e em frente de Eva
Para espontânea, e nela fica absorta:
Curvando o colo nítido esmaltado,
Abaixando a cabeça e airosa crista,
Depois a miúdo cortesias faz-lhe,
E mesmo com respeito lambe a relva
Por onde ela pusera os pés mimosos.

Esta expressão de obséquio, inda que muda,
Atrair de Eva enfim consegue os olhos,
Que do bruto nos brincos se divertem.
Ele, contente da atenção ganhada,
Assim da tentação a fraude enceta,
Ou ajeitando da serpente a língua,
Ou simulando no ar a voz humana:

"Rainha do Éden, rogo-te humilhada
Que não te admires se falar tu me ouves,
Tu que és a admiração de quanto existe.
Teus belos olhos, como o Céu tão meigos,
De cru desprezo contra mim não armes;
Nem te desgoste que eu assim tão perto
Com insaciável atenção te admire.

Venho sozinha sem que tenha susto
Da majestade que em teu gesto adoro,
E que por seu recato mais se aumenta.
De teu excelso Criador formoso
Tu és a mais formosa semelhança:
De ti se admiram os viventes todos,
Que todos tua possessão se ostentam
E adoram tua angélica beldade,
À qual se curvaria inteiro o Mundo
Se inteiro contemplá-la ele pudesse.
Porém aqui em tão agreste sítio,
Entre animais, espectadores rudes
Que nem metade veem quanto és de linda,
Quem contemplar-te pode além de um homem?
E que é um homem só... para admirar-te...
Tu que entre deuses como Deusa deves
Adorada e servida ser por anjos
Em corte sem quantia, em pompa eterna?"

Com tal exórdio o tentador a adula:
Ardilosa a linguagem rompe afoita
De Eva maravilhada o incauto peito.

Destarte enfim atônita responde:
"Que ouço! Do homem a fala exprimem brutos?
Na voz de brutos a razão humana?!
Aquela lhes julguei por Deus negada
Quando, da Criação no dia próprio,
Dos sons para a pronúncia os fez inábeis:
Sobre esta eu tinha dúvidas; bem vezes
Em seus olhos e ações a razão brilha.
Em ti, serpente, conheci por certo
O animal mais sutil dos campos todos;
Mas não de humana voz te cri dotada.
Repete esse milagre, — e dize como,
De muda que eras, conseguiste a fala;
E como, muito mais que os brutos todos
Que presenciando estou em cada dia,
Hoje tão minha amiga te fizeste.

Dize: tal maravilha é bem credora
Que o mais séria atenção se lhe dirija."
  Torna-lhe assim o tentador astuto:
"Imperatriz do Mundo, Eva fulgente,
Quanto queres saber posso contar-te;
Tens à minha obediência um jus solene.
Eu tinha dantes, como os outros brutos
Que na relva casual andam pascendo,
Grosseira concepção e baixo instinto
Quais o alimento meu: — comida e sexo
Eis quanto eu via; de sublime, nada.
Té que uma vez, os prados percorrendo,
Avisto ao longe uma árvore formosa
De frutos carregada que alardeiam
De cor de ouro e de grã mistão insigne:
Para admirá-la aproximei-me dela;
Eis que punge o apetite um grato aroma
Que dos ramos frondíferos se exala,
Muito mais aprazível, mais mimoso,
Que o suave cheiro do mais doce funcho
Ou do leite que à tarde está manando
Dos úberes das cabras, das ovelhas,
Quando os esquecem os cabritos e anhos
Retouçando no campo distraídos.
Resolvo não tardar um só instante
Em saciar o desejo que me abrasa
De provar as maçãs que são tão lindas:
Com simultâneo esforço a fome e a sede,
Por tão mimoso aroma estimuladas,
Irresistível persuasão me induzem.
Eis no tronco me enrosco e vou subindo,
Que do chão alcançar só pode ao fruto
O teu talhe e o de Adão que altivos se erguem:
Todos os outros brutos em que atentas
Da árvore andam em roda, igual sentindo
Ardor para o gozar, mas não lhe alcançam.
Chegada a meio tronco, já mui perto

Os frutos pendem tentadores, tantos...
Eis apetite irresistível me urge...
Apanho, e deles como ampla quantia,
Que tamanho prazer nunca eu gozara
No melhor alimento, em clara fonte.
Farta por fim, alteração estranha
Sinto em mim logo, e da razão o brilho
No entendimento meu sobe ao mor auge;
Vem pronto a fala, mas não mudo a forma.
Apliquei desde então a mente minha
Às especulações mais transcendentes:
E com ciência capaz, quanto é visível,
Quanto existe de bom, quanto há de belo
Na Terra contemplei, nos Céus, nos ares;
Mas quanto é bom e belo eu vejo unido
Em ti, de Deus imagem, que refulges
Imersa em luz de divinal beleza!
Da imensa Criação obra nenhuma
Pode a ti em beleza comparar-se:
Por isso hoje, talvez muito importuna,
Venho admirar-te e adoração fazer-te
Como à senhora que por jus domina
Os viventes do Mundo, o Mundo inteiro."

Assim a astuta, espiritada cobra
Conta o fato falaz. E Eva imprudente
Por este modo atônita responde:

"Serpente, a adulação com que me louvas
De tal fruto depõe contra a virtude
Que em ti primeiro se mostrou provada.
Porém dize-me, essa árvore... onde a viste?
Está longe daqui? Tão várias, tantas,
Pelo Éden são as árvores do Eterno
De que pode gozar a escolha nossa,
Que muitas há por nós desconhecidas;
Que em larga profusão ficam pendentes
Da maior parte os frutos inda intactos
E em tempo algum à corrupção sujeitos,

Até que em mais quantia nasçam homens
Que por sustento seu venham tomá-los,
E mãos que possam concorrer coas nossas
A aliviar dessa carga a Natureza."

Ardiloso e contente diz-lhe o bruto:
"Ó minha imperatriz, mal que ali passes
Do mirto a rua e a selva onde rescendem
O bálsamo mimoso, a loura mirra,
Logo a vês na planície ao pé da fonte:
É fácil o caminho e não extenso.
Se queres que eu te ensine, ali eu posso
Dentro em breves momentos conduzir-te".

"Pois sim" — diz-lhe Eva. Então ligeira a serpe
Dela adiante caminha e mesmo em roscas
Indica pressa de ultimar o dano:
A esperança do mal lhe entona o colo
E mais lhe brune a púrpura da crista.

Qual vaga luz que, do vapor oleoso
Pelos frios da noite condensado,
Se desprende coa força do ar movido,
Crendo as gentes que nela vem um trasgo,
E fulge balanceando o tredo brilho
Com que desvaira por pauis e lagos
O viajante noturno — que iludido
Se afoga e morre sem que alguém lhe acuda, —
Assim fulgura a pérfida serpente
E conduz Eva ao âmago da fraude.

Nossa crédula mãe... ei-la que chega
Ao pé do tronco da árvore vedada,
De todo o nosso mal infanda origem!
E, vendo-a, fala ao condutor destarte:

"Serpente, vir aqui nos foi inútil.
Posto dos frutos ser mui larga a cópia,
De seu poder só fica em ti a fama,
Portentoso se causa o que em ti vejo.
Mas provar ou tocar nós não podemos
Nesta árvore de Deus que assim o manda:

Dele temos este único preceito;
Em tudo o mais de nós somos lei viva,
É nossa lei somente a razão nossa."
O malicioso tentador replica:
"Pois certo?... De alguma árvore deste Éden
Manda-vos Deus que não comais os frutos,
Quando vos tem senhores declarado
De tudo que pertence ao térreo globo?"
Eva assim lhe responde inda inocente:
"Nós podemos comer dos frutos todos,
Exceto deste. A Adão o Eterno disse:
— "Desta árvore, que jaz no meio do Éden,
"Não comas, nem lhe bulas; senão... morres."

Disse este pouco. Então dobrando a audácia,
Em favor do homem zelo e amor fingindo
E indignação porque injustiças lhe urdem,
Um novo ardil o tentador adota.
Como turbado e de paixões movido,
Com garbo sobre as roscas se balança:
E logo, endireitando altivo o colo,
Inculca ir encetar um grave assunto.
Qual orador dos que afamados tinha
A nobre Atenas, a valente Roma,
(Enquanto nelas a eloquência augusta
Florescia coa luz da liberdade),
Que, importante discurso ruminando,
Todo em seu interior se recolhia,
Ao passo que uma ação ligeira nele,
Um lanço de olhos, qualquer gesto, tudo,
Antes da voz, os ânimos captava,
Té que, indo começar, erguia a frente,
Entrava na questão sem mais exórdios
Arrebatado pelo amor do justo, —
Dessa maneira o tentador se porta.
Flutua comovendo-se de afetos,
Alça depois o colo e assim prorrompe:

“Árvore sacra, manancial da ciência,
Teu poderoso influxo, oh quanto brilha
Dentro em minha alma que sapiente alcança
Por ele os nexos e as causais de tudo,
As mais profundas leis de quanto existe!
Imperatriz deste orbe, não te assustem
Essas ameaças rígidas de morte;
Tu não tens de morrer. Quem te matará?
Este fruto? Ele a vida nos outorga
E a ciência para ver quanto ela vale.
O ameaçador? a mim teus olhos lança;
Eu toquei e comi cópia de frutos...
E inda vivo, e mais nobre vida gozo
Do que o destino se propôs a dar-me:
Transpus as metas que me impunha a sorte.
Veda-se aos homens o que é franco aos brutos?
Ou por tão leve transgressão o Eterno
Quererá que se acendam seus furores?
E antes não folgará vendo tão firme
Teu brio audaz, a quem da morte o ameaço
(Seja a morte o que for) não desanima
De ultimar o que pode pôr-te em gozo
De vida mais feliz onde conheças
O bem e o mal (o bem, para segui-lo;
O mal, a ele existir, para evitá-lo)?
Ser justo Deus e castigar-te disto
Não pode; e não é Deus não sendo justo:
Obediência e temor nem se lhe devem.
Atenta que não passa de um fantasma
Esse medo da morte que te incutem.
E tal proibição que fim conhece?
Que fim, senão em sujeição manter-te,
Ou constituir-te coa maior infâmia
Ignaro adorador de seus caprichos?!
Ele bem sabe que, no dia ovante
Em que dos frutos ambrosiais comeres,
Teus belos olhos, que tão claros julgas

Mas que inda tolda escurecida névoa,
Com luz brilhante se abrirão de todo:
Ficarás desde então igual dos numes;
O bem e o mal conhecerás como eles.
Que tu alcançarás de Nume a essência,
Como eu a essência interna obtive de homem,
De proporção exata se conclui:
Minha alma de brutal passou a humana,
De humana a tua ficará divina.
Tua morte talvez seja o trocares
Pela essência divina a humana essência:
Então já vês a morte apetecível
Não obstante com ela te ameaçarem,
Porque em melhor estado te apresenta.
E os deuses o que são, para que os homens
Sejam privados de gozar como eles
A quota parte do manjar divino?
De existência anterior gabam-se os deuses,
E assim avançam que vem deles tudo:
Nossa credulidade abona este erro.
Mas... por que desta mui formosa terra,
Do Sol pelos fulgores aquecida,
Vejo tudo nascer, e deles nada?
Se eles fizeram tudo, se esconderam,
Nesta árvore, do bem e mal a ciência,
Por que dela qualquer, sem que eles lho obstem,
Come e a sapiência de repente alcança?
E que ofensa fará contra eles o homem
Que deste modo a ciência obter procura?
Que mal fazer-lhes tua ciência pode,
Que pode transmitir este almo fruto
Deles contra o querer, se tudo é deles?
Mas será isto inveja? E como é crível
Que em peitos celestiais a inveja more?
Estas e outras razões, tão várias, tantas,
Mostram que muito te convém tal fruto:
Colhe-o, dele te farta, ó Deusa humana."

Disse. E discurso tal, de astúcias prenhe,
Cala no coração da fácil Eva.
No fruto, que só visto tenta logo,
Os olhos fita — e ali fica pasmada:
Pelos ouvidos inda lhe murmura
O som dessas palavras tão suasivas,
Que de razão e de verdade julga.
No entanto já mei´dia lhe vem perto
E pungente apetite lhe provoca,
Maior do fruto pelo odor que encanta:
Eis já de lhe bulir e saboreá-lo
O desejo transmuda-se em suspiros;
Já lhe cintilam sôfregos os olhos...
Suspende-se contudo um breve instante...
E assim mesmo consigo ela reflete:
"Grandes por certo são tuas virtudes,
Ó rei dos frutos: se és vedado aos homens,
De causar alto assombro o jus não perdes:
Teu sabor, sempre incógnito, inda há pouco
Faz pela primeira vez falar um mudo,
E ensinou a tecer teu elogio
A língua para falas não disposta.
Quem nos veda comer-te não oculta
De nosso entendimento os teus louvores,
Quando Árvore da Ciência ele apelida
Essa que te produz, — ciência que abrange
Do bem e mal a vastidão imensa.
Quanto mais saborear-te ele nos obsta,
Mais tal proibição te recomenda, —
Porque dela se infere o bem sublime
Que tu transmites, que possuir devemos.
Não serve para nada um bem oculto;
Se existe assim, é nula essa existência.
Quem conhecer o bem ousa vedar-nos,
O bem e a ciência veda-nos de um golpe:
Cruéis, atrozes leis ninguém obrigam.
E se nós somos súditos da morte...

Façamos bem ou mal, vem ela sempre.
No dia em que esse fruto nós provarmos,
Alta sentença à morte nos destina:
E morreu porventura a audaz serpente?
Ela o fruto comeu... e vive... e fala,
Julga, tira ilações, pensa, calcula,
Se muda e irracional em tempos de antes.
Somente para nós foi feita a morte?
A intelectual comida a nós se nega
Quando tão livre se concede aos brutos?
Decerto aos brutos... e o primeiro deles
Que a provou, de tal bem não é avaro;
Antes alegre e generoso o inculca,
Isento de traições, estranho a fraudes,
Conselheiro insuspeito, amigo do homem.
Que temo eu pois? Ou, por melhor dizer-me,
Como sei eu o que temer me incumbe,
Se ignoro o bem e o mal, se não entendo
Nem lei, nem punição, nem Deus, nem morte?!
O remédio, que os danos todos cura,
Encontro neste fruto tão divino,
De lindo aspecto, de atraente aroma,
E de virtudes que a sapiência outorgam.
Colhê-lo, e por igual a mente e o corpo
Com ele alimentar, quem me proíbe?"

Assim dizendo, a mão desatentada
Ergue Eva para o fruto em hora horrível;
Ela o toca, ela o arranca, e logo o come.

A Terra estremeceu com tal ferida;
Desde os cimentos seus a Natureza,
Pela extensão das maravilhas suas,
Aflita suspirou, sinais mostrando
Da ampla desgraça e perdição de tudo.

Nas brenhas se sumiu a infanda cobra
Sem que Eva a pressentisse, que do fruto
Só no sabor de todo se enlevava.

Julga então que deleite semelhante
Jamais em fruto algum tinha provado;
Seria assim, ou foi a fantasia
Que, pela forte expectação da ciência,
Fez-lho assim conceber, escandescida:
Crê já que se ia transformar em Deusa!
Com sôfrego apetite ela se farta
Sem conhecer que em si entranha a morte.
Saciada enfim, porém toldada a mente,
Com insana alegria assim se aplaude:
"Ó rainha das árvores deste Éden,
Sublime no valor, grande em virtudes,
Fonte infalível da sapiência excelsa,
Té hoje foste incógnita, infamada,
E teu fruto formoso aqui pendia
Como se o destinassem para inútil.
Mas, todas as manhãs assim que acorde,
De hoje em diante virei louvor devido
Cantando dar-te, e teus vergados ramos
Do peso aliviarei tão franco a todos, —
Té que, de modo assaz por ti nutrida,
Chegar da ciência à madureza eu possa,
Igual dos deuses que conhecem tudo
(Os deuses que invejosos nos cobiçam
Os dons que temos, e que dar não podem, —
Pois, a ser tal primor dádiva deles,
Não teria em verdade aqui nascido).
Ó lúcida experiência, em ti observo
O mais certo farol; se tu não fosses,
Inda em si a ignorância me abismara!
Tu da sapiência abriste a estrada nobre,
Tu a fizeste ver de oculta que era.
Mesmo eu aqui talvez esteja oculta:
Muito alto está o Céu, alto e remoto,
Para ver bem o que se faz na Terra:
Outro objeto talvez distrai agora
O nosso imenso repressor severo

Da contínua atenção com que olha este orbe:
Talvez seus vigilantes atalaias
Todos agora os tem do trono em roda.
Porém... a Adão como hei de apresentar-me?
Far-lhe-ei minha mudança conhecer,
Dar-lhe-ei a partilhar minha alta dita;
Ou não será melhor guarda da ciência
Em mim todo o poder sem partilhá-lo?
Juntara assim ao feminino sexo
Atrativos de amor sempre invencíveis:
Do masculino sexo igual ficara,
E talvez (o que certo me lisonja)
Fora-lhe superior de quando em quando!...
Quem, de inferior no grau, pode ser livre?
Tudo isto pode ser: porém... que fora
Se Deus me houvesse visto e viesse a morte?
Desde então nunca mais eu existira, —
E Adão, devendo ser de outra Eva esposo,
Com ela viveria alegre... e eu morta!...
Morte é pensá-lo! Firmemente quero
Feliz ou desgraçado Adão comigo:
Tão terno e tão ardente amor lhe voto
Que as mortes todas suportara co´ele;
Viver sem ele não reputo vida."

Assim dizendo, da árvore se aparta
Mas antes faz-lhe humilde reverência,
Como ao poder que nela oculto mora,
De que ao fruto provém da ciência o suco,
Porção do néctar de que os numes bebem.

Por esse tempo Adão, que ansioso a espera,
Tecido havia de escolhidas flores
Uma grinalda para ornar-lhe as tranças
E as fadigas rurais assim coroar-lhe,
Como soem das messes à rainha
Fazer por gratidão os segadores.

Nova consolação, grande alegria
Promete a seu amor na volta dela,

Depois de ausência que supõe tão longa;
Mas de algum dano o coração pressago
Não deixava de em dúvidas metê-lo:
De tal ausência assaz conhece o risco.
Decide ir encontrá-la, e toma o rumo
Que ela pela manhã seguido havia:
Era o caminho da Árvore da Ciência,
Da qual Eva se aparta... e Adão que chega.

Na mão ela trazia um grande ramo
De belíssimos frutos carregado,
Que, em largo odor de ambrósia rescendendo,
Coa graciosa lanuge estavam rindo.

Para ele, assim que o vê, ela se apressa:
Sua desculpa traz no rosto escrita,
E astucioso louvor do que fizera.

Deste modo lhe fala meiga e branda,
E em frases próprias, que a mulher bem acha:

"Não te admirava, Adão, minha demora?
Nesta penosa ausência achei-te menos;
Mui pungente saudade e fez mais longa.
Que agonia a de amor! Nunca a sentira;
Nunca jamais a sentirei desde hoje:
Não mais tenciono suportar a pena
De te não ver: fui nisso leve e ignara.
Porém a causa ouvir de tal demora
Há de assombrar-te de estranheza e pasmo.
Esta árvore não é (qual se nos disse),
Para quem come dela, um dano imenso,
Nem para risco algum abre caminho;
Mas por divino efeito aclara os olhos
E ergue quem come dela ao grau de nume:
De tais prodígios há sobejas provas.
A serpente discreta (ou não obstada
Como nós somos, ou porque é rebelde)
Comeu do fruto, e... não morreu ainda
(Castigo com que muito nos ameaçam)
Pelo contrário, desde então possui

Humana voz, entendimento humano,
Persuasivo poder, razão pasmosa,
Que por bons argumentos conseguiram
Que eu comesse também tão grato fruto
E nele encontre análogos efeitos.
Sinto os olhos mais claros que eram dantes,
Mais vasta a mente, o coração mais nobre,
E ao ser de divindade ir-me elevando.
Para ti mais busquei tais privilégios;
Dispensá-los sem ti bem poderia:
Tenho por dita a dita em que tens parte;
Ódio e tédio me faz se a não partilhas.
Come também: no amor como iguais somos,
Nos dotes, na alta dita iguais fiquemos:
E bem pondera que, se tu não comes,
Diversa jerarquia nos desune;
E, quando mesmo renunciar eu queira
Ao grau de nume porque muito te amo,
Talvez já seja tarde e o fado mo obste".

Eva com ar ovante assim refere
A história sua, mas no rosto lhe arde
Da inquietação o selo rubicundo.

O triste Adão, assim que ouve a notícia
Da transgressão fatal feita por Eva,
Atônito ficou, pálido e mudo;
Frígido horror do sangue se lhe apossa,
E totalmente as forças se lhe quebram:
Da decepada mão por terra cai
A grinalda que de Eva ser devia;
As rosas todas murchas se desfolham.

Pálido e mudo está. Mas finalmente
Assim, depois de um ai, consigo exclama:

"Ó tu, de quantas obras fez o Eterno
A final, a melhor, a mais formosa,
Criatura onde em grau o mais subido
Havia tudo com que mais se encantam
O pensamento e os olhos, doce tudo,

Tudo sagrado, amável, bom, divino!
Como perida estás!... Como tão breve
Te desfigura e te desbota o crime!...
Como te vejo devolvida à morte!
E como a transgredir te resolveste
Restrição de tal força? e como ousaste
Violar o sacro, proibido fruto?
Do amaldiçoado, incógnito inimigo
Algum enredo te iludiu incauta, —
E a mim contigo à perdição levou-me,
Porque já decidi morrer contigo.
Certo, viver sem ti... eu... como posso?
Como deixar-me do prazer de ouvir-te,
E do tão terno amor que nos enlaça,
Para outra vez peregrinar sozinho
Por estes broncos e perdidos bosques?!
Se Deus quisesse produzir outra Eva
De outra costela minha, nem destarte
Deixara tua perda um só instante
De lacerar-me o coração saudoso.
Não! não! Sentindo estou que por mim puxam
Da Natureza os vínculos sagrados:
Carne e osso és tu da carne e ossos que tenho;
Fugir do teu destino o meu não pode;
Um só bem, um só mal, será o de ambos."

Adão assim falou: depois (como homem
Que desmaiou de dor, e, despertando
De torvos pensamentos combatido,
Se submete a desgraça inevitável)
Com Eva desabafa mais tranquilo:

"Cometeste, Eva, insana, um crime enorme;
Contra ti provocaste um mal imenso
Por setença infalível destinado;
Fora delito grande ousar coa vista
O sacro fruto cobiçar somente:
Mas... tocá-lo e comê-lo, transgredindo
De Deus o mando, excede as metas todas!

E quem no grande livro da existência
Pode apagar os fatos que existiram?
Ninguém! Nem mesmo Deus, nem mesmo o fado!
Mas contudo, inda assim talvez não morras!
Talvez que seja menos grave a culpa —
Estando os frutos, antes que os comesses,
Pela boca da cobra profanados
E tornando-se assim comuns a todos!
Em verdade, mortais não foram nela,
Porque (segundo contas) inda vive,
Vive e ganhou viver com senso de homem.
Válida persuasão daqui se infere
Para crermos que nós, comendo o fruto,
Proporcional ascenso alcançaremos
Que o grau dos numes há de ser por certo,
Ou dos anjos que ombreiam quase os numes.
Julgo que Deus, o Criador previsto,
Não quer de coração, posto que ameace,
Aniquilar em nós sua obra-prima
Que, levantada a perfeição tão nobre,
As outras obras suas muito excede, —
As quais (como ele as fez para uso nosso,
Dependentes assim de nós ficando)
Também, na queda nossa arrebatadas,
Precisamente morrerão conosco.
Deus, deste modo, dando-se por fútil,
Fizera, desfizera, aniquilara,
Com ilusões perdera tempo e lida:
Compatível com Deus, não é tal porte.
Mesmo a poder criar de novo tudo,
Ânimo não tivera de estragar-nos
Por não dar azo a que dissesse ovante
O adversário infernal: "Precária sorte
"Dos que esse Deus com mais favor protege!
"E quem por muito tempo conseguira
"Cair-lhe em graça? Desgraçou tirano
"A mim primeiro, a humanidade agora:

"A flux da perdição quem vai seguir?"
Não armará decerto o seu contrário
Com tão forte razão de tê-lo em pouco.
Porém... seja o que for! hei de contigo
Sofrer a mesma sorte, a mesma pena:
Se me é dado sofrer contigo a morte,
A morte para mim é como a vida.
Dentro em meu coração sinto com força
A vívida atração da Natureza
Para meu próprio bem que em ti reside,
Para ti que esse bem me constituis:
Não pode separar-se a sorte de ambos,
Ambos possuímos nós uma só carne;
Se te perdesse a ti... era eu perder-me!"

Falou Adão. E assim responde-lhe Eva:
"Ó de um imenso amor exemplo ilustre,
Memoranda evidência, insigne prova!
Muito me empenho, Adão, por imitar-te;
Longe porém da perfeição que te orna,
Como conseguirei chegar a tanto?
Porque nasci do lado teu, blasono;
Enlevada te escuto quando dizes
Que de um só coração, de uma só alma,
Por certo somos animados ambos.
Do que avanças faz prova o dia de hoje:
Antes a morte preferir declaras,
Ou tudo que em horror a morte exceda,
A separar-te da querida esposa:
Expões-te, preso por amor tão caro,
A tomar sobre ti a pena, o crime
(Se algum houvesse) de comer o pomo
Que tão grato é de ver, cuja virtude
(Pois que sempre do bem o bem emana,
Quer seja ocasional, seja direto)
Produz de teu amor esta alta prova,
O qual de outra maneira não pudera
Com tão grande esplendor fazer-se visto.

Se eu pensasse que a morte que se ameaça
Havia de seguir-se ao meu tentâmen,
Só eu da pena o mal sustera todo
E não te persuadira a partilhá-lo:
Antes só eu morrer do que induzir-te
A fato pernicioso ao teu sossego,
Mormente estando eu certa, inda que tarde,
De tua fé e amor que igual não contam!
Mas no futuro eu vejo outros sucessos:
Não morte, porém vida em grau mais alto.
Novos prazeres, novas esperanças,
Claros os olhos, paladar tão grato...
Que tudo, quanto saboreara dantes,
Insípido ou amargo lhe pareça.
Adão, descansa na experiência minha:
Dos lindos frutos livremente come,
E esse medo da morte entrega aos ventos."

Disse; — e nos braços ela o cinge e aperta,
Chorando de alegria e de ternura.

E venceu: que a paixão por ela o doma
A ponto de induzi-lo a que antes queira
A morte, o ódio de Deus, por não deixá-la.

Em prêmio (pois tão má condescendência.
Tem jus a prêmio tal!) of'rece-lhe ela,
Com franca mão, do fruto o lindo ramo.
Então ele, de escrúpulos despido,
Sabendo bem o que fazia, come
Não enganado mas... louco e vencido
Pelo poder dos feminis encantos.

A Terra toda estremeceu convulsa
Como pungida de outras agonias;
Deu segundo gemido a Natureza;
Surdo ruge em trovão, o Céu se tolda
E chora algumas lágrimas sentidas
Da culpa original no complemento.
Sem darem disso fé, Adão se farta,
E renovar a transgressão primeira

Eva quer por que mais o lisonjeie
Acompanhado-o assim no que lhe roga.
Porém depois, como toldados ambos
De vinho novo, em alegrias nadam:
Já imaginam que divina essência,
Dentro deles reinando, asas lhes cria
Com as quais voem desprezando a terra.
Eis que o falsário fruto lhes imprime
Antes disso um efeito desenvolto
E o carnal apetite lhes inflama.
Sobre Eva lança Adão sôfregos olhos,
Ela com outros tais lhe corresponde;
No fogo da lascívia ambos se abrasam,
Té que por esta frase Adão começa
De amor para o deleite a requestá-la:
"Tens, Eva, um paladar fino, elegante,
E da sapiência não pequeno vulto:
Por ti a cada pensamento nosso
Um sabor que lhe é próprio referimos:
Creio de intelecção dotado o gosto.
As graças rendo a ti porque alcançaste
Fazer assim brilhante o dia de hoje.
Perdemos de prazeres larga cópia
Enquanto deste fruto não comemos;
Nem tínhamos, como hoje, ideia exata
Do prazer, posto ser por nós sentido.
Se tal gosto há nas proibidas coisas,
Deveríamos querer que a dez subissem,
Em lugar de uma, as árvores vedadas.
Mas, fartos de manjar tão fresco e doce,
Vamos gozar um do outro: é justo, ó cara.
Desde esse dia em que te vi primeiro
Das mais sublimes perfeições ornada
E em que me concedeste a mão de esposa,
Nunca a tua beleza, como agora,
Conseguiu inflamar os meus sentidos
Com tal ardor de te gozar, ó bela.

Agora mais formosa estás que nunca:
Efeitos são desta árvore sagrada."

Assim falou, e amiúda uma sobre outras
As doces vistas, as carícias ternas
Que no êxtase de amor sempre triunfam:
Eva, que bem o entende, está vibrando
Dos meigos olhos contagioso lume.

Pega-lhe ele na mão, — e, sem que ela obste,
A leva para um sítio recatado
Todo coberto de viçosa rama:
Da fresca terra ali no mole grêmio
Colchão se afofa de jasmins e lírios
Com amores-perfeitos misturados.

De ondas de amores, de ondas de deleites
Descomedidamente ali se fartam:
De seu mútuo delito este é o selo,
Esta a consolação do seu pecado, —
Até que fatigados de prazeres
Um orvalhoso sono enfim os prostra.
Mas, tão depressa se exalou a força
Do tredo fruto (cuja sutil aura
Lhes insinuou hilariedade nímia
Por todas as internas faculdades),
O sono, então já tórpido e grosseiro,
De vapores danosos produzido,
De remordidos sonhos carregado,
Os míseros esposos abandona.

Como de sono mau, eis eles se erguem
E ambos se observam com espanto mútuo;
Acham seus olhos nimiamente abertos,
Suas ideias nimiamente obscuras:
A inocência — que, igual a véu tapado,
O mal lhes ocultara, — havia-se ido,
E co´ela a retidão, a fé, a honra,
Deixando-os de vergonha só cobertos,
Cujo manto mais nus inda os mostrava.
(Sansão terrível, o Hércules danita,

Assim se levantou do leito impuro
Da filisteia Dalila, acordando,
Tonsa a coma, quebrada a valentia).

Então sentados um defronte do outro,
Nus, despojados das virtudes todas,
Confusos muito tempo se conservam,
Calados como de mudez feridos, —
Té que Adão, posto estar não menos que Eva
Corrido de vergonha, estas palavras
Como entaladas exalou do peito:

"Ouvidos deste, ó Eva, em hora horrível
À cobra, ou gênio mau que lhe ensinara
Como contrafaria a voz humana:
Da nossa queda proferiu verdade;
Da nossa elevação mentiu em tudo.
Temos abertos desde então os olhos;
Tanto o bem como o mal nos é patente,
O mal por nós ganhado, o bem perdido.
Eis o fruto da ciência, se este nome
Cabe ao que assim nos deixa nus, sem honra,
Sem pureza, sem fé, sem inocência,
Que de esplendor té´gora nos ornavam!
Tudo manchado em nós, sórdido é tudo;
A impudicícia nos afeia as faces,
E o postremo dos males, a vergonha,
Nos diz que os outros todos nos pertencem.
Como daqui em diante olhar eu posso
Para a face de Deus ou para a do anjo,
Té´agora a miúdo e alegremente olhadas?
De suas formas celestiais o brilho,
Para nós hoje nimiamente intenso,
Há de ofuscar-nos os terrenos olhos!
Oxalá pudesse eu em gruta escura
Solitário viver, onde altos bosques
Larga sombra noturna desparzissem,
Impenetráveis sempre aos astros todos!
Cobri-me vós, pinheiros, vós, ó cedros;

Com vossas densas ramas escondei-me:
Não ouso ver jamais nem Deus, nem anjos!
Nesta árdua posição imaginemos
O que encobrir-nos melhor possa agora
Quanto a vergonha recatar nos manda:
Busquemos alguma árvore que tenha
Largas e brandas folhas que à cintura,
Cosidas juntas, a ocultar nos sirvam:
Não deixemos que o pejo nos consuma,
Nem também que nos tache de imprudentes."

Eis de Adão o conselho: ambos se entranham
Dentro do bosque espesso e nele escolhem.
A figueira — não essa que afamada
Hoje se estima pelo insigne fruto —
Mas que no Indostão estende os braços
Tamanhos em largura e comprimento
Que entram na terra ao longe recurvados
Tomando ali raiz donde outras surgem
Da árvore-mãe em torno árvores-filha.
(Colunatas, abóbados, arcadas,
Formam elas ali, sombrias, amplas
E passeios onde o eco repercute:
A miúdo neles o pastor indiano,
Fugindo do calor, abriga ao fresco
Os seus rebanhos que por sombras vastas
Em relva mui viçosa vão pascendo)

Dessas árvores folhas largas, longas,
Das Amazonas simulando escudos,
Colhem os tristes — e coa indústria própria,
Cosendo umas com as outras, largo cinto
Conseguiram fazer em que se envolvem.

Tentam destarte com baldado anelo
Cobrir seus crimes e hórrida vergonha!
Oh como esse atavio dessemelha
Da sua glória primitiva e nua!
(Tais neste último tempo achou Colombo,
Em selvagem nudez, só resguardados

Com cinturões de variegadas penas,
Da América os singelos habitantes
Vivendo entre arvoredos dilatados
No fértil continente, em férteis ilhas.)
    Adão e Eva, pensando que destarte
Sua vergonha de algum modo ocultam,
Já não em paz ditosa, já não livres,
Assentam-se no chão e aflitos choram:
Mas inda o pior não é o acerbo pranto
Que chove de seus olhos em torrentes;
Mais dolorosas ânsias lhes fulminam
A cólera, o rancor, suspeitas, ódios,
Raivas, discórdias, hórridas tormentas
Que furibundas se lhes lançam na alma, —
Região que antes possuía a paz celeste,
Mas agitada e turbulenta agora!
Seu juízo não regula, nem o atende
A vontade, que toda presa se acha
Do sensual apetite, baixo, imundo,
O qual agora da razão sob´rana
Insta por usurpar o sumo império.

    Mas eis que Adão, desordenada a mente,
A vista incerta, perturbado o estilo,
Com fala entrecortada a esposa increpa:
    "Se desses atenção às minhas vozes,
Ficando junto a mim, — como eu te instava,
Quando desta manhã no infausto instante
Tiveste o estranho ardor de te ausentares,
Ardor cuja causal eu não colhia, —
Nossa dita mudado não houvera,
Nem decerto estaríamos agora
De todo o nosso bem desamparados,
Nus, cheios de vergonha e de misérias!
Ninguém sem precisão busque sucesso
Que a sua própria fé submeta a provas:
Quem decide ultimar esta experiência,

Ressente-se de fé já corrompida."
Então subitamente Eva incitada
Pela ferina pua do reproche:
"Que termos proferiste, Adão severo!
Imputas-me (lhe diz arrebatada)
De minha ausência o ardor, que assim lhe chamas?!
E... quem sabe se o mal a ambos ferira,
Se me eu não fosse, ou mesmo a ti somente?
Aqui ou lá se a tentação tu visses,
Não discerniras fraude na serpente
Ouvindo-a discorrer como discorre.
Fundamento nenhum de inimizade
Podia entre ela e nós haver-se visto:
Logo, por que motivo ela buscara
Ocasiões de fazer-me ofensa ou dano?
De teu lado sair nunca eu devera?
Não mais fora isso do que eu ser como antes
Costela tua sem vontade própria!
E tu, de chefe meu na qualidade,
Por que com mando de absoluto efeito
Não me ordenaste que dali não fosse...
Sabendo tu que iria expor-me a danos?!
Em tua oposição tu fraquejaste,
E nímio fácil afinal me deste
Licença, aprovação, com rosto afável:
Se nessa oposição tu mantivesses
Caráter firme, decisão constante, —
Nem eu, nem tu, teríamos pecado!"
Iroso a vez primeira, Adão lhe torna:
"Amas-me assim, de meu amor extremo
Assim me recompensas, Eva ingrata?!
Não to expressei de indubitável modo
Quando, perdida tu, inda eu podendo
Gozar da vida e de imortal ventura,
A tudo preferi morrer contigo?
E tua transgressão lanças-me em rosto?!
Decisão assumir, firme caráter

Não soube, dizes tu, em reprimir-te:
Mais do que fiz... o que fazer pudera?
Baldei contigo admoestações, avisos...
Predisse-te as ciladas perigosas
Do inimigo solapado... e não me ouviste.
Mais que isto fora praticar violência,
E violência é absurdo repugnante
Co´os altos foros de vontade livre.
Confiança plena em ti havias posto:
Crias que mal algum se te atrevesse,
Ou ter matéria de provança ilustre!
Também talvez então já eu errasse
Por admirar demais o que em teu porte
Me parecia tão perfeito a ponto
De crer que ao mal inacessível eras!
Mas pesa-me desse erro, hoje, tornado
Em crime atroz... E tu dele me acusas!...
Ver-se-á acontecer o mesmo sempre
Ao que, ao tino da mulher confiando,
Deixe prevalecê-la em seu capricho.
Do esposo repressões ela rejeita:
E, se ele a deixa coa vontade de livre
E de tal indulgência o mal resulta,
Ela, a primeira, a frouxidão lhe increpa!"

Em mútua acusação eles sem fruto
Gastam assim as enfadonhas horas:
Nenhum deles em si confessa a culpa;
Faz-se a contestação interminável.

ARGUMENTO DO CANTO X

Conhecida a transgressão do homem, os anjos abandonam o Paraíso e voltam para o Céu provar a vigilância com que se comportaram. — Deus aprova-lhes o comportamento e declara que a entrada de Satã ali não podia ser obstada por eles. Manda seu Filho julgar os transgressores, o qual desce e profere a justa sentença; depois veste-os a ambos e torna para o Céu. — O Pecado e a Morte, sentando-se até então às portas do Inferno, pressentiram, por simpatia maravilhosa, o sucesso de Satã neste novo Mundo e a culpa cometida pelo homem: resolvem não mais estar confinados no Inferno, e propõem-se a seguir seu pai Satã à morada onde o homem residia. Para mais facilmente passarem do Inferno para o Mundo e deste para aquele, formam eles uma alta calçada ou ponte suspensa sobre o Caos na direção que Satã havia levado: quando se preparavam a passar ao Mundo, encontram Satã que, altivo pelo êxito de sua empresa, voltava para o Inferno. Congratulam-se entre si. Chega Satã a Pandemônio e em plena assembleia relata com ufania as suas vantagens contra o homem: em lugar de aplauso, é hospedado com um assobio geral de toda essa assembleia transformada repentinamente com ele em serpentes segundo a sentença dada no Paraíso. Então, iludidos com árvores que, semelhantes à proibida, ali se levantaram diante deles, sofregamente se lançam ao fruto e tragam terra e asquerosas cinzas. Procedimentos do Pecado e da Morte. — Deus profetiza a final vitória de seu Filho contra eles, e a renovação de todas as coisas: mas no entanto manda pelos anjos fazer diferentes alterações nos Céus e nos elementos. — Adão, percebendo cada vez mais sua decaída condição, aflitivamente se lamenta: rejeita as consolações dadas por Eva: ela persiste e por fim aplaca-o. Eva, para livrar da maldição a sua descendência, propõe a Adão meios violentos que ele não aprova; mas, concebendo ele melhores esperanças, recorda-lhe a última promessa feita a ambos de que sua prole se vingaria da serpente, e exorta-a para que ambos eles busquem, por meio do arrependimento e de súplicas, reconciliar-se coa Divindade ofendida.

CANTO X

o entanto soube o Céu atroz vingança
Que no Éden fez Satã na serpe oculto,
Pervertendo a mulher, e ela ao marido
Para comerem o funesto fruto.
Quem pode a Deus, que tudo vê e sabe,
Vendar os olhos, iludir a mente?
Justo ele, e sábio em tudo, não obstara
Que Satã investisse o senso do homem
Capaz, por livre arbítrio e inteira força,
De descobrir e repelir astúcias
De inimigo qualquer ou falso amigo.
　　Bem sabiam os pais da estirpe humana,
E recordar-se deveriam sempre,
O preceito que o fruto lhes vedava,
Seja quem for o que comê-lo os inste, —
E que a desobediência os punha incursos
Na pena. Menos... que esperar podiam?
Tão culpados a queda mereceram.
　　As angélicas guardas pressurosas
Do Éden aos Céus subiram: antevendo
Do homem os males em razão da culpa,
Silenciosas e tristes se mostravam;
E inda as espanta como pôde o imigo
Tão sutil e escondido ali meter-se.
　　Assim que estas notícias desastrosas
Nós Céus se espalham, — aflições, angústias,
Dos coros, que as escutam, se apoderam.
Aos celestiais semblantes não foi dado
Eximir-se das sombras da tristeza;
Porém, como a piedade entre elas brilha,
A dita de tais entes não perturbam.

Imensa multidão do povo empíreo
Acorre aos sócios que da Terra chegam,
E quer por miúdo ouvir o acerbo fato.
Ante o trono de Deus indo a dar contas,
Logo com reta alegação procuram
Vigilância provar em si contínua,
Que foi justificada mui de pronto.
O Eterno então, oculto em densa nuvem,
Assim fala (e trovões a voz lhe seguem):
"Coros, que o trono me cercais! Vós, anjos,
Cuja missão se malogrou no Mundo!
Não vos magoeis nem perturbeis co´os casos
Que, ocorridos na Terra, não podiam
Obstados ser por quanto zelo houvesse.
Profetizei-os em detalhe exato
Quando esse tentador, a vez primeira,
Vindo do Inferno, atravessou o Caos:
Disse-vos que ele em seu atroz projeto
Prosperaria, alcançaria a palma;
Que, lisonjeado e acreditando enganos,
O homem contra seu Deus seria iluso:
Sucedeu tudo assim. Por meu decreto
Não se fez necessária a queda sua,
Nem seu livre querer foi compelido
De modo algum: senhor de arbítrio próprio,
Pôde muito a seu gosto encaminhar-se.
Pecou: agora que fazer me cumpre
Senão impor-lhe à transgressão a pena
Que é destinada por sentença, a morte
Para o dia da culpa? Ele imagina
Fantasma vão a morte que não sente,
Como temia, por um pronto estrago:
Minha paciência, do perdão diversa,
Findará breve, finda antes da noite:
Minha bondade desprezada sofre,
Minha justiça desprezada pune.
Mas a quem mandarei para julgá-los?...

A quem, senão a ti, Filho dileto,
Que reinas junto a mim? Juiz te declaro
No Céu, na Terra, no Orco. Está bem visto
Que eu, do homem te incumbindo o julgamento
(Tu mediador, amigo, amparo do homem,
Que seu resgate e Redentor ser queres,
Que a ser Homem como ele te destinas),
Quero, em obséquio a ti, por ter dó dele,
À justiça juntar misericórida."

Disse o Pai, — e instantâneo, sobre a destra
Lançando uma aluvião de brilho e glória,
No Filho acende, plena e descoberta,
A divindade sua. Ele, fulgindo,
Expresso todo em si seu Pai ostenta,
E com doçura empírea assim responde:

"Decretar te pertence, ó Pai eterno,
E a mim, tanto nos Céus como no Mundo,
Cumprir tua vontade soberana,
De maneira que sempre em mim tu possas
Descansar plenamente satisfeito,
Em mim que sou teu Filho muito amado.
Vou da Terra julgar os transgressores:
Mas tu bem sabe que, no próprio tempo,
O maior peso da sentença sua,
Seja qual for, em mim recair deve:
Diante de ti comprometi-me a tanto.
Não me arrependo, e assim o jus obtenho
Dessa sentença mitigar de sorte
Que seja para mim menos pesada.
Eu coa misericórdia hei de a justiça
Temperar tanto, — que serão, de todo,
Tu aplacado, satisfeitas elas.
Não necessito de cortejo ou pompa:
Ninguém ao reto tribunal acorre
Mais que os culpados, que são dois somente:
O terceiro fugiu; convence-o a fuga;
É condenado ausente, às leis rebelde.

Nenhuma convicção pertence à cobra."
    Disse. E se ergueu do fulgurante assento,
Onde ao lado do Pai se imerge em glória:
Coros, poderes, principados, tronos,
Té às portas do Céu seguem-no humildes,
Ante as quais o Éden fica e as plagas do Éden.

    Em direitura desce o Nume-Filho:
O tempo, que de rápidos instantes
Compõe as asas, nem assim avonda
Para aos numes regrar a ligeireza.
    O sol radiante já longe do zênite
Se inclina para o ocaso: as mansas brisas,
Então dispersas, lidam adejando
Por tornar fresca a tarde e amena a Terra.
Eis chega o nume: só vislumbres de ira,
Intercessor e juiz, no rosto mostra:
Clemente vem julgar do homem a culpa.

    Passeando no jardim o par humano
Ouviu a voz de Deus, que lha trouxeram
Ligeiras virações, baixando o dia;
Ouviu, e se escondeu no espesso bosque.
    Então o Nume-Filho, já mui perto,
Brada assim por Adão em voz subida:
"Adão, onde é que estás? Pronto e contente
Avistavas-me ao longe... e a mim tu vinhas:
Menos aqui achar-te me desgosta.
Por que coa solidão tu te divertes
Quando antes vinhas por dever buscar-me?
Sou menos respeitável? Que mudança
Te fez fugir, que acaso te demora?
Vem cá já." — Ele vem, e Eva com ele
Mais atrás (posto adiante estar na culpa),
Ambos confusos, perturbados ambos.
O amor nos olhos deles não reside,
Nem para com seu Deus, nem um pelo outro;

Mas sim vergonha, desespero, crimes,
Malícia, obstinações, furores, ódios!
Adão, depois de balbuciar com susto,
Nestas poucas palavras lhe responde:
"Ouvi-te no jardim, fiquei com medo;
Vi-me nu, escondi-me." — Assim lhe torna
O bondadoso juiz sem modo irado:
"Minha voz de outras vezes tens ouvido
Sem teres medo e até muito folgando:
Como agora me julgas tão temível?
E que tem disse que estás nu? Acaso
Da árvore proibida tu comestes?"
Apertado destarte, Adão responde:
"Céus! em que aperto aterrador me imerge
Defronte do meu juiz o dia de hoje!
Ou hei de eu só da culpa o inteiro peso
Carregar sobre mim, — ou hei de a culpa
Também fazer pesar sobre outro eu mesmo,
Que vive desta vida de que eu vivo
E cuja falta, enquanto na pureza
Tão caro objeto para mim brilhasse,
Eu ocultar devia, não o expondo
Por queixas minha a censura austera.
Mas agra força, precisão invicta,
Me levam violentado, porque temo
Sobre minha cabeça despedidas
Culpa e pena, cada uma em peso toda,
Cada uma de per si insuportável.
E... inda eu guardando pertinaz segredo,
Tu podes descobrir quanto eu oculte.
Esta mulher que para meu auxílio
Fizeste, — e, com dádiva perfeita,
Ma concedeste tão formosa e boa,
Tão amável, tão própria, tão divina,
De cuja mão nem mesmo eu suspeitava
O mal mais leve, e cujas obras todas
(Fossem em si quais fossem) eu supunha

Justificadas porque dela vinham, —
Esta mulher os proibidos frutos
Trouxe e deu-mos; comi também eu deles."

O Nume soberano assim lhe torna:
"O Deus que te criou era ela acaso,
Para lhe teres obediência cega
Qual deves a ele só? Era teu guia,
Teu chefe, ou mesmo igual, a quem devesses
Resignar teu ser de homem, teu destino,
Onde Deus te elevou muito além dela
(Ela de ti e para ti só feita;
Tu, que de todo em perfeição, em dotes,
Em verdadeira dignidade a excedes)?
Era ela amável, adornada e própria
Para captar-te amor; sujeição, nunca.
Eram seus dons, quais pareciam, aptos
Para ob´decerem ao regime de outrem,
Mas incapazes de per si regerem:
Esta prerrogativa é própria tua,
E muito bem por experiência o sabes."

Tendo falado assim a Eva pergunta:
"Dize, mulher, o que fizeste?" — Eis ela,
Quase de todo opressa de vergonha,
Não tarda em confessar, tímida e breve
Diante do seu juiz. E assim responde:
"Eu comi deles; enganou-me a serpe."

Tanto que isto escutou o excelso nume,
Dita a setença da acusada cobra,
Posto que ela de bruto não passasse,
E incapaz fosse de lançar o engano
Sobre quem, da maldade que lhe é própria,
Mero instrumento a fez, também podendo
De sua criação o fim viciar-lhe.

Pervertida destarte a sua essência
Foi ela justamente amaldiçoada:
O homem, cujo intelecto a mais não ia

Não tinha jus de conhecer mais nada;
Nem tal conhecimento desfizera
Nem o pecado seu, nem seu castigo.
    A Satã, que o primeiro era na culpa,
Condena logo, e envolve-lhe a sentença
Na maldição da cobra, ali usando
Místicos termos que adequados julga:
    "És, pelo que fizeste, amaldiçoada
Entre os animais todos, ó serpente:
Sempre de bruços andarás, a rojo,
E terra comerás enquanto vivas.
Uma de outra serão sempre contrárias
Tu e a mulher, também de ambas os filhos:
Prole sua a cabeça há de pisar-te
E tu procurarás o pé morder-lhe".
    Assim por este oráculo se exprime
Que se cumpriu em ulteriores tempos,
Quando Jesus, o Filho de Maria
(Que Eva segunda foi), tendo avistado
Satã, príncipe do ar, cair do Empíreo,
Se ergueu da sepultura e, despojando
Os principados e poderes do Orco,
Subindo aos Céus em ascensão brilhante,
Levando pelos ares espaçosos
Cativo o cativeiro e o próprio império
Que arrebatado por Satã lhe fora,
Em plena pompa triunfou ilustre:
Ele, que assim lhe vaticina o estrago,
Há de em prazo oportuno permitir-nos
Que sob os nossos pés o conculquemos.
    Destarte sentencia a mulher logo:
"Eu multiplicarei tuas angústicas
Enquanto o fruto teu no ventre encerres;
Angústias mil assediarão teu parto.
Ficas do esposo teu sujeita ao mando;
Há de ter ele em ti mui pleno império."

Por fim esta sentença a Adão fulmina:
"Porque a tua mulher crédito deste
Comendo os frutos da árvore vedada
(Recomendando-te eu — *dela não comas*),
Por causa tua a terra está maldita.
Dela tens de tirar o teu sustento,
Enquanto vivas, a poder de angústias:
Há de ela produzir-te espinhos, cardos,
E terás que comer do campo as ervas:
Só comerás teu pão quando o ganhares
Co´o suor de tuas faces escorrendo, —
Até que tornes outra vez à terra
De que és feito pó, ao pó tornar te incumbe."

Desta maneira foi o homem julgado
Por Deus que juiz e salvador se ostenta,
O qual também lhe removeu mui longe
A morte que lhe estava destinada
Para o dia da culpa em pronto golpe.

Doendo-se de os ver nus em livres ares
Que alterar-se de todo então deviam,
Não se dedigna de fazer-lhe logo
De servo o ofício (como quando lava
Os pés dos servos seus, passadas eras):
Qual o pai de famílias, veste agora
A nudez deles de animais coas peles
Ou que morreram, ou que inteiras largam
Reparando-as com outras (como a cobra).
Nem precisou pensar por largo tempo
Como a nudez cobrir de seus contrários.
Não só por fora os veste; igual lhes cobre
A nudez interior mais torpe ainda,
Seu manto de justiça lhe lançando
Com que a subtrai aos olhos de seu Pai.

Depois regressa aos Céus o Nume-Filho
Em rápida ascensão, e entra de novo
Do Eterno-Pai no sacrossanto seio

A desfrutar a sempiterna glória:
De todo o acha aplacado, e diz-lhe tudo
(Posto sabê-lo) que fizera no Orbe,
E suave intercessão também ajunta

Antes de haver na Terra culpa e pena,
Dentro das portas do Orco se assentavam
A atroz Fúria-Pecado e o Monstro-Morte
Defronte um do outro. Assim que o rei do Inferno
Por elas passa, abrindo-lhas a Fúria,
Sempre de par em par abertas ficam,
Lançando flamas rápidas, imensas,
Para dentro do Caos, ao longe muito.
E agora ao Monstro-Morte se dirige
A mãe perversa nos seguintes termos:
"Por que motivo, ó filho, em ócio ignóbil
Nos estamos a olhar aqui sentados,
Ao passo que Satã, pai nosso ilustre,
Em outros Mundos prosperando apronta
Para nós, sua prole tanto amada,
Estância mais feliz? Tão alta empresa,
Só bem indo ele em tudo, obtê-la pode.
Se o seguisse a desgraça, era já tempo
De estar aqui, trazido maniatado
Pelos seus inimigos furibundos,
Que outro nenhum lugar convém como este
A tanta punição, tanta vingança.
Seja o que for que dentro em mim resida,
Ou simpatia, ou forte e ínsito impulso
Para a distâncias grandes se juntarem
Coisas iguais em amizade oculta
Por caminhos de todo impenetráveis, —
Parece-me que sinto em mim erguer-se
Mais ampla força, que me crescem asas,
Que deste abismo além se me faculta
Domínio encantador, imensurável.
Tu, minha sombra, a mim chegada sempre,

Deves comigo vir: nada há que alcance
Que do Pecado se desuna a Morte.
Porém primeiro, — a fim que algum obstác´lo
Do nosso pai a volta não demore
Por esse Abismo intransitável, ínvio, —
Tentemos obra de arrojada empresa
Mas para nossas forças mui possível:
Fundemos nesse oceano turbulento,
Que desde o Orco se alonga até ao Mundo
Onde agora Satã prospera ovante,
Uma passagem, monumento altivo
Que as hostes infernais terão em muito,
Para ida e volta ou transmigrarem, como
Lhes der o fado seu. Tão atraída
Por este novo instinto e forte impulso,
O rumo verdadeiro errar não posso."

O mirrado fantasma logo diz-lhe:
"Vai onde o forte instinto e amigo fado
Possam levar-te; atrás de ti não fico;
Sendo tu guia meu, nunca me perco.
Já sentir creio o cheiro da carnagem
E deleitar-me co´o sabor da morte
Emanados de tudo que lá vive
Nesses Mundos, despojo inumerável.
Nem para essa obra, que fazer procuras,
De menos me acharás: dou quanto deres."

Disse; — e com fero gosto inspira o faro
Da mudança fatal que houve na Terra.

Qual de aves carniceiras largo bando
Que, pressentindo muitas léguas longe
Exércitos em campo já dispostos
Para crua peleja, voa em rumo
Do cheiro que até´li chega exalado
Pelo corpos que à morte se destinam
Em crástina batalha sanguinosa, —
Assim farisca o tétrico fantasma,
Para os ares escuros levantando

As cavernosas, dilatadas ventas,
E da presa longínqua o cheiro colhe.

Então os monstros ambos se arremessam
Fora das portas do Orco, entrando audazes
Na vastíssima e férvida anarquia
Do Caos negro e fluido. Cada um deles
Toma voo diverso, — e, pondo em obra
Inteiro o seu poder (poder imenso!)
Pousa sobre esse fluido, e, bracejando,
Ajunta quanto sólido e viscoso
Encontra ali boiando abaixo, acima,
Como em mar que borrascas encapelam;
Depois cada um, de sua banda, empurra
Quanto há juntado para as portas do Orco
(Assim dois ventos, que do polo ruem
No Crôneo mar soprando convergentes,
Serras de gelo juntamente arrastam
E com elas entupem o caminho,
Que a leste de Petzora se suspeita
Ir ter às costa da opulenta China!)
O Monstro-Morte, vendo aglomerados
Os materiais precisos, alevanta,
Como um tridente enorme, a clava sua,
Petrificante, seca, enregelada, —
E co´ela os bate e fixa tão imóveis,
Qual hoje é Delos que boiava dantes:
O resto os olhos seus agregam, prendem,
Com gorgôneo poder: a obra se avança
Com asfáltico glúten betumada,
Tão larga qual a porta inteira do Orco,
Tão funda que a sustenta o chão do Abismo.
Eis ultimada surge a mole imensa
Por cima desse mar, arqueada, altiva:
Era uma ponte de extensão pasmosa
Que do limiar do Averno se estendia
Até deste orbe ao muro inabalável,

Hoje indefenso, possessão da morte, —
Passagem sendo assim cômoda e fácil
Entre o mísero Mundo e o negro Inferno.
(Por este modo, se às pequenas coisas
Podem as grandes coisas comparar-se,
Veio Xerxes, magnífico deixando
Seu Menônio palácio na alta Susa,
A subjugar da Grécia a liberdade:
Para esse fim sobre o Helesponto lança
Uma atrevida ponte com que junta
Da Europa e da Ásia as praias desunidas,
E com golpes quantiosos de vergastas
Soberbo açoita as indignadas ondas).

Maravilhoso aspecto apresentava
Esta fábrica esplêndida. Veríeis
No ar cordilheira de montanhas pênseis
Sobre o vexado Abismo, dirigida
Pelo caminho que Satã levara
Até ao sítio em que pousou primeiro
Tomando a salvo terra aquém do Caos,
Na árida face do globoso Mundo:
E gateadas correntes de diamante
Inda a própria firmeza lhe seguram;
Danosa segurança perdurável!

Eis aos confins do Empíreo-Céu já chegam,
Donde avistam o globo, e sobre a sestra
Em grande longitude o Orco lhes fica.

Dentro em pequeno espaço observam logo
Três caminhos, dos quais cada um se estende
A uma das três regiões em torno vistas.

Espiando então o que vai ter o globo,
Primeiramente o Paraíso indagam:
De súbito eles a Satã descobrem
Que, na figura de radiante arcanjo,
Subia a prumo entre Centauro e Escórpio
Enquanto o Sol em Áries se levanta:

Vem disfarçado, mas seus caros filhos
Logo mesmo em disfarce o pai conhecem.
  Assim que feito cobra Eva enganara,
Tinha-se ele sumido imperceptível
Mui dentro pelo bosque; mas de pronto
Muda de forma e espreita o resultado.
Viu que Eva, não pesando o negro crime,
Fez repeti-lo pelo cego esposo;
Viu coradas de pejo as faces de ambos
Quando vãs coberturas procuravam:
Porém, assim que viu descer do Empíreo
O Nume-Filho a sentenciar tais culpas,
Fugiu amedrontado, — não que espere
Escapar-lhe à vingança merecida!
Mas... eximir-se quer, no atual relance,
Do estrago com que a cólera divina
Podia em súbita explosão prostrá-lo.
Passado risco tal, volta de noite;
E, do par infeliz ouvindo as queixas,
As aflições e angústias, delas colhe
Que ele próprio também foi condenado, —
Mas que a sentença para já não era,
Devendo em prazo póstero cumprir-se.
  Então, de novas e alegria cheio,
Para o reino das trevas regressava...
Eis que à margem do Caos, já mui perto
Dessa recente e portentosa ponte,
Dos filhos goza o encontro inopinado
Que amorosos do pai em busca vinham.

  Muito folgou Satã com este encontro;
Porém sua alegria não tem metas,
Olhando dessa ponte a maravilha.
Por muito tempo em pasmo a considera,
Té que a Fúria-Pecado, que presume
De sua filha encantadora e bela,
Por estes termos o silêncio rompe:

"Tuas são estas obras portentosas,
Teu são estes troféus, ó pai amado;
Tu que te admiras deles não os querendo
És deles o arquiteto e o autor primeiro.
Tão prontamente o coração me disse
(Meu coração que, em harmonia oculta,
Juntamente co´o teu sempre se move,
Em doce intimidade unidos ambos)
Que tu na terra prosperado havias,
O que também ora teus olhos mostram;
Não tardei em sentir, posto afastada
Estar de ti por multidão de mundos,
Que em companhia de teu filho heroico
Me cumpria seguir teus nobres passos, —
Tanto é o enlace que a nós três nos liga!
Não pôde mais o Inferno em si conter-nos,
Nem este mar obscuro, instransitável,
Pôde impedir-nos de vir ter contigo.
Tu completaste a liberdade nossa,
Confinada até´qui do Inferno aos muros:
Tu nos deste o poder de até tão longe
Nossos redutos avançar, lançando,
Com esta portentosa, imensa ponte,
Pesado jugo ao turbulento Abismo.
Já todo o mundo é teu; tua virtude
Obras ganhou por tua mão não feitas:
Tua sabedoria mais obteve
Do que perdemos por infausta guerra,
E completa dos Céus tirou vingança.
Se reinar neles te não for possível.
Nestes teus Mundos reinarás ovante.
Deixa que o Vencedor os Céus governe
Como o jus lho franqueia das batalhas:
Destes recentes orbes mui distante,
Que a si aliena por sentença própria,
Daqui em diante partirá contigo
Quanto aquém fique dos confins celestes;

O Céu quadrangular tenha ele em posse,
Seja o globoso Mundo o teu império;
Ou então que se atreva a provocar-te
Agora que a seu trono és mais temível!"

Logo contente diz-lhe o rei das sombras:
"Formosa filha, e tu meu filho e neto,
Provas subidas tendes dado agora
De que sois de Satã a estirpe ilustre
(Pois que de nome tal eu me glorio
Como êmulo do Rei dos Céus supremo).
Beneméritos sois de mim e do Orco,
Vindo tão perto dos umbrais do Empíreo
Juntar à glória minha a vossa glória,
Vosso triunfo eterno ao meu triunfo:
Do Orco e Mundo um só reino assim fizestes,
Um reino, um continente sempre unido
Em mútuo trato, em harmonia mútua.
Enquanto eu desço penetrando as trevas,
Mui facilmente pela vossa estrada,
Para ir aos sócios meus dar de mim conta
Informando-os de quanto no orbe hei feito,
E de tal feito com eles aplaudir-me, —
Por este rumo, entre orbes cintilantes,
Tantos e vossos todos, discorrendo,
Lá do Éden ao jardim descei vós ambos:
Neles morai, reinai em plena dita;
Francos dali regei a terra e os ares,
Mormente esse homem, possuidor de tudo;
Desde logo o fazei vosso cativo
Em firmes ferros e por fim matai-o.
Meus substitutos com poderes plenos
Eu vos nomeio, e vos envio ao Mundo;
Exercei um poder incomparável
Que de mim tão somente se deriva.
Do vigor de ambos vós depende agora
A minha posse destes novos reinos
Que o vencedor Pecado entrega à morte,

Pelas minhas façanhas conduzido.
Se vosso unido esforço prevalece,
Estão seguros os negócios do Orco:
Ousados ide, e de valor armai-vos."

Assim disse; e os despede. Pressurosos
Entre as constelações, tantas e tantas,
Passando vão e seu veneno espargem.
Crestadas por influência tão maligna
Logo as estrelas pálidas desmaiam;
E os planetas, assim também feridos,
Em verdadeiro eclipse a face escondem.
Satã, por outro lado, o Inferno busca
Passando sobre a nova e ingente ponte:
Partido em dois o subjugado Caos
Brama raivoso, — e contra a ponte arroja
Líquidas, negras, estrondosas serras,
Que ela repele com desprezo ovante.
As portas do Orco brevemente cruza,
Espaçosas, abertas, não guardadas,
E acha tudo ermo ali: — as guardas delas,
Deixando o posto, ao Mundo etéreo voaram;
E quanto havia das legiões do Inferno,
Para o interior se retirando, acampa
Em torno do soberbo Pandemônio,
Cidade e corte do infernal tirano,
Que Lúcifer chamado foi outrora
Por se lhe assemelhar da tarde a estrela.
O tenebroso exército ali todo
Alerta estava, enquanto os grandes chefes
Fazem conselho ventilando o caso
Que obstar do enviado rei pode o regresso:
Ele, quando partiu, deixou tais ordens,
E os súditos agora assim lhes cumprem.
Como das hostes russas se retiram
Por Astrakan os tártaros, deixando
Após si campo imenso de erma neve, —
Ou como foge de otomanas luas

G. Doré

Da Bactriana o sofi, em ruínas pondo
Tudo além de Aladúlia, enquanto alcança
De Casbin ou de Táuris o refúgio, —
Assim essas legiões do Céu banidas,
Abandonando os términos do Inferno
Por léguas muitas mil neste comenos,
Com anelante alerta estão velando
Da metrópole sua junto às faldas,
E a cada instante esperam ver de volta
O herói descobridor de estranhos mundos.
Como incógnito, então o rei das trevas
A multidão passou, afigurando
Soldado peão na angélica milícia.
Entrando as portas da plutônia sala,
Vai-se invisível aos degraus do trono
Que no topo se eleva, adereçado
De riquíssima pompa e régio brilho:
Ali sobe e se assenta. Alguns instantes
Olha de si em torno, e vê não visto,
Mas logo, como se uma densa nuvem,
Cobrindo-o, pronta se rasgasse agora,
De improviso seu talhe e fronte altiva
Majestosos e fúlgidos se ostentam,
Parelhos às estrelas mais brilhantes
(Porém são falsos esse brilho e glória;
Só para certos fins se lhe toleram
Depois do crime seu). Todo abismado
À vista de fulgor tão repentino,
O exército infernal observa atento
E reconhece o regressado chefe,
Por cuja volta ansioso suspirava.
Retumbou nas abóbadas malditas
Por longo tempo a aclamação de aplauso.
Precipitados os magnates deixam
Não findado o conselho tenebroso;
E com prazer, que igual em todos brilha,
O monarca triunfante congratulam.

Então ele coa mão impõe silêncio,
E capta as atenções com tais palavras:

"Tronos, domínios, celestiais poderes,
Não vos competem só por jus tais nomes,
Mas desde hoje também por posse os tendes.
Volto aqui mais feliz do que esperava:
Levar-nos-ei triunfantes fora do Orco,
Fora deste atro Abismo abominável,
Maldita estância de hórridas angústias
Onde nos encerrou nosso tirano.
Ides daqui possuir como senhores
Mundo espaçoso que bem pouco cede
Ao nosso pátrio Céu: a minha audácia
Vo-lo alcançou vencendo extremos riscos.
A miúda narração fora mui longa
Do que hei sofrido e feito, e da árdua pena
Com que viajei atravessando o Abismo,
Vasto, inquieto, confuso, ilimitado,
Sobre o qual ponte imensa foi erguida
Pelo Pecado e Morte, assim franqueando
Vossa gloriosa marcha em rumo do orbe.
Direi somente que a passagem minha
Por mim aberta foi: montei ousado
Do Abismo nas espaldas insofridas;
No seio me entranhei da noite eterna;
Esse Caos espantoso devassei,
Que, em extremo zelando os seus segredos,
Feroz se opôs com clamoroso estrondo
À minha estranha viagem, protestando
Contra essa violação perante o fado.
Por fim dei vista do recente Mundo
Que anciã fama nos Céus preconizara,
Maravilhosa fábrica perfeita
Onde o homem, por suprir-se a nossa falta,
Criado foi e colocado logo
Num Paraíso de delícias cheio.

Com meus enganos seduzi-lo pude,
Afastando-o de Deus que o ser lhe dera;
E o que mais tem de admiração causar-vos,
É ser tal sedução... feita com um pomo!
Por este fato Deus todo ofendido
(O que do riso vosso é digno e muito)
O par humano, que prezara tanto,
Pôs, com esse orbe de que os fez senhores,
Sob o domínio do Pecado e Morte,
Como amplo espólio seu: daqui bem vedes
Que sem perigo, sem trabalho ou susto,
Possuímos já esse orbe onde habitemos;
Possuímos o homem, nele dominamos
E em tudo o mais que por senhor o tinha.
É certo que eu também fui condenado,
Ou antes (que não eu) a bruta cobra,
De cujo corpo me vestindo astuto
Pude ultimar a rebeldia do homem:
Minha setença impõe-me a inimizade
Que haverá entre mim e os homens; devo
Morder o calcanhar da prole sua, —
E esta, sem que inda se prefixe o prazo,
Há de vir a pisar minha cabeça.
Mas quem não quererá comprar um Mundo
Por uma simples pisadura, ou mesmo
Por outras penas... inda sendo atrozes?
Eis breve narração da empresa minha:
Que resta mais agora a vós, ó Numes,
Senão irdes entrar em plena dita?"

Assim falou, e demorou-se um tanto —
Esperando escutar, com grato ouvido,
Geral aplauso aclamação ingente...
Eis que, pelo contrário, ele ouve em torno
Um silvo universal de imensas línguas,
Horrível som de público desprezo.

Extático pasmou. Porém de pronto
Mais de si pasma: sente o seu semblante

Descarnar-se, aguçar-se, contrair-se;
Nas ilhargas sumirem-se-lhe os braços;
As pernas logo entortilharem-se ambas;
E dar consigo em terra comprimido
Sob a figura de serpente enorme,
Só possível lhe sendo andar de rojo.
    Procura resistir, — porém debalde...
Que poder superior o abate e doma,
Castigando-o, conforme o seu julgado,
Na figura em que tanto delinquira.
Quer falar, — mas de silvos longa série
De língua bifarpada obter só pode,
Só assim respondendo aos longos silvos
De outras imensas línguas bifarpadas, —
Pois que do Orco os guerreiros já, como ele,
Eram serpentes todos, tendo entrado
Com fúria audaz na rebelião segunda!
    O ruído sibilante estruge horrível
No salão infernal, que ferve cheio
De monstros serpejando furibundos,
Vários em caudas, vários em cabeças:
Aqui são hidras, élopes medonhos,
Áspides, escorpiões; além são dipsas,
Anfísbenas, cerastes truculentas:
Nunca ferveu depois com tal quantia
Nem Ofiúsa, nem todo o largo campo
Da Górgona onde o sangue se esparzira.
    Entre todos também maior avulta
O tenebroso rei, dragão gigante,
Muito maior do que Píton imenso
Que o Sol no Pítio chão gerou de lodo:
Sobre eles todos mesmo assim parece
Que inda conserva seu poder antigo.
    Eis que fora saiu a campo aberto,
E o seguem todos: de batalha em ordem
O resto estava lá dos que do Empíreo
Pela atroz sedição expulsos foram,

G. Doré

E esperam insofridos ver quanto antes
Em triunfo aparecer seu chefe augusto.
Viram (mas não decerto o que esperavam)
Cópia sem conto de disformes serpes:
Então, de horror simpático tomados,
Sentem em si o que estão vendo aos outros;
Caem seus braços e broquéis e lanças,
Caem mesmo eles igualmente logo
E em serpes semelhantes se transmutam,
Os formidáveis silvos renovando:
Destarte, como por contágio, adquirem
Igual figura, igual enormidade,
Sendo no crime iguais e iguais na pena.
Assim o aplauso, que elevar queriam,
Mudado foi em silvos de desprezo,
Triunfo, que só pregoa alta vergonha
E suas próprias bocas lhes ministram.

Perto dali havia extenso bosque,
Surgido assim que em serpes se mudaram:
Frutos iguais aos produzidos no Éden,
Que de Eva foram o fatal engodo
Tão bem disposto por Satã arteiro,
Imensos dessas árvores pendiam:
Tudo são ordens do que no alto reina
Para o castigo lhes tornar mais duro.

Nesse estranho prospecto ardentes olhos
Fixam eles cuidando que pululam,
Em vez de uma só árvore vedada,
Muitos milhares delas dirigidas
A mais cravá-los na desgraça e infâmia.
Contudo, esses precitos, devorados
De crua fome, de escaldada sede,
Não se podem conter: uns sobre os outros
Às rebatinhas pelos troncos trepam
Ansiosos se enroscando, e não ignoram

Que tudo existe ali para enganá-los:
Eram mais bastos que a vipérea grenha
Que ondeando eriça de Megera a fronte.

Sôfregos colhem o vistoso fruto,
Semelhante aos que pendem enganosos
Junto ao funéreo lago de betume
Onde flamas Sodoma consumiram:
Mas este é mais falaz, que engana o gosto.
No entanto, loucamente imaginando
Saciar no novo fruto a fome ardente,
Em vez de frutos mastigaram cinzas,
Que amargas e nauseosas arrevessa
Lesado o paladar entre mil ânsias,
De estrondosos engulhos mais pungidas.
Apertando-os voraz a fome e a sede,
Logo aos frutos cruéis a miúdo voltam,
E a miúdo o saibo insuportável curtem,
De agro tédio as queixadas retorcendo,
Asquerosas de cinzas e ferrugem;
Nesta mesma ilusão caem cem vezes, —
Quando o homem, de quem pérfidos triunfam,
Só uma vez se despenhou no crime!

Destarte se consomem, se atormentam
Com fome urente e silvos incessantes,
Té que, por permissão do imenso Nume,
A sua forma prístina recobram:
Mas alguém diz que lhes ficara a pena
De cada ano sofrer por certos dias
A mesma humilhação que os torna em serpes,
Quebrando-lhes o orgulho e a vil filáucia
De haverem seduzido o frágil homem.
Contudo, entre os pagãos eles lançaram
Alguma tradição do império obtido,
Fabulando que Ofion, dragão soberbo,
Com Eurínome (que Eva então chamada

Talvez seria nesse antigo tempo),
Foi o primeiro que regeu o Olimpo,
Donde Saturno e Ópis expulsaram
Antes do Dicteu Jove haver nascido.
    No entanto ao Paraíso, e nímio breves
Os dois monstros do Inferno ei-los chegados.
Ali, — como possível sempre esteve
A atra Fúria-Pecado, — enfim alcança
Como existente residir; e agora
Vem toda em corpo, tal qual é, no intuito
De ali manter perpétuo domicílio:
Logo atrás mui chegado o Monstro-Morte
Passo a passo a acompanha, e vem pedestre
Que o pálido frisão inda não monta.

    A fúria então destarte se lhe exprime:
"Morte, progênie de Satã segunda,
Quando de tudo és rei, tudo conquistas,
Que pensas tu do nosso império agora
Posto que obtido com trabalho ingente?
Não vale mais do que do Inferno à porta
Sentado estar de sentinela sempre,
Sem ser temido, sem um nome ilustre,
E tu já prestes a morrer de fome?"
    Logo o filho nefando assim responde:
"Eu, que penando estou de fome eterna,
O Inferno, o Éden, o Céu, como iguais conto:
Para mim o melhor há de ser sempre
O que presa mais ampla me faculte:
Certo é que a vejo aqui muito abundante;
Mas inda diminuta me parece
Para encher deste ventre a grã voragem
E este corpo fatal que todo é ventre."
    Eis a incestuosa mãe assim lhe disse:
"No entanto vai nutrindo-te primeiro
Nestas ervas e flores, nestes frutos,
Depois nos animais do ar, água e terra,

Manjares que já muito o gosto encantam, —
Até que eu, residindo dentro do homem
(E enchendo-o de infecção e a quanto é dele,
Vistas, palavras, pensamentos, obras,
E a toda a sua descendência), o adapte,
Já sazonado, para teu sustento
Que, posto ser o que mais tarde alcances,
Será o que aches de sabor mais fino."
Tendo falado assim, tomaram ambos
Cada qual um caminho, mas direto
A decidir a destruição e a morte
De quanto vive, — ou já, ou pouco e pouco,
O adaptando a morrer ou cedo ou tarde.

O Onipotente então, lá dentre os santos,
Assentado em seu trono sublimado,
Vê os dois monstros. E destarte disse
Àquelas jerarquias fulgurantes:
"Vede com que ânsia aqueles cães do Inferno
Vão pôr em ruínas o nascente Mundo
Que formei belo e bom, e nesse estado
Sempre estaria se a loucura do homem
A fúrias tão fatais o não franqueasse.
Eles, o rei do Inferno e seus consócios,
Imputam-me erro tal, vendo quão fácil
De sítio tão celeste os sofro em posse,
Até me crendo em conivência insana
Com meus próprios imigos insolentes
Que de mim riem, como se alienado
No fogo da ira lhes cedesse eu tudo
Para que empolguem tudo e tudo estraguem!
Mas eles, insensatos, não conhecem
Que eu para ali lhes dirigi os passos
A fim de devorarem, consumirem,
De meus cães infernais na qualidade,
As imundícies com que a culpa do homem
Infectou quanto no Orbe havia puro.

Hão de ali conservar-se até de todo
Tais imundícies devorado haverem,
Já cheios, fartos já, quase estourando.
Então, co´um golpe de tremenda funda,
Tu, meu dileto vitorioso Filho,
Hás de os monstros lançar, Pecado e Morte,
E do túmulo aberto as negras fauces,
No fundo abismo, do Caos através,
Para sempre entupindo as bocas do Orco,
Fechando-lhe também com selo eterno
As horrendas mandíbulas vorazes.
Renovados depois os Céus e a Terra,
Tornam a ser santificados, puros:
Mas até esse tempo contra os homens
A pronunciada maldição procede."

Disse. O empíreo auditório então levanta
De aleluias o cântico pomposo,
Que troa altivo como o som dos mares,
Findando assim: — "Em tuas obras todas
Retos teus mandos são, teus meios justos.
Quem pode enfraquecer-te, ó Deus imenso?!"
Depois cantam o Filho que se vota
A restaurar a triste humanidade, —
Ele, por quem nos séculos futuros
Hão de elevar-se novos Céus e Terra
Ou dos Céus descerão. Assim cantaram
Enquanto o Eterno, por seus próprios nomes,
Chama valentes anjos e os incumbe
De vários cargos, que melhor adapta
Às circunstâncias dos atuais sucessos.

Primeiro ao Sol intimação levaram
De mover-se e fulgir por tal maneira,
Que da Terra no globo produzisse
Calor e frio insuportáveis quase,
Das cavernas do Norte lhe chamando
O crespo inverno ancião, hirto de gelo,

E do Sul lhe trazer o ardor ferino
Que no solstício do verão abrasa.
À branca Lua, aos cinco outros planetas,
Ofícios, movimentos lhes demarcam,
Aspectos em sextil, quadrado e trino,
As contraposições que tanto danam,
As conjunções que tanto mal prometem.
Também disseram às estrelas fixas
Quando deviam espalhar e como
Sua influência maligna, e quais dentre elas,
Juntas co'o Sol ou pondo-se ou nascendo,
Formariam pelo ar as tempestades.
Também assinam os quartéis dos ventos,
O tempo em que estrondosos lhes incumbe
Os ares perturbar, terras e mares,
E rolas os trovões que alto ribombam
No âmbito escuro dos salões aéreos.

Há quem diga que Deus mandou aos anjos
Torcer do eixo do Sol, graus vinte e acima,
Da Terra os polos, — o que só puderam
Com grão trabalho conseguir, deixando
O Orbe, antes paralelo, oblíquo agora.
Outros dizem que o Sol ordem tivera
Para do coche seu virar os loros
Indo distância igual, de um lado e de outro,
Do Equador muito além, subindo a Câncer
Pelo Touro, e de Atlante as filhas sete,
E pelos Gêmeos de que Esparta se honra,
A Capricórnio então logo descendo
Pelo Leão, pela Virgem e as Balanças, —
Tudo para alternar em cada clima
As estações que em círculo se mudam.
Se assim não fosse, no Orbe houvera sempre
Risonha primavera e lindas flores;
Sempre seria igual à noite o dia,
Exceto além dos círculos polares
Onde fulgira então dia perpétuo,

Pois que o Sol, sempre baixo, compensara
Essa distância com fulgor perene,
Girando à vista em roda do horizonte
Sem demonstrar em si oriente e ocaso,
Destarte híspidas nuvens impedindo
No frio Estotilande e além do estreito
Que pôs patente Magalhães afoito.

Assim que foi comido o fatal fruto,
Virou de rumo o Sol que ia levado,
Como fez no festim do insano Tiestes:
De outra maneira os habitantes do Orbe
Inda inocentes suportar deviam
A calma ardente, o frio penetrante,
Que sofrem hoje em punição do crime.

Feitas no firmamento estas mudanças
Posto que vagarosas produziram
Iguais mudanças pela terra e mares,
Influências siderais, devastadoras,
Vapores, névoas, exalados mistos
Que pestilente corrupção espalham.
Do norte, em direção da Norumbeca
E das prais samóides, eis que ruem,
Suas brônzeas masmorras arrombando,
De gelo armados, de granizo e neve,
De tufões tempestuosos, de rajadas,
Cécias e Bóreas, o estrondoso Argestes
E o furibundo Tráscias: nesse impulso
Arrancam bosques, amontoam mares.
Também do sul com este efeito rompem
Áfrico e Noto, opostos assoprando,
De negra catadura que inda afeiam
De Serra-Leoa as trovejantes nuvens.
Cortando estes e vindo tão ferozes,
Do levante e poente se arremessam
Euro e Zéfiro: deles logo ao lado
Voa Siroco, atira-se Libéquio.

Deste modo a violência principia
Na inanimada Natureza; e logo
A Discórdia (primeira dentre as filhas
Que Deu à luz a cruel Fúria-Pecado)
Pelos irracionais conduz a morte
Servindo-se da fera antipatia:
Fazem guerra entre si da terra os brutos,
Guerra entre as aves pelos ares ferve,
Guerra entre os peixes pelas águas arde;
Não mais da verde relva se nutrindo,
Os animais devoram-se uns aos outros;
Ao homem perdem o respeito antigo,
Ora lhe fogem com medonho aspecto,
Ora vendo-o passar olham-no irosos.

Todas estas misérias ascendentes
Adão já via em parte, inda que oculto
Em sombra densa e de aflições cortado.
Mas dentro em si mais feros males curte
E, de paixões num bravo mar boiando,
Tão grande dor desafogar procura
Com estes sentidíssimos lamentos:
"Depois de tão feliz... que penas curto!
Deste Mundo glorioso, apenas feito,
Eis o fim! E eu, que há pouco me contava
A glória desta glória, estou maldito...
De bem-aventurado que antes era!
Da presença de Deus vou ocultar-me:
Dantes todo o meu bem achava nela!...
Se o mal que sofro, ali se limitasse,
Não fora o pior; merece-o minha culpa,
E eu efeitos dela suportara:
Mas tal resignação nada aproveita;
Hoje e sempre o que bebo, ou como, ou gero,
É tudo maldição que se transmite.
— "*Crescei, multiplicai*" — Ó voz que outrora
Tão deliciosamente eras ouvida...

Agora ouvir-te é morte! O que me cumpre
Fazer que à larga cresça e multiplique?
Só maldições que sobre mim recaiam.
No imenso espaço dos futuros tempos
Quem, vítima do mal por mim causado,
Não me há de amaldiçoar? Sim, dirão todos:
— "Nosso primeiro pai maldito seja:
"Gratos somos-te assim, Adão impuro."
Eis quanta execração se me destina.
Desta maneira, além das que em mim próprias
Moram execrações, a mim regressam
Em refluxo feroz quantas produzo;
Em mim, seu centro natural, recaem,
Mesmo nesse seu centro horríveis pesam.
Oh! passageiras alegrias do Éden
Compradas por desgraças tão duráveis!
Deus Criador, pedi-te porventura
Que do meu barro me fizesses homem?
Pedi-te que das trevas me tirasses,
Ou me pusesses em jardim tão belo?
Como não concorreu minha vontade
De modo algum para a existência minha,
De mais razão, de mais justiça fora
Que em meu antigo pó me convertesses...
Eu, que desejo resignar de todo
Quanto me hás dado, porque sou inábil
Para a tão árduas condições cingir-me,
Pelas quais obrigado eu conservava
Um bem que nunca procurado havia.
A tanta perda, que por si já era
Bastante punição, por que juntaste
O sentimento de desgraça infinda?...
Mostras tua justiça inexplicável.
Mas, em verdade, já passou o tempo
Destas contestações aproveitares;
Quando foram tais cláusulas aceitas,
Então é que devias recusá-las.

Queres de um bem colher o inteiro gozo
E ao mesmo tempo as condições baldar-lhe?
Deus fez-te, é certo, sem licença tua;
Mas que disseras... se teu próprio filho
Desobediente se tornasse a ponto
De returcar assim a teu reproche:
— "Por que motivo", ó pai, tu me geraste,
"A mim que a geração te não pedia?" —?!
Admitiras tu a audaz desculpa
Que só levava o fito de ultrajar-te?
Contudo atente, que a existência sua
Ao propósito teu ele não deve,
Mas sim à natural necessidade, —
Quando te fez Deus por querer fazer-te,
Para o servires a seu próprio gosto.
Assim bem vês que a recompensa tua
Só te pode provir da sua graça,
E que o castigo teu cumpre que seja
Como o determinar sua vontade.
Seja assim: a seu mando me submeto;
Sou pó e regressar ao pó me incumbe.
Hora da morte, tu serás bem-vinda!
Por que de Deus a mão tanto retarda
O que o decreto seu para hoje fixa?
Por que a sobreviver sou eu forçado?
Por que com tal rigor me ilude a morte?
Por que me guardam para pena eterna?
Como me encontrei alegre, ovante
Da vida no final, sentença minha,
Não sendo mais do que insensível terra!
Com que prazer me deitarei pra baixo,
Como de minha mãe no amável grêmio!
Ali descansarei em paz dormindo:
De Deus nunca jamais a voz tremenda
Aos meus ouvidos troará: tão pouco,
Para mim, para a minha inteira prole,
De piores males me roerá o susto,

Horrível com horríveis esperanças.
Contudo, inda uma dúvida me vexa:
Talvez não morra eu todo, e que da vida
O puro sopro, do homem a alma imensa
Que o Eterno lhe inspirou, morrer não possa
Com esta terra de que o corpo é feito.
Quem sabe então se no ermo do sepulcro,
Ou noutro sítio de terror, eu deva
Morrer de morte cruel que sempre viva?
Terrível pensamento, se é verdade!
Porém... Por que o será? Foi certamente,
Quem na culpa caiu, da vida o sopro:
Quem pois há de morrer... senão quem teve
Da vida o gozo e perpetrou a culpa?
Nem viveu, nem pecou o térreo corpo.
Logo de uma vez, morre em mim tudo:
Tal juízo minhas dúvidas aplaque,
Já que não pode a inteligência humana
Destes términos curtos alongar-se.
Mais: — de tudo o Senhor sendo infinito,
Seu furor o será? Talvez que seja...
Mas o homem não, que à morte é condenado.
Deus como pode seu furor infindo
Exercer no homem que tem fim coa morte?
Poderá fazer ele a morte eterna?
Fora isto assim contradição estranha,
E para o mesmo Deus fato impossível, —
Também sendo argumento incontestável
De poderio não, mas de fraqueza.
De cólera pungido há de ele acaso
Infinito fazer o homem finito
Para o punir, satisfazendo nele
O seu furor que satisfeito é nunca?
Sua sentença assim se prolongara
Além do pó e leis da natureza,
Pelas quais sempre as coisas todas obram
Umas sobre outras, não segundo é grande

A extensão que pertence à sua esfera,
Mas segundo entre si elas dirigem
Os atos materiais por que se tocam.
E... se a morte não é (como eu supunha)
Golpe fatal que as sensações extingue,
Mas sim miséria que não mais acaba,
(Qual eu em mim e de mim fora observo)
Da hora em que principia continuando
Por toda a eternidade imensurável?...
Ai de mim! Tal terror se avança horrível;
Já ouço que troveja furibundo
Sobre minha cabeça indefensável.
Imortais ambos somos, eu e a morte;
Um corpo só também fazemos ambos:
Nela tem parte, porque em mim reside,
Minha progênie toda amaldiçoada.
Que patrimônio tão formoso, ó filhos,
Recebereis de mim! Oh, se eu pudesse,
Sem dar-vos nada, em mim destruí-lo todo,
Abendiçoar-me havíeis deserdados,
Vós que me haveis de amaldiçoar herdeiros.
Que dor! De um homem só como há de a culpa
Fazer culpada a humanidade toda
Sem perpetrá-la, assim sendo inocente?...
Mas... que inocência! Porventura pode
Ente sair de mim sem ser corrupto,
Depravado no juízo e na vontade, —
Não só fazendo, mas também querendo
Os males todos, quais eu quero e faço?
Como, assim sendo, poderão meu filhos
Ser, à vista de Deus, quites e puros?
Depois de tantas discussões prolixas,
Sou a dar-lhe razão por fim forçado:
Vãos raciocínios... evasões inúteis...
Torturosos pensamentos... eis me lançam
Em minha convicção irrecusável.
Primeiro e último sendo em tanto crime,

Em mim, somente em mim, que sou decerto
A única fonte de quanto há corrupto,
Todo o castigo recair devera,
Todo o furor, e mais ninguém senti-los.
Indiscreto desejo! E tu ousaras
Sofrer tal peso que excedera o do Orbe
E mesmo o do Universo, inda podendo
Com mulher tão perversa reparti-lo?
Assim, quanto desejas, quanto temes,
Todo o refúgio por igual te corta,
E muito mais te indica miserável
Do que quantos exemplos têm de ouvir-se,
Com Satã só guardando semelhança
No crime atroz, na rígida sentença.
Ó consciência! Em que abismo de terrores
Me tens lançado? Para fora dele
Nenhum caminho encontro, e nele giro
De golfo em golfo, cada vez mais fundo."

Adão, assim clamando, se lamenta
No silêncio da noite já não grata,
Nem fresca e suave, como antes da culpa,
Mas úmida, medonha, tenebrosa,
Que lhe mostra à consciência remordida
Todas as coisas com terror dobrado.

Ele jaz estendido então na terra,
Na terra fria: ali entre ais a miúdo
A sua criação amaldiçoa,
E a miúdo a morte de tardia acusa
Porque não vinha já, sendo prescrita
Para o dia da ofensa perpetrada.

"Por que, ó morte, não vens (diz ele) a vida
Co´um dulcíssimo golpe terminar-me?
Deixa a verdade de cumprir seus ditos?
A justiça divina acaso gosta
De retardar o ensejo de ser justa?
Mas a morte a meus brados não acode;

A justiça divina os lentos passos,
Por preces, por clamores não apressa.
Ó fonte! ó bosque! ó prado! ó vale! ó monte!
Inda há pouco, eram outros os acentos
Com que eu as sombras vossas ensinava
A responder-me e nelas outro canto
Ao longe melodioso se estendia!"

Eva infeliz então, lá donde ansiada
Se assentava, de Adão a dor observa;
E, dele aproximando-se, procura
Com palavras maviosas mitigar-lha.

Mas ele, olhos terríveis lhe lançando,
Assim a repeliu: — "Serpente, vai-te,
Vai-te longe de mim: tal nome é próprio
De ti, já que ligada estás com ela,
E como ela és odiosa e refalsada.
Dela te falta a forma e a cor somente,
Para indicares tua interna fraude,
E precatares contra ti a quantos
Dora em diante existência conseguirem, —
Cobrindo um foco de infernal perfídia,
Não os apanhe em laços sedutores.
Eu mais feliz sem ti me conservara;
Nem teu orgulho de passear vaidosa,
Quando menos segura certo estavas,
Teria repelido os meus conselhos,
Ressentida de que eu, acautelado,
Não mantivesse em ti confiança inteira.
Pungia-te o furor de seres vista,
Inda que fosse pelo atroz demônio;
Cegava-te a vanglória de enganá-lo:
Mas assim que encontraste a cobra astuta
Dela foste enganada, escarnecida...
E eu de ti logo o fui em digno prêmio
De fiar-me em ti porque de mim saíras.
Sensata te julguei, prudente e forte,
À prova dos embustes, dos assaltos;

E não vi que aparência em ti é tudo,
Que não és mais que uma costela torta,
Sempre inclinada (como agora observo)
Para o sinistro lado onde eu a tinha,
Tendo sido melhor lançá-la fora
Sobrando das que são em mim precisas.
Oh! Por que Deus, o Criador sapiente,
De espíritos varões o Céu povoando,
Criou no Orbe por fim este ente novo,
Da Natureza encantador defeito, —
E não encheu por uma vez o globo
De homens sem fêmeas (como antes fizera
Nos Céus co´os anjos) ou por outro modo
Não perpetuou dos homens a progênie?
Se isto assim fosse, não teria havido,
Nem haveria no Orbe este e outros males,
Inumeráveis turbulências, filhas
Dos artifícios feminis, do afeto
Que ao sexo em demasia se consagra.
E sendo assim... ou nunca o homem alcança
Conveniente mulher, mas qual lha mostra
Torvo infortúnio, malfadado engano...
Ou raras vezes a que mais estima
Lhe é dado conseguir por ser ingrata,
Vindo a gozá-la quem é menos que ele...
Ou sendo dela amado, os pais lha negam...
Ou, se alguma obtiver dele condigna,
Mui tarde a encontra achando-se ligado
A consorte inimiga, despiedosa
Que ou de vergonha ou de rancor lhe serve!
Calamidades destas serão vistas
Durante a vida humana inumeráveis,
Perturbado o doméstico sossego."

Não mais lhe disse, e lhe virou as costas.
Mas Eva não se dá por ofendida.
Com lágrimas que estão sempre correndo,

Desordenados os cabelos lindos,
Humilhada se lança aos pés do esposo,
Abraça-lhos, perdão sincero pede,
E prossegue na súplica destarte:
"Por esse modo, Adão, não me abandones:
Do verdadeiro amor, da reverência
Que no coração meu sempre te voto,
Ofereço-te o Céu por testemunha.
Ofendi-te e essa ofensa me era estranha:
Fui enganada por desgraça minha.
Por isso às plantas tuas eu me prostro;
Venho valer-me da clemência tua.
Do que me faz viver não me despojes,
Do teu mavioso olhar, dos teus conselhos,
Do auxílio teu, que nesta extrema angústia
São minha única força e único amparo,
Se me deixas sem ti... onde ir me cumpre?!...
Como hei de subsistir?! Durante a vida,
Que talvez de hora curta apenas seja,
Permite que haja paz entre nós ambos:
Nós, unidos na culpa, assim unidos
Sejamos no rancor contra o malvado
Que por sentença expressa conhecemos
Ser nosso inimigo — a truculenta cobra.
Em mim teu ódio, ó caro, não empregues
Por tal miséria que não tem recurso,
Em mim que já perdida me contemplas,
Em mim que inda te excedo na desgraça.
Ambos pecamos: tu, só contra o Eterno;
Porém eu... contra o Eterno e contra o esposo.
Regresso aos sítios onde fui julgada:
Os Céus fatigarei com meus clamores
Para que arrede da cabeça tua
O peso todo da sentença, e o lance
Sobre mim, a só causa de teus males,
Das suas iras o só justo objeto."
Disse ela; e imóvel continuou chorando

Na atitude em que humilde se pusera,
A ver se obtém perdão da sua culpa
Confessada altamente e tão chorada.

Eis logo a Adão a compaixão comove:
Sente que o coração se lhe enternece
Pela esposa querida (que, inda há pouco,
Era para ele vida e só deleite)
Posta agora a seus pés cheia de angústias,
Ela, tão linda criatura, vindo
Rogar-lhe auxílio e os providos conselhos
Que por incauta desprezado havia.

Adão, qual homem que se despe de armas,
Aplaca as iras, ergue a esposa, e diz-lhe
Com mansidão sincera estas palavras:

"Imprudente, inda agora como de antes,
Tanto cobiças o que não conheces!
Só em ti queres o castigo todo?...
Sofre somente o que sofrer te cumpre:
És incapaz de suportar do Eterno
As iras todas, — tu que já não podes
Do esposo co´os enfados, que só delas
Uma mínima parte constituem.
Se mudar seus decretos poderosos
Fosse a súplicas dado, eu já tivera
Antes de ti a sítios tais corrido,
Neles fazendo ouvir clamor mais alto
A fim que a pena em mim caísse inteira,
Perdoado o sexo teu mais fraco e frágil,
Entregue a mim, por minha culpa exposto.
Mas... ergue-te; não mais nos enfademos,
Não mais repreensões nos dirijamos;
Já noutra parte assaz ouvimos delas:
Em atos, sim, de amor nos esmerando,
A bem um dos outros procuremos sempre
Cercear a pena de cada um partilha,—
Já que a morte, para hoje destinada,
Não vem, pelo que vejo, repentina,

Mas é um mal que devagar avança,
É um morrer que longos dias dura
Para mais aumentar nosso castigo
Que abrange a nossa prole (oh prole infausta)"
Eva, enchendo-se de ânimo, responde:
"Por fatal experiência, Adão, conheço,
Quão pouco peso ter minhas palavras
Para ti devem, que, levianas sendo,
Foram tão justamente desditosas.
Contudo, — restaurada (inda que indigna)
Como por ti a meu lugar me vejo,
Esperançada de alcançar de novo
O teu amor, o só prazer dest´alma,
Quer goze a vida, quer me vença a morte, —
Não te posso ocultar os pensamentos
Que em meu inquieto peito se levantam.
De nossos males ao alívio ou termo
Endereçados são: tu tens de achá-los
Tristes, pungentes, — mas, em dor tão forte,
Julgo-os eu toleráveis, preferíveis.
A sorte horrível da progênie nossa
É decerto o que mais nos mortifica...
Ela que deve ser trazida ao Mundo
Para sofrer desgraças infalíveis,
E para enfim a morte devorá-la.
Ser o instrumento da miséria de outros,
Dos próprios filhos seus, é nímio duro:
Pôr no Orbe amaldiçoado infausta estirpe
Que, depois de uma vida miserável,
Tem de ser pasto desse impuro monstro,
Na realidade, quanto é duro excede.
Tens o poder de obstar, Adão querido,
Que não ditosa raça exista no Orbe:
Não pode ela existir se a não gerares.
Sem filhos inda estás, fica sem filhos:
A Morte assim na glutonia sua
Fica iludida, e tem de contentar-se

De só nós dois que tragará faminta.
Mas — se crês que é difícil, que é penoso,
Conversando, brincando, olhando, amando,
Abster-se do dever que o amor inspira,
Dos deliciosos, conjugais afagos,
E em desejos arder sem esperanças
Diante do objeto que também se nutre
De tão ardente amor, de iguais desejos,
(O que em verdade deve ser suplício
Não menor do que os outros que nos pungem), —
Então... para de um golpe nos livrarmos,
A nós e à nossa estirpe, das misérias
Que temos de recear para nós ambos,
A morte vamos procurar de pronto;
Porém se acaso achá-la não pudermos,
Coas nossas próprias mãos em nós façamos,
Sem mais nada aguardar, o ofício dela.
Por que estaremos por mais largo espaço
A tremer sob o aspecto de mil sustos,
Que não têm outro fim senão a morte,
Quando podemos a mais curta estrada
Tomar para morrer, assim destruindo
A destruição por suas próprias armas?"

Ela findou aqui, — ou pôs-lhe estorvos
A prosseguir do desespero o impulso:
Tão familiar coa propínqua morte
Os pensamentos seus a haviam feito,
Que a cor da morte lhe tingia as faces!

Porém Adão, contrário a tais conselhos,
Tinha, co´o auxílio de atenção mais grave,
Melhores esperanças concebido,
E à perturbada esposa assim responde:

"O desprezo da vida e dos prazeres
Que tem tão firme, ó Eva, em ti inculca
O quer que é de mais nobre e mais sublime
Do que todo esse bem que assim desprezas.
Porém a destruição que a ti procuras,

Refuta essa nobreza em ti suposta, —
E prova, não que a vida e seus prazeres
Desprezas tu, mas que te aflige e rala
A ideia horrível de que vás perdê-los.
Ou, se tu ambicionas tanto a morte
Como o fim derradeiro das desgraças,
Crendo evadir-te à pronunciada pena,
Repara que com mais saber o Eterno
Terá sua ira vingadora armado
Para que útil se mostre essa surpresa:
E inda mais temo que a violenta morte
Que nos dermos a nós, não só não livre
A nossa dor de suportar a pena
Que setença mui justa nos fulmina, —
Mas que, de contumácia o grau tomando,
A cólera do Altíssimo não leve
A fazer que em nós sempre a morte viva.
Portanto, outro caminho procuremos
De menos p´rigo; e creio havê-lo achado.
Atende à parte da sentença nossa
Onde se exprime que a progênie tua
Há de esmagar a fronte da serpente:
Esta compensação fora ilusória
Se não se referisse, como entendo,
A Satã, nosso pérfido inimigo
Que, malicioso na serpente oculto,
Contra nós praticou o engano horrível:
A fronte lhe esmagar fora vingança;
Mas ela para nós será perdida
Se acaso dermos a nós mesmo a morte,
Ou se instamos viver sem termos filhos.
Desta maneira o fero imigo nosso
O castigo ordenado evitaria;
E nós, disso em lugar, em nossa fronte
Sentíramos a pena duplicada.
Assim, não mais nos lembre a infausta ideia
De nos tirarmos a nós mesmo a vida,

Nem de esterilidade triste, odiosa,
Que de toda a esperança nos separa, —
Fatos, que tão somente denunciam
Impaciência, rancor, acinte, orgulho,
Rebeldia obstinada contra o Eterno,
Contra seu reto jugo a nós imposto!
Lembra-te do ar tão doce e tão afável
Com que ele se dignou de ouvir-nos a ambos,
E de julgar-nos sem afronta ou ira.
Esperávamos ser extintos logo
Crendo que fora a morte decretada
Para o dia em que a culpa sucedesse:
Eis... senão quando... na prenhez, no parto,
Algumas dores contra ti fulmina,
Recompensadas co´o prazer que em breve
Do ventre teu te proporciona o fruto;
E a mim coa maldição me toca apenas
Que logo toda resvalou na terra,
De sorte que, de meu trabalho à custa,
Devo ganhar meu pão. Que mal há nisso?
A ociosidade mais penosa fora;
O meu trabalho me entretém e nutre.
Para o frio e calor nos não lesarem
Deus, sem que lho pedíssemos, com tempo
Tinha providenciado, — e a destra sua
Tão bondosa se dignou vestir-nos
Mesmo quando severo nos julgava.
Assim... como inda mais os seus ouvidos
Se nos não abrirão, se o suplicarmos?!...
Como o seu peito não será piedoso
Ensinando-nos próvido as maneiras
De nos livrarmos do rigor das quadras,
Da chuva e neve, do granizo e gelo!
O firmamento já começa agora
A perturbar-se com aspectos vários,
Enquanto os ventos pelos montes sopram
Mádido, penetrantes, estragando

Das belíssimas árvores copadas
A verde rama, nítida, opulenta:
Obrigam-nos portanto estas mudanças
A que busquemos um melhor abrigo,
E uma reserva de calor que possa
Confortar nossos membros abatidos,
Isto antes que do dia o facho ingente
Deixe que o substitua a fria noite.
Vejamos pois se condensar podemos
Do Sol ardente os refletidos raios
Em secos materiais pegando fogo, —
Ou se acaso o alcançamos esparzido
De dois roçados corpos um pelo outro
Ao forte atrito os ares inflamando,
Bem como nós (pouco há) vimos as nuvens
Que, em colisão recíproca levadas,
Ou por furiosos ventos impelidas,
Relâmpagos oblíquos acenderam,
Cuja flama baixou, veloz, ativa,
E pegou lume à casca resinosa
De pinheitos e faias, donde vinha
Calor ao longe que mui grato achamos,
Suprir podendo o que do Sol procede:
Deus nos há de ensinar, se lho pedirmos,
Como usaremos deste lume e quanto
Servi-nos pode de remédio ou cura
Nos males que nos trouxe a culpa nossa:
E dele co´o favor não temos susto
De passar vida incômoda sustida
Pelos auxílios que ele nos outorgue,
Até ultimamente ao pó tornarmos,
Nossa pátria e descanso derradeiro.
Assim, o que melhor fazer nos cumpre
Do que voltarmos ao lugar sagrado,
Onde quis Deus julgar-nos compassivo,
E nos prostrarmos em presença dele,
Com reverência humilde confessando

As culpas nossas, e perdão pedindo
Com lágrimas fiéis que a terra inundem,
Com suspiros que no ar ferventes voem
De corações contritos, demonstrando
Sincera dor, humilhação profunda?
Por este modo abrandará decerto
E deixará de todo o seu enfado:
Em seus olhos serenos, mesmo quando
Parecia mais fero e rigoroso,
O que tão claro rutilar nós vimos
Senão misericórdia, auxílio, graça?"

O penitente Adão assim se expressa,
E Eva os mesmos remorsos padecia.
Voltam então para o lugar sagrado
Onde quis Deus julgá-los compassivo,
E ali se prostram em presença dele
Com reverência humilde confessando
As culpas suas, e perdão pedindo
Com lágrimas fiéis que a terra inundam,
Com suspiros que no ar ferventes voam
De corações contritos, demonstrando
Sincera dor, humilhação profunda.

ARGUMENTO DO CANTO XI

O filho de Deus apresenta a seu Pai as súplicas de Adão e Eva já arrependidos, e intercede por eles. Deus lhas aceita; mas declara que não podiam mais habitar no Paraíso: manda Miguel com um esquadrão de anjos a dispô-los, e que antes revele a Adão os sucessos futuros. Descida de Miguel. Adão mostra a Eva certos sinais ominosos: vê que Miguel se aproxima e vai sair-lhe ao encontro. O anjo anuncia-lhe que vem para o fazer sair do Paraíso. Lamentações de Eva. Adão desculpa-se, mas submete-se. O anjo leva-o acima de uma alta colina; — e mostra-lhe, em uma visão, o que deve suceder até ao Dilúvio.

CANTO XI

Em humilde postura, arrependidos,
Os pais da humana prole orando estavam:
A graça, vinda do superno trono,
Já de seus corações mudado havia
Toda a dureza em lacrimal brandura:
Indizíveis suspiros exalando
Soltam preces que aos Céus voam mais prontas
Do que os rasgos da altíssona eloquência.
No porte seu contudo não demonstram
De vis pedintes a servil baixeza;
Nem súplica faziam menos nobre
Do que Deucálio e a pudibunda Pirra,
Ancião casal das fábulas vetustas,
Quando, ajoelhados ante o altar de Têmis,
A instauração humildes suplicavam
Da humana raça no dilúvio imersa.

Voando as preces então dos Céus em rumo,
Não se transviam, incorpóreas fendem
Dos invejosos ventos vagabundos
O esforço vão, que lida em dispersá-las:
Por fim, do Empíreo a porta ovantes entram.
Ali sobre ara de ouro as atavia
Do pio incenso o recendente fumo
Nas puras mãos do Intercessor divino,
Que logo, cheio de inefável gozo,
Ante o trono do Pai as apresenta,
E assim por elas pede-lhe benigno?
"Vê que frutos, ó Pai, assomam no homem:
Vê da graça dos Céus no Mundo o efeito:
Preces, suspiros são que ingênuos brotam
Da contrição que deste ao peito humano;
Frutos mais doces do que todos do Éden
Que ele ditoso cultivar soía,
Inda dotado de inocência pura.
Eu, dos altares teus excelso antiste,
Neste incensário de ouro, em que os misturo
Co´o perfume de aromas, tos of´reço.
Ouvidos presta a súplicas humildes;
Ouve seus ais que articular não pode:
Permite que por ele eu interprete,
Do homem propiciação, patrono do homem,
Os sentimentos seus que inda não sabe
Com que palavras implorar te deva.
As obras todas, que tem feito, todas,
Sejam boas ou más, sobre mim tomo:
Por meu mérito aquelas ficam puras,
E estas expiadas pela morte minha.
De suas preces e ais o sacro aroma
De mim aceita em pró da humanidade:
Deixa que bem contigo viva o homem
Dias, que lhe marcaste, inda que tristes,
Té que a sentença proferida, a morte,
(Que há de cumprir-se mas que rogo abrandes),

A melhor vida o leve, onde comigo
Em ventura celeste, em paz ovante
Habitarão os meus remidos todos,
A mim unidos como a ti eu me uno."

Patente no esplendor de inteira glória,
O rei dos Céus responde-lhe sereno:

"Em pró do homem consegues, Filho amado,
Teu rogo: dele faço um meu decreto,
Mas no Éden habitar não mais lhe cumpre:
A lei, que dei à Natureza, lho obsta.
Do celeste jardim os elementos
Que, puros e imortais, em si não sofrem
Porções grosseiras, sórdidas misturas,
Rejeitam-no, de si agora o lançam
Propínquo a podridão inevitável
Que da Fúria-Pecado recebera,
Monstro que empesta e desordena tudo
E que a pureza em corrupção transforma.
Quando eu o homem criei, também me aprouve
Com dois supremos dons enriquecê-lo:
Dei-lhe feliz ventura e eterna vida.
Perdeu, porque foi louco, o dom primeiro:
Envolto na aflição de mal eterno,
Pena atroz lhe ficara o dom segundo;
Para o salvar dispus-lhe o bem da morte:
A morte é do homem o final remédio.
Em cruéis tribulações acrisolado
E por obras que a fé lhe indique puras,
Acordará para segunda vida
Lá no tempo em que os justos renascerem,
E se erguerá da dita ao grau excelso,
Renovados então o Céu e o Mundo.
Chamemos pois da vastidão do Empíreo
As jerarquias todas a congresso:
As minhas decisões não lhes oculto
Que, — agora retas a respeito do homem, —
São como as viram nos passados tempos

A respeito dos anjos rebelados
Que mais e mais ao crime se empedernem."
Disse. Logo sinal o Nume-Filho
Faz ao brilhante querubim de guarda,
Que pronto toca celestial trombeta
(Muito depois talvez no Orebe ouvida
Quando Deus lá desceu, — talvez guardada
Para outra vez se ouvir quando a sentença
For no Juízo Final ao mundo lida):
Enche o angélico som dos Céus o espaço.
Da luz os filhos deixam de improviso
Belos jardins, amarantinas sombras
Por onde manam de nascente pura,
Águas da vida em perenais correntes:
Assentados té´agora ali ovantes.
Ao mando ob´decem, seus assentos tomam.
Então do excelso trono o Onipotente
Seu querer soberano assim declara?
"Filhos, ousando ombrear o homem comigo,
Entrar do bem e mal no âmbito pôde
Des´que provou os proibidos frutos.
(De tua audácia, ah! mísero, blasonas?
Vê que perdeste o bem, co´o mal ficaste!
Que dita a tua se esse bem que tinhas
Te bastasse, ignorado o mal que sofres!)
Porém... pesa-lhe... geme arrependido...
E minha compaixão aflito implora.
Antes que seus afetos o movessem,
Já eu sabia quanto, a si deixado,
Era inconstante e vão em seus desígnios:
Assim, — para outra vez, com mão ousada,
Não colher frutos da Árvore da Vida,
Para que à duração perpétua fuja, —
Quero que do Éden saia e lavre a terra,
Seu próprio dote e de que foi tirado.
Miguel, das ordens minhas te encarrego;
Dentre os guerreiros querubins escolhe
A mais luzida flor, contigo os leva;

Sobre Satã vigia a fim que, ousado,
Perturbando de novo a paz no Mundo,
Não tome agora com traição arteira
Sobre seus ombros a defesa do homem,
Ou não se aposse do jardim formoso
Que era seu domicílio e fica vago.
Vai, apressa-te, e lança fora do Éden
Sem remissão o par pecaminoso;
Profanos não consente a terra sacra:
Deles, da prole começada neles,
O desterro perpétuo lhes intima.
Contudo, já que em contrição os vejo
Cheios de pranto lamentar seus crimes,
Faze que os desditosos não desmaiem:
Na execução da ríspida sentença
Não lhes metas terror, mostra brandura.
Se ao mando teu submissos logo ob´decem.
Consola-os no extermínio; a Adão revela
De si, dos seus, segundo o que eu te inspire,
Os futuros sucessos, ajuntando
Meu pacto justo da mulher coa prole:
Aflitos coa desgraça, em paz os manda.
Do jardim pelo oriente, onde é mais fácil
A entrada nele, posta um corpo de anjos;
E, cauto, alçando teu alfanje ardente
Que inunda inteiro o Céu, com ígneas ondas,
Amedronta, horroriza, expulsa, arrasa
Quem da Árvore da Vida o acesso intente:
No Éden não quero espíritos imundos
Que as minhas caras árvores profanem
E, traidores roubando-lhes o fruto,
De novo enganem a fraqueza do homem:"

Disse. Eis o arcanjo apronta-se ligeiro:
Dos vigilantes querubins lá forma
A denodada fúlgida falange;
Quatro semblantes cada qual ostenta
Mostrando viso do bifronte Jano,

E enche-se de olhos que atilados brilham
Em mais quantia, com maior alerta
Do que os de Argos não súditos do sono,
Em que ele se entranhou pelo almo encanto
Da vara opiada e flauta de Cilênio.

Despertada no entanto surge a Aurora
Saudando o Mundo co'o fulgor sagrado,
Com fresco orvalho embalsamando a terra,
No momento em que Adão e a linda esposa
Acabavam as preces, alentados
Por novas forças e esperança nova,
Por alegria timorata ainda,
Com que, benigno e generoso sempre,
Da desesperação os salva o Empíreo.
Destarte as expressões consoladoras
O homem primeiro à sócia continua:
"Sem custo a minha fé admite, ó Eva,
Que o bem de que gozamos vem do Empíreo;
Mas que haja em nós tão válida entidade
Que, aos Céus subida, interessar mereça
O Deus do sumo bem para que afável
Sua vontade para nós incline...
Custa-me crer. Contudo, os ais, as preces,
Que o coração sinceramente exala,
Podem, bem sei, de Deus erguer-se ao trono.
Desde que orando procurei de joelhos
A ira aplacar do Nume ofendido,
Ante ele o coração todo humilhado,
Pareceu-me que o vi brando e sem ódio
Às minhas preces aplicar o ouvido:
Cri então que benigno me escutava
A sacrossanta paz tornou-me ao peito,
E recordei a divinal promessa
— "Há de a mulher calcar da serpe o colo". —
A aflição tais ideias me encobria
Que fulgurantes ora me asseguram

Passada a morte, persistente a vida.
Todo o Universo existe a bem dos homens:
Dos homens, Salve, Mãe! Mãe do Universo!
Ó Eva, digna de tamanho nome!"
"Título tão honroso não mereço"
(Modesta diz-lhe a enternecida esposa);
"Pode ele porventura pertencer-me
Se, destinada para sócia tua,
Armei-te o laço em que perdeste a dita?
Antes credora sou de que implacável
Me increpes, me censures, e aborreças.
Meu juiz, porém, perdão deu-me infinito:
Eu, que, a primeira, urdi a morte a tudo,
Por graça dele sou da vida a fonte;
E tu também assim intitular-me
Por generosa compaixão te dignas!
Mas ao trabalho e suor da imposta pena
Nos chama o campo mesmo tresnoitados:
Vê que, insensível às desgraças nossas,
Risonha principia a manhã bela
Seus róseos passos: obedientes vamos.
Desde hoje nunca mais de ti me ausento,
Seja onde for que trabalhar nos cumpra,
Seja da aurora até fechar-se a noite.
O que encontrar se pode de importuno.
Entre estes agradáveis arvoredos?
Inda que faltos da primeva dita,
Em contente harmonia aqui vivamos."
Este de Eva humilhada era o desejo
Mas não lho consentia o fado iroso:
Sinais a Natureza deu sinistros.
Súbita escuridão pelo ar se alonga;
Durou mui pouco da manhã o brilho:
Uma águia, então sem altaneiros voos,
Com fero anelo rápida persegue
Duas mui lindas inocentes aves;
E um fulvo leão, monarca das florestas,

As primeiras caçadas ensaiando,
Vem por um monte abaixo, diligente,
Após um manso par, mimo dos bosques,
Cervo e corça que tímidos procuram
Na porta Eoa do Éden abrigar-se,

Atenta Adão no quadro temeroso,
E à esposa não tranquilo ali se expressa;

"Destes mudos sinais que o Céu imprime,
Como de seu desígnio precursores,
No diferente Mundo, colho, ó Eva,
Que maior desventura nos aguarda.
Vêm advertir-nos de que mal pensamos
Do perdão nosso, crendo-nos seguros
Porque alguns dias mais nos tarda a morte?
Que certo até então se nos ocultam
Da nossa vida a duração e o modo?
Que somos pó e ao pó voltar devemos?
Como de outrarte interpretar-se pode
A atroz perseguição que presenciamos
Do mesmo lado, a um tempo, no ar, na terra?!
Por que antes do mei´dia surge a noite?
Por que a luz da manhã fulge mais bela
Na grande nuvem que, ocupando o ocaso
Radiante albor no azul do firmamento,
Desce pausada e coche se afigura
De celestial, augusto mensageiro?"

Não se enganou. O batalhão empíreo,
Vindo baixando em nuvem de alabastro,
Já do Éden lá pousou sobre a montanha:
E, se em tal dia não tivesse o susto,
Tão inerente à condição humana,
Enevoado de Adão os frouxos olhos,
Fora-lhe esta visão de glória insigne,
Que não cedia em majestoso aspecto
À que observou Jacob afortunado
Vendo em Maanaim coberto o campo

De anjos brilhantes, de purpúreas tendas, —
Nem à que ao Dótã incendiou os montes
Contra o da Síria salteador monarca
Que, á falsa fé, sem declarar a guerra,
Apoderar-se de Eliseu tentava.

O celese caudilho posta e deixa
A fúlgidas legiões em guarda do Éden;
E só avança perscrutando o sítio
Onde ache Adão que, vendo aproximá-lo,
Assim falou à carinhosa esposa:
"Grandes notícias, Eva, agora, aguardo
Que mui breve talvez de nós decidam
E novas leis severas nos imponham.
Descubro que um dos celestiais guerreiros
Vem da ígnea nuvem que encobriu o monte;
De seu porte sublime a majestade
Nele denota dos maiores tronos
Uma muito elevada jerarquia:
Posto não ser terrível que me assuste,
Dá-se a grave respeito e quase austero;
Não tem de Rafael o doce afago.
Tu retira-te: vou, como me incumbe,
Reverente ao caminho recebê-lo."

Disse. Eis o arcanjo dele se aproxima:
Então cobrindo a celestial figura,
Homem parece. Sobre armas luzidas
Sua guerreira clâmide flutua;
Tem cor purpúrea que ofuscara quanta
Vaidosas Tiro e Melibeia ostentam,
E matizam-na de Íris os primores:
(Assim durante as tréguas se vestiam
Os monarcas e heróis dos priscos tempos).
O estrelado morrião desfivelado
Mostra-o varão no fim da juventude;
Em forma de zodíaco brilhante

Ao lado lhe sustenta o talabarte
A forte espada, infausta ao rei das sombras,
E na destra sopesa a lança invicta.
Humilde Adão se curva. Então, guardando
Seu porte real, o arcanjo não se inclina,
E desta sorte intima-lhe a mensagem:
"Adão, os rogos teus ouviu o Eterno.
Logo que as leis lhe transgredir ousaste
Sobre ti recaiu pena de morte;
Mas prorrogada foi, e largos dias
Tens de viver: contrito te arrepende;
Com mil bons feitos um mau feito encobre.
Se procedes assim, bondoso o Nume
Pode remir-te do eternal império
Que havia obtido sobre ti a morte:
Tão grande é para ti de Deus a graça!
Mas neste Éden morar não mais tu podes:
Venho expulsar-te dele e encaminhar-te
Para terra que próvido cultives,
Teu solo próprio de que foste feito.
Precisas sempre são de Deus as ordens".

Não disse mais. De Adão espavorido
O coração opresso de ânsia para,
E de todo os sentidos se suspendem.
Mas Eva, que emboscada ouvira tudo,
Com feridos lamentos deste modo
Manifesta o lugar onde se oculta:
"Golpe imprevisto, mais cruel que a morte!...
E assim hei de deixar-te, ó Paraíso?!
E assim hei de deixar-te, ó pátria terra?!
E a vós sombrios bosques fortunados,
Própria morada de celestes tronos,
Onde eu, posto que em mágoas, esperava
Quieta passar da vida o triste resto
Até que a morte nos chegasse de ambos?!
Ó lindas flores, que vos dais só no Éden,

Com melindrosa mão por mim cuidadas
Des´que apontavam os botões primeiros,
Designadas por mim co´os próprios nomes!
Caras flores, que leda eu visitava
Assim que era manhã e antes da noite!
Quem desde agora ao sol tem de inclinar-vos?
Quem vossas tribos disporá em ordem?
Quem vos há de trazer nectárea linfa?
E tu, meu doce tálamo das núpcias,
Adornado por mim co´os mimos todos
Que podem encantar o olfato e a vista,
Ir-me-ei de ti?... De ti, para entranhar-me,
Desesperada, aflita, vagabunda,
No baixo Mundo, escuridão deserta?
Como ar inspiraremos menos puro,
A frutos imortais nós costumados?!"

Assim a interrompeu o anjo benigno:
Lamentos deixa: as tuas justas perdas
Vai, Eva, suportando resignada:
Tanto não tomes indiscreta a peito
O que por teu considerar não podes.
Só não vás; teu esposo te acompanha:
Tens de restrita obrigação segui-lo;
É onde ele habitar a Pátria tua."

No entanto do delíquio Adão acorda,
Os perdidos sentidos recobrando,
E humilde assim ao mensageiro fala:

"Dos tronos celestiais príncipe excelso,
Que assim teu porte insigne te denota,
Benigno cumpres a mensagem tua
Que, de outro modo executada, fora
Raio que nossa vida devorara.
Não obstante, por ela ressentimos
Quanta aflição e dor, quanta amargura
Pode sofrer a natureza humana,
Fazendo-nos sair deste almo sítio,

A só consolação que nos restava.
Outros sítios quaisquer nós os teremos
Por medonhas soidões inabitáveis,
Incógnitas a nós e nós a elas.
Se eu pudesse com rogos incessantes
Ter esperança de mudar do Eterno
O firme pressuposto, — de contínuo
Com orações, com ais o importunara.
Mas para seus decretos absolutos
São nossos brados e ais, as preces nossas,
Qual o sopro lançado contra o vento,
Que com ele sufoca quem lho atira:
De Deus portanto às ordens me submeto.
Mas o que sinto mais, daqui distante,
É ficar do meu Deus longe da vista,
Perdendo seus favores inefáveis.
Aqui frequentaria, eu religioso,
Sítio por sítio onde ele se dignava
Sua presença augusta conceder-me,
E aos filhos meus destarte o contaria;
— "O Eterno apareceu-me neste monte;
"Eu desta árvore à sombra o vi de perto;
"Entre este pinheiral a voz ouvi-lhe;
"Aqui na fonte conversei com ele". —
De leiva ervosa, de luzentes pedras,
Que do Éden cria o rio deleitoso,
Grato lhe erguera inúmeros altares,
Padrão perpétuo nos futuros tempos;
E ali precioso incenso lhe ofertara,
Nectáreos frutos, as mais lindas flores.
Mas onde encontrei no baixo Mundo
Sua brilhante face, os seus vestígios?
Inda que a seu furor fujo medroso,
Contudo compassivo prometeu-me
Mais longa vida, estirpe numerosa:
Assim observarei, ainda contente,
Da glória sua as metas afastadas,

E os passos seus adorarei de longe.”

Assim Miguel responde-lhe benigno:
“Não é só o Éden possessão do Eterno;
Todo o Mundo ele rege, o Empíreo todo;
Neste apertado sítio confinada
De Deus não consideres a presença,
Que imensurável, prodigiosa, abrange
Ar, terra, mar; dispõe, fecunda, anima,
Por seu poder virtual, quanto é vivente.
Da terra toda o regimento e a posse
Deu-te, não débil dom; e o Paraíso
Talvez seria a capital do globo
Donde a povoá-lo as gerações partissem,
E onde viessem, das plagas mais remotas,
Em ti seu pai reverenciar submissas.
Porém tal regalia tu perdeste,
E com teus filhos deves esse agora
Outra terra habitar diversa do Éden.
Contudo, crê que em vales e em planícies,
Como aqui, Deus está; como aqui, sempre
Hás de presente em todo o sítio achá-lo:
Sinais diversos da presença sua
Sempre te hão de rodear, seguir-te-ão sempre
Com paternal amor, bondade suma;
Hão de representar-te o seu semblante
E de seus pés os divinais vestígios.
Para que firme fiques nesta crença
Antes que daqui partas, eu te advirto
Que Deus também me manda apresentar-te
Quantos sucessos, nos futuros tempos,
Tu e os teus há de ter, mais memoráveis:
Ouvirás bom e mau, e sempre em luta
De Deus a graça contra os vícios do homem.
Por fatos tão visíveis doutrinado,
Da paciência constante te premune,
E da alegria os ímpetos tempera
Com pia seriedade e sacro susto:

Igual moderação sempre te adorne,
Quer no estado feliz, quer na desgraça,
A vida assim conduzirás tranquila,
E bem disposto encararás a morte.
Sobe este monte: deixa que Eva durma,
Enquanto velas em visão sublime;
Dormiste tu assim quando o alto Nume,
De ti formando-a, lhe inspirou a vida."

Agradecido Adão assim lhe torna:
"Sobe, eu te sigo, condutor sincero:
Meus passos guia: humilde aos Céus me curvo.
Seja qual for a punição, of'reço
Meu coração de todo resignado:
Munido de paciência me destino
A conquistar, se obter me é dado tanto,
Por áspero trabalho a paz ditosa."

Para as visões de Deus subiram ambos.

No Paraíso se elevava altivo
Aos mais montes um monte sobranceiro,
De cujo tope às claras se avistava
O hemisfério do globo em roda do Éden
(Não descobria mais, nem mais se erguia
O monte onde, por causa diferente,
Do deserto levou o "autor do engano"
Nosso "segundo Adão" para ostentar-lhe
Todos os reinos e riquezas do Orbe).

Dali alcança o pai da humana estirpe
Toda a extensão que abrangeria outrora
As cidades de fama em qualquer evo,
Capitais dos impérios mais ilustres
Lá desde Cambalu (do Kan assento)
E Samarcande em que (nas margens do Oxo)
Seu trono o Tamerlão levantaria,
Até Pequim (mansão dos Chins monarcas)
Agra e Laor (do Grão-Mogol delícias),
Até de Quersoneso aos áureos campos,
À pérsica Hispaã, Bizâncio turca,

Da czarina Moscou ao rico empório:
Também de Nego avista os largos reinos
Com Ércoco, seu porto o mais distante;
Logo os domínios de menor grandeza,
Mombaça, Quíloa, as praias Melindanas,
E Sófala (que a antiga Ofir se julga),
Até do Congo e Angola à plaga ocídua,
Ao Níger empolado e aéreo Atlante,
Fez, Sus e Tremecém, Argel, Marrocos,
Do famoso Almansor amplos estados;
Té ao Tibre europeu onde a alta Roma
Viria a governar o inteiro Mundo.
Pode ser que a visão lhe apresentasse
Também de Montezuma a ingente corte,
O México opulento; Cusco excelsa
Onde o argênteo Peru acataria
De Atabalipe as ordens soberanas;
Capital da Guiana: a áurea Manoa
Que de Gerião os filhos salteadores
Dourado chamariam devaneando-a.

Porém para mais nobre perspectiva
De Adão tira Miguel a névoa aos olhos,
Devida de Satã às vis promessas
Que, do sabor do proibido fruto,
Mais longa e clara vista lhe auguravam:
Então os nervos óticos lhe alimpa
E a ver altos portentos lhos adapta:
De arruda e eufrásia aos sucos ajuntando
Três gotas que da vida à fonte apara,
De Adão aplica aos olhos tal colírio
Que da vista mental na sede lhe entra.

Eis de repente o pai da humana prole...
Cega, desmaia, vai cair. Mas o anjo
Ergue-o benigno, e assim lhe firma o tento:

"Abre os olhos, Adão, vê que de humanos
Teu crime original sepulta em ruínas!
Nunca buliram na árvore vedada,

Não partilharam a traição da serpe,
Nenhum de teus delitos perpetraram;
Mas nasceram de ti, de ti lhes mana
A corrupção que os tempos mais infectam."

Olha Adão, vê um campo: arada e culta
Enche-se parte de ceifadas messes,
Parte ocupam de greis pastos e apriscos:
No meio, uma ara de relvosa leiva
Se eleva e faz das possessões o marco.
Louras espigas da primeira sega
Depõe suado ceifeiro ali, tomadas
Quais desleixada mão a eito encontra:
Meigo pastor depois, com puro esmero,
Da grei os primogênitos melhores
Tendo escolhido, traz e os sacrifica;
Fumam com largo odor, de incenso esparsas,
Sobre ígneas achas, as entranhas pingues:
Todas do rito as fórmulas celebra.
Dos Céus baixando refulgente lume
Propício consumiu a grata of'renda
Com viva luz e celestial aroma:
A do outro inútil foi por não sincera.
Então das terras o cultor malvado
Raiva de ciúme, —, co'o pastor falando,
Ao peito lhe tirou traidora pedra
Que momentânea o despojou da vida:
Coa palidez da morte o triste cai;
De sangue entre bolhões a alma lhe foge.
A tal aspecto Adão treme de aflito
E ao fido arcanjo assim com ânsia exclama:
"Que desgraça fatal, ó guia excelso,
Sobre este meigo humano rompe em fúrias!
Premeia Deus assim quem puro o adora?"
"São dois irmãos que vês, e são teu filhos"
(Comovido também, Miguel lhe torna);
"O injusto, presenciando que no Empíreo

Foi de seu justo irmão aceita a of'renda,
De inveja se enche e o mata furibundo.
Mas tão bárbara ação será vingada;
E do outro, inda que o vês ali sem vida,
Envolto em terra e sangue o seu cadáver,
Não ficará sem prêmio a fé tão pura."

"Ai de mim!" (diz-lhe o pai da humana prole),
"Desta ação quanto aterra o efeito e a causa!
Morrer é isto? A morte é deste aspecto?
Os homens voltarão por esta estrada
Ao térreo pó de que tirados foram?
Que cena de terror vista e pensada!
Quão terrível será quando a sentirmos!"

O arcanjo lhe responde: — Viste a Morte:
Em sua forma primitiva a encaras.
Sabe porém que o truculento monstro
Com várias formas, por diversas vias,
Todas tremendas, os mortais impele
Para seu antro que mais medo infunde
Do umbral coa perspectiva pavorosa.
Golpe violento arranca de uns a vida;
O fogo, a fome, as águas, matam outros;
Ali a tresloucada intemperança
Cruas doenças lhes fulminam: em breve
Delas verás a desastrosa turba,
Para que observes quanto a gula de Eva
Malfadou, corrompeu, a espécie humana".

De Adão eis que ante os olhos se apresenta
Sítio aflitivo, de hospital em forma:
Ali jazendo estão doentes sem conto;
Ali as doenças todas se acumulam.
Observa a dor ferina, a ardente febre,
Magoadas convulsões, cansaços, tosses,
Epilepsias, tétanos, desmaios:
Por entre as mais cruéis também figuram
A pedra atroz, a cólica tremenda,
O cancro tragador, a brava fúria,

A magreza das tísicas mirrada,
Da hidropisia os pálidos volumes,
A horrível asma, fulminante gota,
E sobre todas a tartárea peste.
Do pavimento no âmbito retumbam
Sentidos ais, perturbação medonha;
A desesperação, assídua sempre,
De leito em leito furibunda voa;
E triunfante a Morte o dardo vibra,
Mas pausando, em requinte de fereza,
O duro golpe aos infelizes que ousam
Com incessante ardor chamar por ela
Como o só bem que lhes termina os males.
    Que empedernido coração pudera
Tão crua cena presenciar sem pranto?
    Inda que de mulher não foi nascido,
Adão conter as lágrimas não pôde;
Maviosa compaixão lhe impera na alma:
Chorou por largo espaço até que o chamam
Outros mais importantes pensamentos.
    Tanto que a voz recobra, assim exclama:
"Que estado miserando e hórrida queda
Tens de sofrer, ó triste humanidade!
Ter-te-ia sido um bem não ter nascido.
Justo será que um Deus a vida outorgue
Para extorquida ser com tais angústias?
Justo será que no-la incuta a força?
Quem, se soubesse o dom que lhe ofertavam,
Tão triste vida receber quisera?
Ou, tendo-a ignaro aceita, não tentara
Logo, quanto antes, eximir-se dela,
À paz antiga com prazer voltando?
Por que de Deus a imagem, feita no homem
Pura e bela, ficou sujeita à culpa,
E aviltada por pena injusta, sofre
Tão asquerosos, desabridos males?
Como, inda em parte a Deus se assemelhando,

Sendo inda imagem do Arquitipo eterno,
De tais doenças não pôde o homem livrar-se?"
"Foi-se-lhe do Arquitipo eterno a imagem"
(Miguel responde), "assim que, igual dos brutos,
Quis o homem ser escravo do apetite
Que louco o despenhou na culpa de Eva.
Tão asquerosas, desabridas penas
Não desfiguram pois de Deus a imagem,
Mas só na do homem dolorosas rompem:
E — desde que ele, pervertendo insano
Da Natureza as salutares normas,
Em si insulta, desacata, extingue
De Deus a imagem, — com justiça o punem
Toda as doenças hórridas que viste."
"Justo é quanto ouço, e me resigno a tudo"
(Adão lhe diz): "mas só por esta estrada,
Só por estas pungentes avenidas
Devemos ir aos penetrais da Morte,
E entrar no pó de que gerados fomos?"
"Não" (responde Miguel). "Outra te assino,
Feliz se a segues bem: fugir de excessos:
Com temperança cauta bebe e come,
Só procurando a nutrição precisa
E não da gula sórdidos deleites:
Poderás de outro modo ver volvidos
Sadios anos em mui longa série
Até que, igual do sazonado fruto
Que à terra cai ou segue a mão que o colhe,
A tarda morte sem sofrer sucumbas.
Mas gradualmente então terás perdido
Da mocidade a gentileza e a força,
Que mudadas verás em tristes rugas,
Baça magreza, frouxidão, cansaço:
Tem este estado o nome de — velhice,
Teus sentidos, então obtusos, débeis,
Perderão do prazer o doce acúleo;
Em vez de no teu sangue arfar ovante

Juvenil alegria esperançosa,
Arrastar-se-á tristeza fria e grave;
Os espíritos teus serão mais densos,
E ir-se-á por fim o bálsamo da vida."

Da humana prole o pai assim lhe torna:
"Daqui em diante, não, não mas pretendo
Fugir da morte, prolongar a vida:
Mas antes, sim, estudarei qual seja
A mais fácil maneira, a mais suave
Deste peso largar tão enfadonho
Que suportar me incumbe até que chegue
O meu final, predestinado dia:
Minha dissolução sem mágoa espero."

"Não deves ter à vida amor nem ódio"
(Miguel replica); "dela usa bem sempre
Como ta der o Céu, ou curta ou longa.
Eia! Nova visão se te apresenta".

Olha Adão; vasto campo então descobre:
Tendas várias em cor nele se elevam.

Nédios armentos juntos de umas pastam;
De outras sons concertados de harpa e de órgão
Lá rompem com harmônia doçura.
Deixavam ver-se os háveis tangedores
Ferir as cordas, dedilhar as teclas:
Suas rápidas mãos, sempre a compasso,
Tecido voo transversal prosseguem,
E em todas as mutanças sons sublimes
Tiram dos animados instrumentos.

Noutra parte, uma forja acesa estala,
E tisnado ferreiro ali derrete
Duas grossas porções de ferro e cobre
(Quer de algum antro à boca as encontrasse,
Para a qual inda em brasa as impelisse
Casual incêndio, que, em montanha ou vale
Densíssimas florestas consumindo,
Da terra houvesse penetrado o seio, —

Quer dali as trouxesse já lavadas
Corrente subterrânea em seu impulso);
O líquido metal então apara
Em convenientes, preparados moldes,
Fazendo assim os utensis primeiros;
Logo funde, fragoa, dobra, lavra
As obras todas que o metal permite.
Depois vê homens de diverso traje
Vindo descendo dos vizinhos montes:
Pelo seu porte justos pareciam,
De todo dados do Senhor ao culto
E a perscrutar, com respeitosa ciência,
Tudo que aos homens proporciona e ensina
Da paz o bem, da liberdade a glória.
Assim que na planície eles entraram,
Eis vão saindo das pintadas tendas
Grande turma de belas adornadas
De ótimas roupas, de brilhantes gemas;
Da harpa ao som mil córeas entrelaçam,
De amor brandas canções descantam, trinam.
Olham-nas os varões: inda que justos,
Pascem nelas a vista e o siso perdem;
Amam, de amor na rede presos ficam,
E cada qual escolhe a sua amada.
De amoroso delírio se transportam
Até que tremeluz com mago riso,
Precursora de amor, da tarde a estrela:
Das núpcias lá se acende a tocha ovante;
Invoca-se Himeneu que a vez primeira
Ressoam com prazer nas tendas todas
Música de alegria, altivas festas.
De amor e juventude o lindo encontro,
Cantigas, flores, músicas, grinaldas,
Encantadora perspectiva formam
Que extáticos de Adão deixa os sentidos.

Então cedendo à voz da Natureza,
O homem primeiro dos deleites gosta,
E o que no peito sente assim exprime:

"Ó tu, que fiel meus olhos desvendaste!
Anjo, o maior dos que no Céu habitam:
Somente ostentam as visões passadas
Ódios, mortes, e a dor mais fera que eles;
Esta porém mais grata se me antolha
Dias serenos próvida promete:
Nela decerto mostra-se cumprida
Em todos os seus fins a Natureza."
"Não julgues do melhor" (o anjo replica)
"Pelo prazer que dá, posto que inculque
Ser de todo conforme à Natureza:
Para mais nobre fim criado foste;
De Deus a semelhança pura e sacra
Em tua essência demonstrar devias.
Essas tendas, que tanto te comprazem,
São da maldade pavoroso asilo:
Nelas tem de morar a ímpia progênie
Do que a vida do irmão sem dó arranca.
Homens serão que, por teimoso estudo,
Das artes na invenção têm de ilustrar-se:
Mas, ingratos de acinte, ao Ser Superno
As graças negarão do gênio altivo
Com que Deus bondadoso quis orná-los:
Contudo, os filhos seus serão formosos.
A turba feminil, encantos toda,
Que tão meiga observaste, ingênua, ovante,
Parecendo um congresso de deidades,
São do sexo a desonra e não se ligam
Do conjugal pudor ao sacro jugo;
Da perversão um foco em si ostentam:
Canto, lascívia, dança, adornos, brindes,
Delas o emprego vergonhoso formam.
E esses varões, que no sisudo aspecto
De Deus extremos filhos se inculcavam,
Têm de sacrificar fama e virtudes
Ao tredo riso, às mágicas ciladas
Daquelas impudicas formosuras:

Mais e mais no prazer vão-se engolfando...
Ai de todos! Em breve há de encontrar-se
No próprio pranto seu, imerso o Mundo!"

Da mui breve alegria Adão privado
Responde em pranto: — "Oh!... lástima... Oh! vergonha...
Das virtudes na estrada iam tão puros...
E logo, por acinte ou por fraqueza,
Em sendas tortuosas se transviam!
Vejo até nisto que as desgraças do homem
Todas as forma da mulher o crime."

"O homem que se efemina" (diz-lhe o arcanjo)
Em si tem toda a culpa: os Céus lhe deram
Sublimes dotes, e a sapiência entre eles,
Para no posto seu manter-se digno.
Eis nova cena te apresento agora."

Repara Adão e vê terreno vasto:
D´além cidades cercam-se de campos
Em que reina a feliz agricultura:
Acolá se erguem hórridas muralhas
De largas portas, de elevadas torres,
Onde, com gesto feio e cheios de armas,
Homens gigantes preparavam guerra.
Parte em brandir as armas se exerciam;
Parte ao manejo de espumantes potros,
Ou pelo campo, em forma de batalha,
Ordenavam pedestre e equestre linha:
Não há descanso na lidada empresa.
Lá escolhida escolta em pingue prado
Rapinou e conduz formoso armento
E grei lanuda coas balantes crias;
Com vida, apenas, os pastores fogem:
Mas, ansiosos gritando por auxílio,
Acodem-lhes e surge atroz peleja:
Investem-se esquadrões com fero impulso,
E onde o gado pastava (havia pouco),
Deserto o campo agora e tinto em sangue

Alastrado se vê de mortos e armas.
Uma praça d'além põe-se em assédio,
E em torno dela batalhões acampam:
Furibundos assaltam-na de fora
Com baterias, escladas, minas;
De sobre os muros a defesa arroja
Chuveiros de farpões, nuvens de pedras,
E de fogo sulfúreas enxurradas:
Gigânticas ações, estrago horrendo,
Iguais se antolham nos partidos ambos.
Eis que arautos ceptrígeros convocam
Às portas da cidade uma assembleia:
De respeitáveis cãs varões sisudos
Aos valentes guerreiros se ajuntaram,
As propostas questões ali ventilam;
Porém rebelde oposição se acende.
Então de meia idade um douto se ergue
Com eminente e persuasivo porte;
Mostrou de Deus o que era o juízo augusto,
Paz e verdade, religião, justiça,
E delas na infração quais crimes brotam.
Desprezam-lhe as razões moços e velhos;
E por violentas mãos fora ali morto
Se uma nuvem, de súbito descida,
Não o arrancasse de invisível modo
Dentre o furor da multidão sanhuda.
A opressão, a violência, a lei da força,
Por toda essa região assim reinavam, —
E refúgio contra elas não havia.
    Na maior aflição, lavada em pranto,
Diz a seu guia Adão: — "Que homens são estes
Que, desumanos, outros homens matam,
De infinito teor multiplicando
O crime do primeiro fratricida?
Cegos! Não veem que morticínio espalham
Em seus irmãos na qualidade de homens?
Homens não são!... da Morte eis os ministros!

Mas o varão que, a não salvá-lo o Eterno,
Vítima fora das virtudes próprias,
Quem era, dize, divinal arcanjo?"

"Dos consórcios fatais, que há pouco viste,
As sanguinosas produções conhece"
(Miguel responde). "Em nó aborrecido,
Levado à conclusão pela imprudência,
As mãos se deram vícios e virtudes.
Nascem dele varões que são prodígios
Na corpulência, na mental finura;
Tem o renome seu de ser preclaro:
Nesses tempos valor, virtude, heroísmo,
Hão de somente consistir na força:
Escravizar nações, vencer batalhas,
Dar saques, alagar de sangue a terra,
O fastígio será da humana glória.
Esses conquistadores, — que antes devem
Dos humanos dizer-se a peste, o estrago, —
Como patronos do Orbe, heróis e numes
Brilharão pelo estrondo das batalhas.
Tais na Terra serão fama e renome;
E o que de aplausos se ostentar mais digno
Só gozará silêncio deslustroso.
Esse que viste pelo Céus levado,
O único justo do perverso globo,
Pertence à tua geração setena:
Entre maus atreveu-se a bom mostrar-se;
Por isso foi odiado e perseguido!
Expressou-se que Deus entre seus santos
Virá julgá-los: hórrida verdade!
Mas o Eterno mandou nuvem de aromas,
Tirada por alígeros cavalos,
Que rápida o roubou às mãos do crime;
E lá nos climas da elevada glória,
Da bem-aventurança augusto assento,
Ele goza de Deus, zomba da morte.
Nesta outra cena encara, e ali te aponto
Dos maus a punição, dos bons o prêmio."

Olha Adão; vê mudada a face ao Mundo.
Já não brame da guerra a voz de bronze:
Festas, danças, prazer, luxo, lascívia,
Fazem de todos perenal emprego;
Adultério, consórcio, incesto, rapto,
São da beleza efeitos indistintos:
Nascem dos brindes as civis discórdias.
Eis venerando ancião mostra-se entre eles;
As orgias lhes pesquisa, os vis triunfos;
Contra esses crimes ríspido protesta:
Prega-lhes que contritos se arrependam,
Como a culpados em prisão metidos,
Só tendo que aguardar setença dura.
Foi tudo em vão: calou-se o justo, — e parte
Suas tendas a erguer em sítio ao longe.
Altas madeiras corta então nas selvas:
Apto a boiar construi um grão fabrico,
As dimensões por côvados lhe ajusta,
As costuras com pez unta-lhe em roda,
Abre-lhe porta ao lado, e de alimentos
Para homens e animais mete ampla cópia.

Eis... senão quando... (estranha maravilha!)
Casal de cada casta de viventes,
Vários na forma, vários na estatura,
Para ali veio entrar, — afigurando
Assim cumprirem recebidas ordens:
Por fim o construtor ali se abriga
Com filhos três e esposas deles quatro,
E Deus com segurança a porta cerra.
No entanto se levanta o Sul medonho
Batendo as longas, denegridas asas,
E arrebanda dos Céus as nuvens todas:
Em seu auxílio expelem as montanhas
Fuscos vulcões de mádidos vapores:
Então o firmamento condensado
Todo uma negra abóbada se ostenta,

Donde, precipitada, imensa chuva
Rui contínua, até que a terra some.
A arca lá boia erguida sobre as águas
E segura, enristando o extenso rostro,
Arfa ovante entre os férvidos marulhos, —
Enquanto a pompa e habitações dos homens
Rolam na profundez do fluido abismo:
Nos soberbos palácios, em que o luxo
Desde remotos séculos reinava,
Moram, procriam os marinhos monstros:
Nem praias tinha o mar, era mar tudo.
Da prole humana tão antiga e vasta
O que resta, ei-lo na arca entregue às ondas.

(De tua descendência ao ver a ruína,
Ruína total, Adão, que dor te punge?
Inunda-te também, também te afoga
De penas e de pranto outro dilúvio,
Até que te levanta o anjo benigno
E te sustém das forças no abandono,
Tu, qual pai que dos filhos chora a perda
Todos mortos de um talho ante seus olhos.)

"Desgraçadas visões!" (Adão exclama)
"Quanto melhor me fora que atra noite
Os quadros me escondesse do futuro!
Das desgraças somente assim sofrera
O quinhão meu, gravame assaz custoso;
Mas hoje em peso sobre mim recaem
Todas que destinadas se reservam
Ao castigo de séculos sem conto,
Porque, da minha previsão sabidas,
Muitos antes de existirem me atormentam
Pelo pavor de seus futuros danos.
De si, dos filhos seus, ninguém procure
Prever sucessos que há de vir sem falta:
Com a previsão os males não se impedem,

E imaginados não afligem menos
Do que em sua verídica amargura.
Mas são extemporâneos tais conselhos;
Homens para os tomar já não existem, —
E, se alguns inda restam vagabundos
Por esse universal páramo aquoso,
Hão de enfim sucumbir à fome, à mágoa.
Cri que, cessando a prepotência e a guerra,
Dias ditosos o Orbe em paz gozara;
Mas iludi-me... e presencio agora
Que, se a guerra devasta, a paz corrompe.
Destes sucessos me descobre a causa,
Celeste guia, e se da estirpe humana
Deve acabar-se assim vida e memória."
"Esses que há pouco viste" (o anjo responde),
"Em opulento luxo e ovantes brindes,
Os mesmos são que dantes se ostentavam
Denodados heróis de ações ilustres,
Mas de virtude verdadeira faltos;
Os mesmos são que, tendo posto esmero
Em inundar de sangue humano o globo,
Em subjugar nações com fero estrago,
E deste modo ou de outro havendo obtido
Altos títulos, fama, e rico espólio,
Viraram de caminho e se lançaram
Na vil prostituição, no ócio, na gula, —
Té que da paz e da amizade o grêmio,
Pelo orgulho e lascívia envenenado,
Rebentou em vulcões de hostis desordens.
Reduzidos a escravos os vencidos,
Que Deus por maus abandonou na guerra,
Perderam co´o bem da liberdade
Quanto neles havia de virtudes:
Frios no zelo e no temor divino,
Corruptos na opulência, e sem caráter
Para da temperança entrar nas provas,
Só querem, instam, conservar seguros

Os vergonhosos, dissolutos gozos,
Tais quais os seus senhores lhes permitam.
Assim geral a corrupção se torna;
E ficam no atro esquecimento ocultas
A sobriedade, a fé, a honra, a justiça.
Eis que um varão menoscabando do Orbe
As iras, os desprezos, os afagos,
Bom da perversidade entre os exemplos,
O só filho da luz no evo das sombras,
Exprobra aos homens seus nefandos crimes;
Da justiça os caminhos lhes aponta
Como cheios de paz e os mais seguros;
Profetiza dos Céus a ira tremenda
Que por impenitentes vai puni-los:
Porém escarnecido e desprezado
Voltará deles o que Deus reputa
O único justo desses férreos tempos.
Então, por ordem do Arquitipo augusto,
O varão (como vês) essa arca ingente
Fabricará, e nela há de abrigar-se
Ele e os seus, esquivando-se de um Mundo
A universal devastação votado.
Assim que se alojarem nesse asilo,
E os animais que à morte escapar devem,
Bem a coberto do furor equóreo, —
Rebentarão dos Céus as cataratas
E chuva no Orbe lançarão imensa,
Ao passo que do Abismo inteiro as fontes
Se desentalarão no crespo oceano
Que, ultrapassando todos os limites,
O globo cobrirá, ficando imersos
Nas fundas águas os mais altos montes.
Co´a violência das ondas arrancado
Será pela raiz o monte do Éden,
E boiará, sem árvores, se flores,
De seu rio nas túmidas correntes,
Té que se há de prender do golfo na orla,

Vindo a ser ilha nua e salsa um dia,
Só frequentada de delfins e focas,
Co´os guinchos das gaivotas aturdida.
E daqui tira que jamais o Eterno
A sítio algum outorga santidade
Se de seus habitantes as virtudes
Não a plantam ali com puro zelo.
Ao que tem de seguir-se atende agora."

Olha Adão: e vê da arca a mole ingente
Inda arfando nas águas do dilúvio,
Que já mais baixas decrescido haviam.
Do penetrante Norte os secos sopros
As nuvens pelos Céus afugentavam,
Dos mares enrugando a superfície;
E o claro Sol neste amplo aquoso espelho
Empregava sequioso ardentes olhos,
Bebendo à larga o mar que manso e manso
Também se escoava para o baixo Abismo,
Que já tinha cerradas as comportas.
Como vedara o Céu as catadupas.

Eis que não mais flutua imóvel a arca,
Parece fixa em tope de montanha.
Logo dos montes os aéreos cimos
Como pontas de escolhos se apresentam,
Donde as rápidas águas estrondosas
Vão-se em fúria meter no mar fuginte.
No entanto da arca se despede um corvo
Que não voltou. Mas logo fende os ares
Uma pomba, mais fida mensageira,
Buscando árvore ou ramo onde se firme;
Da vez primeira regressou baldada;
Porém no bico trouxe, da segunda,
Sinal de paz, um ramo de oliveira.

Então a terra se descobre enxuta:
Sai o varão e os mais viventes da arca.
E, tanto auxílio aos Céus agradecendo

Com levantadas mãos e olhar devoto,
Vê sobre a fronte nuvem orvalhada
Em que arco se debuxa amplo e formoso,
Com três listradas cores refulgente.
De Deus mostrando a paz e a nova aliança.

Adão, triste até'li, mas desde logo
Em ondas de alegria transbordando,
O gozo de sua alma assim expressa:
"Ó tu, meu mestre, que mostrar-me sabes
Os sucessos por vir como presentes,
Nesta última visão tornas-me à vida
Vendo que da arca as criaturas todas
Escapam vivas do furor das águas,
Que a prole sua conservada fica!
Menos lamento o estrago do Orbe inteiro
Por meus perversos filhos habitado,
Do que folgo por ver que achou o Eterno
Um tão amável homem, tão virtuoso,
Por quem criar se digna um novo Mundo
E seus furores ocultar no olvido,
Porém... que indicam as listradas cores
Que, pelo Céu arqueadas, mostram visos
Dos sobrolhos do Eterno serenado?
Servirão elas de festão florido
Que as abas feche das aquosas nuvens
Para não ser de novo o Mundo imerso?"
"Bem conjecturas" (diz-lhe então o arcanjo):
"Deus de bom grado seu furor mitiga,
Inda que, há pouco, para a terra olhando
E vendo-a cheia, nos sentidos todos,
De carnal corrupção, fera injustiça,
Sentisse imensa mágoa, pesaroso
De ter feito o homem que se afoga em crimes.
Removidos os maus, tal graça encontra
Ante seus olhos um varão perfeito,
Que Deus por ele seu furor aplaca

Deixando inda viver a humana prole;
E promete que o mar contido em diques,
A chuva pelas nuvens estorvada,
A água subtérrea nos abismos presa,
Nunca jamais alagarão o Mundo.
Sempre que este arco tricolor, brilhante,
Sobre a terra, nas nuvens apareça,
Lembrem-se os homens que benigno o Eterno
Os aditou por tão feliz aliança.
Noites, dias, sazões, anos e séc´los,
Hão de seguir seus turnos té que o fogo
Abrase e purifique este Universo.
Então mais puro o Céu, mais puro o globo,
Serão de justos a morada eterna."

ARGUMENTO DO CANTO XII

O anjo Miguel continua a contar o que há de suceder depois do dilúvio: — então, fazendo menção de Abraão, vai gradualmente até explicar quem é a "raça da mulher" prometida a Adão e a Eva em sua queda. Encarnação, morte, ressurreição e ascensão do Redentor. Estado da Igreja até sua segunda vinda. Adão, mui satisfeito e sumamente confortado por estas narrações e promessas, desce da colina com Miguel. Vai acordar Eva que tinha dormido durante todo esse tempo, — mas já disposta, por meio de sonhos agradáveis, à tranquilidade de ânimo e à submissão. Miguel, tomando-os pela mão, leva-os para fora do Paraíso: — a espada de fogo brande-se furibunda por detrás deles, e os querubins tomam seus postos para guardar o jardim.

CANTO XII

ual caminhante que, apesar de ansioso
Por quanto antes findar seu longo giro,
Descansa as horas em que o sol mais queima;
Assim, de Adão às reflexões dando azo,
O arcanjo então a narrativa susta
Do aniquilado Mundo entre as ruínas
E a aparição do Mundo restaurado.
Depois com suave transição prossegue:
"Viste fazer e destruir um Mundo,
E de outro tronco alçar-se a humana espécie.
Mas eu percebo que teus olhos cansam
Inda que destes quadros portentosos
Muito lhe escapou: curvam, fraqueiam
Sob assuntos do Céu térreos sentidos;
Por isso, desde já, passo a contar-te

O mais saliente nos futuros evos.
Tu dócil presta-me atenção; escuta.
A nova estirpe humana, enquanto pouca,
Enquanto impresso conservar na mente
Da punição passada o frio susto,
Irá vivendo no temor do Eterno,
Seguindo a retidão e a sã justiça.
Então, obtendo em breve infinda prole,
Cultivará da terra o fértil seio
Que abundância dará de áureas espigas,
De vinho animador, de puro azeite:
Of'recerá das greis, dos armentios,
Ao Rei do Empíreo vítimas frequentes,
Esparzidas com vinho em larga cópia,
Servidas logo nos festins sagrados.
Cheios de gozo, de inocência cheios,
Seus dias correrão; a paz mimosa
Tem de uni-los por tempo dilatado
Em trios fraternais, ampla família,
Do paterno governo à sombra sacra.
Rebela-se depois varão soberbo,
Que no peito orgulho não acolhe
A igualdade gentil, fraterno estado;
E, arrogando-se a si domínio férreo,
A seus irmãos a liberdade usurpa.
Ímpio caçando (brutos não, mas homens),
Com guerra e hostil engano a todos fere
Que à sua tirania não se curvem.
De todo então da Terra se retiram
Concórdia, paz, e leis da Natureza.
De *grande caçador* se impõe o nome,
Ou por desprezo ao Céu, ou porque aspire
A ter quinhão do Céu no império sumo:
Inda que tacha de rebeldes todos
Que opostos são à tirania sua,
Toma o nome da própria rebeldia.
Com grandes turmas, que como ele intentam

Sob seu domínio escravizar o Mundo,
Sobre o ocidente do Éden se dirige:
Lá depara co´um campo onde ampla se abre
Betuminosa, denegrida furna,
A qual, do Inferno parecendo boca,
Imensos turbilhões de lava expele.
De tijolos com ela betumados
Pretendem levantar fábrica enorme
Que vá coa frente topetar no Empíreo,
E obter, por obra tal no inteiro globo,
Altissonante, duradoura fama
(Ou seja boa ou má, o tudo é tê-la).
Deus, que para as ações notar dos homens
Vê-los a miúdo vem, não deles visto,
Passeando atento nas moradas suas,
Então observa a temerária insânia
E desce à Terra enquanto a altiva torre
Inda as torres do Céu não comprimia.
Rindo-se de tão débeis contendores
Sobre as línguas lhes lança inquieta fúria
Que a linguagem nativa lhes corrompe,
Semeando logo com discorde arruído
Uma aluvião de incógnitas palavras:
Vozeiam, gritam, uivam, enrouquecem;
Troa de vozes um trovão terrível;
Chamam sem se entenderem uns por outros,
Té que enraivam julgando-se zombados.
Os íncolas do Céu muito se riram,
Vendo a desordem, escutando o estrondo.
Abandonaram os obreiros a obra
Que foi Babel ou *confusão* chamada."

Com zelo paternal Adão sentido:
"Filho execrando" (diz)," que assim pretendes
Teus irmãos conculcar, a ti tomando
Ursupado poder, por Deus não dado!
Do mar, da terra, do ar, sobre os viventes

Ele nos concedeu pleno domínio,
Que só a seu favor nós o devemos; —
Porém, de homens senhor, não fez um do outro:
Para si reservou este apelido;
E quis que os homens, bondadoso e justo,
Independentes uns dos outros sejam.
Mas este usurpador não só dirige
Seu arrogante orgulho contra os homens:
Cercar e provocar ousando o Eterno,
Alevantou contra ele a insana torre.
Desgraçado mortal! Como puderas
Alimentos levar além das nuvens
Para tuas falanges temerárias?
O nímio ar sutil n´alturas tantas
Teus bofes dilatados não nutrira:
Morreras, de ar e de alimento à fome!"

"Do ódio teu" (diz Miguel) "digno é tal filho"
Que a paz assim turbou da espécie humana,
À justa liberdade impondo jugo.
Atento vê porém que o teu pecado,
Pondo a reta razão em plena ruína,
Destruiu a verdadeira liberdade,
Que em íntima junção com ela existe
E não tem por si própria existência.
Assim que no homem a razão se estraga,
Tomam-lhe o posto no mental governo
Turvas paixões, desejos desregrados;
Fazem-no escravo então, sendo antes livre.
Deste modo consente o miserável
Que dentro em si poderes tão indignos
Sobre a livre razão folgados reinem.
Em seu justo pensar então o Eterno
A social liberdade lhe reprime
Destinando-lhe aspérrimos senhores
Que, sem causa bem vezes, o escravizam.
Assim a tirania é necessária,
Posto que se castiguem os tiranos.

Tempos virão em que nações perversas,
Contra a razão calcando as sãs virtudes,
Por tiranos serão desapossadas
Da social liberdade, assim que percam
Com a razão a liberdade da alma,
De enormes crimes e castigo justo.
Do fabricante da arca o ímpio filho
Testemunho dará do que hoje avanço:
Pela que fez ao pai infâmia hedionda,
Esta pesada maldição escuta
Que a si e à sua geração abrange:
— "De escravos hás de ser tu mesmo escravo". —
Como o primeiro, o derradeiro Mundo
Vai de mal a pior: o Onipotente,
De tantas injustiças já cansado,
Dos maus apartará sua presença,
Retirará seus olhos sacrossantos,
Deixando os ímpios desde então entregues
Aos caminhos corruptos que se abriram.
Escolherá um povo predileto
Que aras submisso lhe erguerá, nascido
De virtuoso varão na fé preclaro
Que do Eufrates morava nas ribeiras,
Dos ídolos na crença doutrinado.
Oh! quanto os homens (poderás tu crê-lo?)
Inda nos dias do patriarca ilustre,
Que salvou do Dilúvio o prole humana,
Se têm de embrutecer negando, indignos,
Ao vivo Deus os sacrifícios e aras,
Para adorarem, como ingentes numes,
De pedra e pau imagens que fizeram!
Digna-se Deus chamar esse homem justo
Da casa paternal, dentre os parentes,
Dentre os mentidos numes que adorava:
Mostra-lhe uma visão onde lhe indica
Uma terra a que vá; que ele o começo
Será de ingente povo, em que do Eterno

A bênção recaindo, os povos todos
Serão, da estirpe sua, abendiçoados.
Obedece o varão: qual terra seja
Não sabe; mas na fé sempre é constante.
Não podes vê-lo tu; mas eu o vejo
Partir cheio de fé largando a pátria,
A fértil Ur nos prados de Caldeia,
Numes e amigos. Ei-lo o Harã passando;
Seguem-no imensas greis, manadas, servos:
Opulento senhor, não pobre errante,
A Deus, que o chama a terras não sabidas,
Suas riquezas generoso entrega:
Seus pavilhões em Canaã plantados
Junto a Sechem lá vejo, e mesmo ocupam
De Moreb as campinas vicejantes.
Ali lhe entrega Deus, inda em promessa,
Vasta região para ele e a prole sua:
Falo-te em nomes no porvir usados.
Tem o deserto ao sul, o Hamath ao norte,
O grande mar no ocaso, o Hermon a leste.
Repara o que te aponto: deste lado
O Hermon se eleva; além o mar se estende:
Ali pegado à praia entra nas nuvens
Do Carmelo a montanha donde nasce
De fontes duas o Jordão divino,
Próprio limite das regiões Eoas:
Mas povoarão seus filhos quanto alcança
Té Seir que a cordilheira além te mostra.
Pondera que serão nesta família
Abendiçoadas do Orbe as nações todas:
Sairá dela o Salvador augusto
Que esmagará da serpe imunda fronte:
Logo to hei de mostrar com mais clareza.
Há de Abraão chamar-se em próprio tempo
O abendiçoado patriarca: um filho
Deixará, — e por ele um neto ilustre,
Igual do avô na fé, na ciência e fama.

Com doze filhos o ditoso neto
Parte de Canaã, entra no Egito:
Olha o Nilo que o rega e donde corre;
Lá deságua no mar por bocas sete.
A vir morar ali foi convidado
Por um dos filhos em faminto tempo, —
Filho, cujas ações no egípcio Império
O puseram no grau chegado ao trono.
Eis que ele morre, e sua raça deixa
Inda crescendo de nação em corpo:
Já grande ao novo rei inspira sustos,
Que intenta obstar-lhe à geração os voos
Como se fosse de hóspedes terríveis:
Tirano o asilo em servidão lhes muda,
E mata os filhos que varões lhes nascem.
Deus então manda que em seu sacro nome
Moisés e Aarão, irmãos assim chamados,
Do cativeiro o povo seu reclamem:
Voltarão todos com espólio e glória
Para a ditosa terra prometida.
Porém, primeiro que este bem alcancem,
O ímpio tirano a conhecer se nega
O grão Deus de Israel, seus altos núncios.
Por terríveis sinais, duras sentenças,
Há de ser a deixá-los compelido:
De seus rios as rápidas correntes
Em sangue não vertido há de mudar-se;
Torva aluvião de rãs, nuvens de moscas,
Vermes sem conto povoarão nojentos
Todo o palácio seu, seus reinos todos,
Peste asquerosa matará seus gados;
Chagas, tumores cobrirão infectos
Dos povos seus e dele mesmo as carnes;
Do raio o fogo e da saraiva a neve
O céu do Egito rasgarão concordes,
E, pela terra aspérrimos rolando,
Tudo aniquilarão que nela gira;

Os grãos, frutos, e plantas que escaparem,
De gafanhotos um cruel dilúvio
Come, deixando sem verdura a terra;
Por dias três escuridão palpável
Rouba a luz, todo o Egito em si imerge;
Deles depois, à meia-noite em ponto,
Prostra os recém-nascidos fera a morte.
Às dez pragas fatais assim cedendo,
Por fim submete-se o dragão do Nilo
E consente partir a hebreia gente:
A miúdo humilha o coração de bronze.
Mas — como a neve, que o calor fundira,
Fica mais dura, se de novo gela, —
A raiva sua eis que de ponto sobe,
E torna a perseguir os desgraçados.
Confiado ao justo seu o Eterno havia
Grão poder, — e, presente então num anjo,
Lá vai adiante do escolhido povo
(De dia, envolto numa argêntea nuvem;
De noite, dentro de um pilar de fogo,
Para dos passos seus marcar-lhe o rumo),
E ao mesmo tempo, com seu amplo auxílio
Protege-lhe piedoso a retirada
Contra o rei pertinaz que os vem seguindo
Mesmo através da escuridão noturna.
Deus, penetrando co´os sagazes olhos
Pelo pilar de fogo e argêntea nuvem,
No mau atenta, o espírito lhe aterra,
Dos altos carros lhe espedaça as rodas,
O chefe hebreu, por indução divina,
Já sobre o Roxo mar a vara estende.
Eis separam-se as ondas; seca estrada
Por entre muros de cristal se alonga:
Por ela se encaminha o povo eleito,
E, dele após, de Faraó as turmas.
Mas, tanto que Moisés na oposta praia
Salvos os seus contempla, ergue de novo

A vara portentosa sobre as vagas:
Logo obedientes a juntar-se tornam,
Do Egito sepultando em seus abismos
O exército e de guerra um trem imenso.
De Deus a gente a Canaã caminha:
Não toma o chefe a conhecida estrada.
Mas por largo deserto vai cortando,
Temendo que, inexpertos de batalhas
Os seus, coçados de imprevista guerra
Que os íncolas brutais fazer podiam,
De novo para o Egito não voltassem
Antes querendo servidão inglória
Do que valentes esgrimir as armas
(Que existência pacífica preferem
Plebeus e nobres às guerreiras lides,
Se da glória o furor os não inflama).
Pela demora no deserto extenso,
De um próvido governo o bem ganharam,
Nas doze tribos eleição fazendo
Do supremo senado que os dirija
Conforme as leis que promulgadas fossem.
Lá desce o Eterno do Sinai ao cume,
Que obumbrado de nuvens estremece;
Rudos bramam trovões, fuzilam raios,
E das trombetas o clangor estruge:
Porém, como dos homens os ouvidos
Não podem do Imortal coa voz tremenda,
Pedem-lhe que Moisés ao monte suba
Donde, cessado o horrível aparato,
Sua augusta vontade lhes transmita.
Deus os ouviu: Moisés as leis lhes trouxe:
À justiça civil umas pertencem;
Outras regulam os sagrados ritos,
Mostrando por simbólicas figuras
A prole que esmagar deve a serpente,
E por que meios terminar consiga
A cabal redenção da humanidade.

Assim os homens saberão que acesso,
Sem ter intercessor, em Deus não acham.
No entanto o hebreu ilustre desempenha
Tão alto encargo que há de no futuro
Ser de mais elevada jerarquia.
Ele a proclama, e todos os profetas
O tempo contarão do grão Messias.
Assim que as leis e os ritos se executam,
Cheio de gosto quer o Onipotente
Colocar entre os homens que o veneram,
Tabernáculo seu; morar se digna
Entre humanos mortais o Deus Eterno.
Magnífico santuário por seu mando,
De altivo cedro se fabrica e doura:
Dentro uma arca se põe, e dentro da arca
Vão as tábuas da lei, o pacto augusto:
Sobre ela feito de ouro, e sendo erguido
De dois brilhantes querubins nas asas,
Tem de propiciação o trono assento:
Ante ele sete lâmpadas cintilam
Do zodíaco em forma, afigurando
Os planetas que no éter luz espalham:
De dia sobre a tenda uma ampla nuvem,
De noite ígneo esplendor, hão de avistar-se,
Guardas perpétuas da arca sacrossanta.
Pelo anjo seu destarte conduzidos,
Chegam por fim à prometida terra.
Travaram cem aspérrimas batalhas,
Venceram reis e conqusitaram reinos:
Ficou por todo um dia o sol parado,
Sustando à noite o costumado giro.
—"De Gabaon por ima, Ó Sol, detém-te!
"E tu, no vale de Aialon, ó Lua,
"Té que vença Israel!" — À voz de um homem
Obedecem do dia e noite os astros.
O neto de Abraão, de Isaac filho,

Israel se chamou; e o mesmo nome
Foi conferido à descendência sua
Que à brava Canaã lançará ferros:
Porém... entrar pelos detalhes todos
Mui longa narração fora por certo."

Aqui Adão interrompeu o arcanjo:
"Celeste mensageiro, que iluminas
De meu turbado entendimento as sombras,
Tens-me gratos sucessos revelado,
Principalmente os que respeito dizem
A esse justo Abraão e à prole sua.
Eis a primeira vez que em mim contemplo
A vista clara, o coração tranquilo:
A minha sorte e a da progênie humana
Tinham minha alma em dúvidas perplexa;
Mas vejo agora o dia em que ditosas
Serão as gentes por bênção do Eterno,
Graça que eu não mereço, eu que insensato
Por vias proibidas quis meter-me
Na indagação de proibidas coisas.
Contudo, não entendo por que a gentes,
Com quem na terra Deus morar se digna,
São dadas tantas leis e tão diversas:
Muitas leis é sinal de muitos crimes;
E como pode residir o Eterno
Com gentes de tais crimes empestadas?"

"É certo" (diz Miguel) "que o crime entre elas
Existirá porque de ti nasceram:
Foram-lhes dadas leis para indicar-lhes
Sua depravação que, não obstante,
Contra as leis os pecados lhes promove.
Verão que as leis descobrem os pecados,
Porém que removê-los não conseguem;
E que não podem de per si os homens
Das leis cumprir as máximas profícuas,

Não podendo também por si salvar-se.
Das reses pouparão por isso o sangue
Como expiação de inútil valimento;
E entenderão que sangue mais precioso
É que expiar poderá culpas humanas,
Por pecadores padecendo o justo.
Acharão, se com fé a acreditarem,
Na retidão do justo um pleno auxílio
Com que às iras do Eterno satisfaçam,
E a doce paz alcancem da consciência,
Que as leis e os ritos aquietar não podem.
Foram portanto as leis aos homem dadas
Para os dispor a entrar, lá quando volva
O destinado círculo dos tempos,
Num pacto mais augusto, indo ensinados
Dentre as sombras dos símbolos confusas
Para o fulgor da nítida verdade;
Da carne, para o espírito eminente;
Da dura imposição de leis restritas,
Para a livre acepção de imensas graças;
Da obediência servil, fruto do medo,
Para a atenção filial que o amor inspira;
E das obras da lei, feitas por força,
Para obras a que a fé persuade e guia.
Muito de Deus será Moisés amado;
Mas, da lei sendo só simples ministro,
Não levará a Canaã seu povo.
Tal regalia gozará Josué,
Que *Jesus* os gentílicos nomeiam,
Havendo ele tomado o cargo e o nome
Do que há de suplantar a hostil serpente;
E, reduzindo ao bom caminho os homens
Do mundo no deserto vagabundos,
Há de salvá-los no descanso empíreo.
Na prometida terra colocados
Por longo tempo morarão felizes;
Mas, quando pelos nacionais pecados

For a pública paz interrompida,
Inimigos o Eterno induz contra eles,
Contudo, vendo a penitência sua,
Protege-os, salva-os, dando-lhes juízes
E logo reis que providos os mandem.
Grande em piedade, grande em valentia,
O rei segundo alcançará promessa
De que seu trono real durará sempre:
Hão de cantar as profecias todas
Que um filho nascerá da régia estirpe
De David (este o nome do monarca):
Hão de todos crer nele os povos do Orbe,
E *Prole da Mulher* hão de chamar-lhe:
Profetizado a ti, também tal dita
Tem Abraão, que reconhece nele
O redentor das gentes inegável;
Profetizado aos reis, que em série longa
O devem preceder, o último deles
Será, por ser eterno o seu reinado.
O filho de David que ao pai sucede,
Em sapiência e riquezas tão distinto,
A arca de Deus porá num templo augusto
Té'li oculta em pavilhões errantes.
Seguem-se-lhe outros reis: do Mundo os fastos
Parte maus, parte bons, hão de escrevê-los;
Mas a lista dos maus será mais longa.
Hão de estes cometerem enormes culpas
E entre elas a nefanda idolatria,
As quais, somadas coas dos povos, tanto
De Deus enfadarão as justas iras
Que em abandono os deixará, expondo
Seu rieno, a corte sua, o excelso templo,
A arca divina, os utensis sagrados,
À presa e opróbrio da cidade altiva,
Cujos muros e torre presunçosa
Tu mesmo viste em confusão deixados,
Por isso de Babel tomando o nome.

Setenta anos em duro cativeiro
Hão de ficar ali, que Deus o manda:
Recordando depois o pacto e a graça
Que jurara a David, tão permanentes
Como os dias do Céu, piedoso os livra
Dos reis influindo que sair os deixem.
Ei-los que da alta Babilônia partem:
Edificam de novo o sacro templo,
E por um tempo prosperar conseguem
Vivendo em mediania moderados.
Porém, crescendo em número e riquezas,
Fazem-se turbulentos: a discórida
Teve entre as aras a explosão primeira;
E esses homens, a Deus e à paz votados,
Dão da carnagem e da anarquia o exemplo.
Desacatando de David a prole,
Despojam-na do cetro, e desonrados
Em estrangeiras mãos o depositam.
Convinha assim, para nascer excluso
De seu jus o Messias verdadeiro.
Contudo, o nascimento lhe proclama
Clara estrela, no Céu não vista nunca,
E do Oriente conduz os sábios que instam
Em buscar do grão Rei o pobre albergue,
Para com reverência lhe ofertarem
De incenso e mirra, e de ouro, amplo tributo.
A zagais, que de noite alerta andavam,
Um anjo mostra onde recém-nascido
Achariam do Mundo o Rei supremo.
Ao vê-lo alegres correm, e de um coro
De anjos, formado em esquadrão brilhante,
Escutam este cântico solene:
— "Por Mãe teve uma virgem sacrossanta;
"É seu Pai o poder do Onipotente:
"Há de subir ao trono hereditário;
"A todo o Mundo seu império abrange;
"Os Céus inteiros enche a sua glória." —

Disse. Eis Adão, regado havendo dantes
Com puro pranto de aflição as faces,
Em pranto de alegria então se inunda,
E com palavras tais por fim a exala:
"Profeta dos mais prósperos sucessos,
Fixas tu minhas altas esperanças:
Agora às claras vejo, tendo ansioso
Té hoje em vão cansado o pensamento,
Por que o libertador da espécie humana
Seria *Prole da Mulher* chamado.
Salve, Mãe Virgem, puro amor do Eterno!
Terás origem nas entranhas minhas;
No teu ventre a terá de Deus o Filho:
Desta maneira Deus unes co´os homens.
Seu estrago total com dor terrível
Certo agora esperar deve a Serpente.
Onde e quando será essa batalha?
Com que ferida o vencedor augusto
Prostrará desse monstro as bravas iras?"
"Dessa batalha" (diz Miguel) "não julgues
Como de um duelo ou de locais feridas,
Nem que homem vai fazer-se o Filho Eterno
Para arruinar melhor o teu contrário.
Assim não pode ser Satã vencido:
A queda que sofreu da empírea altura
Foi o estrago maior que ter podia;
Mas não lhe impede que perverso te abra
A ferida de morte: o grande Nume,
Teu salvador, virá depois fechá-la,
Não de Satã destruindo a própria essência
Mas sim as obras com que tenha ervado
A ti e a toda a descendência tua.
Conseguirá seu fim, cumprindo exato
De Deus a lei sagrada que infringiste,
Dada sob pena de infalível morte, —
E sofrendo essa morte que lançaste
Sobre ti, sobre tua inteira prole,

Pela infanda infração que cometeste.
Eis o só modo de aplacar do Eterno
A tremenda justiça inabalável.
A lei se acinge a vítima divina
Por obediência e por amor levada;
Também só por amor fizera o mesmo.
Suportará teu áspero castigo;
Há de sacrificar-se generoso
A vida desonrada, a morte infame,
Destarde recobrando a vida a todos
Que em sua redenção acreditarem,
Não conseguida pela obras deles
(Posto que à lei cingidas se executem),
Porém só pelos méritos imensos
Da vítima sagrada. Entre mil ódios
Tendo vivido, prendem-no ultrajado,
Julgam-no por blasfêmias e ignomínias,
Sentenciam-no à morte, e em cruz alçada
Mesmo os seus próprios nacionais o pregam.
Morre ele para dar aos outros vida:
Na sua mesma cruz pregar consegue
Teus imigos, a lei que te é contrária,
E as culpas todas da progênie humana:
Não mais hão de danar assim quem creia
Remido ser por este sacrifício.
Morre Deus, — porém vivo eis que ressurge:
Sobre ele a morte pouco tempo exerce
Usurpado poder: antes que aponte
A alva terceira, da manhã os lumes
Vê-lo-ão erguer-se da marmórea campa
Muito mais belo que a brilhante aurora.
Coa morte paga o homem o resgate:
Preciosa morte que dá sempre a vida
A quem, quando lhe é dada, a não despreza,
E abraça tão grandioso benefício
Com fé que de obras suas se acompanha!
Este ato divinal desfaz, anula

A sentença que à morte te condena,
Com que perderas para sempre a vida
Se morresses no grêmio do pecado;
Esmaga de Satã a altiva fronte;
Poderoso lhe oprime a enorme raiva,
Pondo o Pecado e a Morte em dura ruína
(Os braços principais do rei das trevas).
Eles os seus farpões na frente imunda
Hão de cravar-lhe com mais fundo estrago
Do que o da morte temporal ferindo
O vencedor e os que remiu seu sangue,
Nos quais a morte parecida ao sono
É doce entrada para a vida eterna.
Nem muito tempo se demora no Orbe,
Depois de ressurgido, o Nume-Filho:
Aos discípulos caros aparece
Que sempre em sua vida o acompanharam;
O encargo lhes impõe que aos povos todos
Ensinem tudo que aprenderam dele,
Assegurando-os que obterão de certo,
A salvação se nela acreditarem
Recebendo o batismo de água pura, —
Cerimônia que os limpa do pecado,
Dispõem-nos para venturosa vida
E para desprezar da morte os golpes,
Resignação humilde lhe ofertando,
Mesmo aos do Redentor sendo igualados.
Hão de doutrinar os povos todos.
Desde esse dia a salvação pregada
Não será de Abraão somente aos filhos, —
Mas também dele aos que na fé viverem,
Seja qual for a terra que habitarem:
Serão desta maneira as nações todas
Na prole de Abraão abendiçoadas.
Ao Céu dos Céus então o Nume-Filho
Tem de subir nas asas da vitória,
Teu inimigo e o seu vencendo no éter:

Na diáfanas regiões há de encontrar-se
Coa Serpente infernal, tirano delas;
E ali, mesmo através de seus domínios,
Há de envolta em cadeias arrastá-la,
Deixando-a logo confundida e inerme.
Entra dali pelos umbrais da glória
E toma, à destra do Imortal, o assento
Que, muito acima dos mais altos tronos,
Ocupara desde eras sem quantia.
Depois, lá quando no prefixo prazo
For dissolvida a máquina do Mundo,
Ele irá, de poder e glória cheio,
Justiçoso julgar vivos e mortos:
As culpas punirá da turba infida
E premiará a multidão dos justos,
Recebendo-os na dita sempiterna
Ou no Céu ou na Terra, que em tais tempos
A Terra tem de ser um Paraíso
Mais delicioso do que é este do Éden,
Com mais ditosos dias realçados."

Disse, — e fez pausa, como demonstrando
Ser aqui a grande época do Mundo.
Maravilhado e cheio de alegria
Nosso primeiro pai assim lhe torna:
"Ó bondade sem fim, bondade imensa!
Tiras de tanto mal um bem tamanho!
De muito se avantaja este prodígio
Ao que na Criação primeiro obraste
Quando a luz dentre as trevas extraíste!
Não sei se me desonre ou se me ufane
Do meu pecado, ao ver que dele surge
Mais glória para Deus e o bem dos homens, —
Ao ver que ele mostrou no Onipotente
Dos homens em favor bondade suma,
E a graça muito superando as iras.
Mas dize-me: — se aos Céus de novo sobe

O Salvador, o que será dos poucos
Que fiéis ficarem entre a grei infida,
Inúmera e contrária à sã verdade?
Então quem ousará da fida gente
A defesa tomar ou ser seu guia?
Se tão crus co´o Mestre procederam,
Co´os discípulos seus serão mais brandos?"

"Não" (diz o arcanjo); "mas o Nume-Filho
Mandará do alto Empíreo, aos seus, conforto,
Do Pai promessa, o espírito divino
Que nos seus corações fará morada:
A lei da fé ali há de escrever-lhes:
De intenso amor os encherá que os guie
Pelo caminho das verdades puras;
E há de muni-los de constância heroica
Para arrostarem, para destruírem
Os assaltos e as armas do ígneo monstro:
Tanta há de dar-lhes valentia na alma
Que, desprezando a morte e seus horrores,
Uma e mil vezes, encherão de assombro
Todos os mais cruéis de seus verdugos;
Assim consolações de gozo excelso
Hão de as ânsias pagar-lhes do martírio.
Antes de entrar nas batizadas turmas
O espírito divino enche primeiro
Os Apóstolos santos, e os incumbe
De pregar o Evangelho aos povos todos:
Dotá-los-á coas prodigiosas prendas
De falar quantas línguas haja no Orbe,
E de fazer quantos milagres tenha
Defronte deles feito o Mestre-Nume.
Inúmeros prosélitos destarte
Há de ganhar cada um, que ovantes queiram
Notícias receber do Empíreo vindas.
Depois que o sacro ministério cumpram,
De seus dias bem finda a grã carreira,

E seus dogmas e anais deixando escritos,
Serão heroicas vítimas da morte.
Porém (como eles d´antemão disseram)
Em seu lugar virão à grei pastores
Que, tornados em lobos furibundos,
Farão servir os celestiais mistérios
A vis conluios de ambição e ganho
Para interesse próprio dirigidos;
Que por superstições à fé contrárias
E por sutis tradicionais embustes,
Corromperão a límpida verdade
Achada pura só nesses registros,
Posto que só os bons ali a entendem.
Faustos, empregos, títulos buscando,
O temporal poder hão de juntar-lhe;
Mas com sagaz hipocrisia inculcam
Que no poder espiritual se encerram:
Hão de querer possuir como exclusivo
O espírito de Deus, que aos crentes todos
Foi igualmente prometido e dado.
Por essa pretensão, que os Céus insulta,
As leis espirituais, desacatadas,
Do temporal poder co´o férreo auxílio,
Hão de as consciências arrastar por força:
Mas ninguém obrigado assim se julga
As leis cumprir pela violência impostas, —
Nem há de crer que o espírito divino
Assim nos corações as tem gravado.
A liberdade e a fé, que por essência
Inseparáveis são, presas ao jugo
Deixarão de existir; e seus santuários,
Que a livre crença de cada um sustenta,
Hão de cair com base em crença de outrem:
Da consciência e da fé contra os ditames
Haverá muitos que ousem orgulhosos
Pretensões de infalíveis arrogar-se:
Nascem daqui perseguições nefandas

Contra os que persuadidos perseveram
Na adoração do espírito e verdade;
E os mais, que muito em número os excedem,
Satisfazer à religião opinam
Com cerimônias vãs, com rito externo.
Ferida então co'os dardos da calúnia
Foge a verdade, e raramente vistas
Entre os homens serão da fé as obras.
Assim bom para os maus, aos bons adverso,
Gemendo sob o peso das maldades,
Tem de ir o Mundo até que lhe apareça
O dia de alto alívio para os justos,
E de vingança em dano dos perversos:
Nele "a progênie da mulher" (que dantes
Anunciado te foi entre mistérios
E prometido como teu socorro,
Mas que teu salvador vês hoje às claras)
Torna a descer ao globo, — e no éter amplo,
Todo adornado coa paterna glória,
Vê-lo-ão talhar das trevas o tirano
E as pervertidas turmas que o seguirem.
Depois, tendo a matéria conflagrada
Obtido a sua prístina pureza,
Dela tem de formar o Nume-Filho
Novos Céus, nova Terra; e infindos tempos,
Que paz, justiça e amor, terão por bases,
Darão de ovante dita eternos frutos."

Disse o anjo. E Adão por último responde:
"Como, empíreo profeta, em breves rasgos
O transitório Mundo e os tempos todos
Abranger té seu termo conseguiste!
O mais é tudo Abismo, Eternidade,
Onde alcançar não pode a vista humana.
Comigo muito em paz, mui doutrinado
Daqui parto, — de si levando dentro,
Este argiloso vaso em que consisto,

Quantos conhecimentos nele cabem:
Aspirar mais além fora loucura.
Sei de hoje em diante que me cumpre à risca
Obedecer a Deus, com susto amá-lo;
Portar-me sempre como estando ante ele;
Ouvir-lhe a voz que soa íntima na alma;
Confiar só nele que piedoso estima
De suas mãos os portentosos feitos,
Que coa força do bem o mal destrói,
Que fez com poucos meios coisas grandes,
Que pelos fracos aniquila os fortes,
E que por meio de simpleza humilde
Confunde a fátua ciência dos mundanos.
Sei que sofrer por sustentar verdades
É valor que me ganha alta vitória,
E que olhos do justo a morte encaram
Como porta por onde entrar lhe incumbe
Na vida tão ditosamente eterna.
Essas lições me deu co´o próprio exemplo
Esse meu Redentor sempre bendito".

Por último também o anjo lhe fala.
"Como ditames tais tens apreendido,
Da sapiência tocaste o erguido cume.
Nem julgues que mais alto te elevaras
Se por seus próprios nomes conhecesses
Todos os anjos, as estrelas todas,
Tudo que há de recôndito no Abismo,
Todas da Natureza as grandes obras
Que Deus formou no Céu, ar, terra e mares, —
Se fossem tuas as riquezas do Orbe,
Se com mando absoluto o governasses.
Mas, ao que sabes, ajuntar te cumpre
Puras ações que bem lhe correspondam,
Fé, bondade, paciência, temperança,
E amor que no futuro há de chamar-se
Caridade, a primeira das virtudes.

Não sentirás assim deixar este Éden;
Antes sim possuirás dentro em ti mesmo
Um muito mais ditoso Paraíso.
Mas desta altura, donde viste tanto,
Desçamos desde já, que as horas chegam
De partirmos daqui: observa as guardas
Que acampadas deixei naquele monte
E que esperando estão a voz de marcha;
Olha como por diante delas fulge,
Em sinal de partida, a ardente espada
Pelo amplo Céu vibrando furibunda;
Demorar-nos aqui não mais podemos.
Vai, Eva acorda; sosseguei-lhe a mente
Com sonho grato que mil bens lhe agoura,
E para humilde submissão dispu-la:
Dize-lhe em próprio tempo o que me ouviste,
Mormente o que convém para firmá-la
Na fé da Redenção que aos homens todos
Prodigaliza de seu sangue e germe,
Que "Prole da Mulher" será chamado.
Oxalá que ambos por extensos dias
Vivais em fé unânime; a tristeza
Dos males feitos aliviai coa ideia
De que virão a ter um fim ditoso."

Descem do monte. O pai da prole humana
Logo à lameda vai onde dormindo
Eva ficara, mas que achou desperta.
Ela o recebe. E assim não triste fala:

"Sei donde vens e sei onde ir te cumpre;
Também presente está no sono o Eterno:
Os sonhos sempre de algum bem avisam,
Quando propícios ele os tem disposto, —
E tais os tive desde que angustiada,
Opressa de agra dor, fiquei dormida.
Guia-me pois; em mim não há demora:
Contigo ir-me... é ficar no Paraíso;
Estar aqui sem ti... é sair dele:

Disse Eva. E Adão ouviu-a complacente;
Mas não lhe respondeu, — que dele junto
O arcanjo estava já, e fulgurantes
Dos querubins os esquadrões desciam
Pelo declive do fronteiro monte,
Vindo com silenciosa ligeireza
Para a marcada posição guardarem.
(Dando ares de meteoro refulgente
Ou de névoa que à tarde se levanta
Do rio entre pauis manso correndo,
E vem seguindo ao lavrador os passos,
Quando para a morada se recolhe).
De Deus a espada à frente da coluna
Vem pelo éter brandindo acesa e fera,
Qual cometa, presságio de ruínas:
E logo com vapores abrasados,
Como os que reinam pela Líbia adusta,
Começou a queimar tão doce clima.
O arcanjo, que tal viu, toma apressado
Pela mão nossos pais que se demoram.
Do oriente até à porta assim os leva;
E, chegando à planície que se alonga
Fora do Éden, deixou-os e sumiu-se.

Olhando para trás então observam
Do Éden (há pouco seu ditoso asilo)
A porção oriental em flamas toda
Debaixo da ígnea espada, e à porta horríveis
Bastos espectros ferozmente armados.

De pena algumas lágrimas verteram,
Mas resignados logo as enxugaram.
Diante deles estava inteiro o Mundo
Para a seu gosto habitação tomarem,
E tinham por seu guia a Providência.

Dando-se as mãos os pais da humana prole,
Vagarosos lá vão com passo errante
Afastando-se do Éden solitários.

ÍNDICE EXPLICATIVO E REMISSIVO

de alguns nomes citados no poema, tanto próprios como apelativos.

(Os algarismos entre parêntesis indicam a página)

ÁFRICO — Assim se denomina, em relação à Itália e a todo o levante, o vento sudoeste que sopra da África (390).

AGRA — Esta cidade, que se gloriou por ser a corte do Grão-Mogol, e que constituiu uma das mais notáveis povoações da Índia, era situada à beira do rio Djemac. Logo, porém, que a sede do império foi transferida para Deli, descaiu Agra da sua prístina grandeza (421).

AIALON — Também se lhe chama Helon. Era uma cidade na tribo de Dã (453).

ALADÚLIA — Grande província na Turquia Asiática (376).

ALCIDES — Era o nome patronímico de Hércules (78), filho de Júpiter e de Alcmene (casada com Anfitrião, filho de Alceu).

ALCÍNOO — Rei dos Feacos, afamadíssimo pelos pomares e jardins que possuía na Ilha de Naxos (192). Deu hospedagem a Ulisses (329).

ALEANOS — (Campos) *Os campos Aleanos* (256) ou *campos Aleios* constituíam uma grande planície da Cilícia, onde Belerofonte caiu do Pégaso por se não haver nele segurado bem.

ALMANSOR — Aquele de quem Milton faz menção (422) é Jacob Almansor, que foi rei de Marrocos, e que possuiu Fez, Tremecém, Túnis e muitas outras povoações.

ALPES — (Montes) — Cordilheira que, desde a Ligúria até à Ístria, alteia a parte setentrional da Itália; é nos Alpes que existem os mais altos picos da Europa (80).

ALTÍSSIMO — Epíteto exclusivamente pertencente a Deus, e que por antonomásia o designa (48).

AMALTEIA — Assim chamaram os mitólogos à filha de Melisso (rei de Creta), que numa gruta do monte Dícteo amamentou o recém-nascido Júpiter. Aqui no poema de Milton, Amalteia é a ama de Baco (144).

AMARA — Montanha da Abissínia, onde alguns têm suposto que fora situado o Paraíso terreal (144).

AMAZONAS — Mulheres guerreiras que a tradição lendária diz ter havido na Ásia, e que os modernos reputam fabulosas. Estrabão localiza-as além da Albânia, junto ao Cáucaso, e vizinhas dos Citas. Quinto Cúrcio marca-lhes a pátria nas fronteiras da Hircânia (354).

AMÉRICA — Uma das cinco partes do globo terrestre (355). Por antonomásia lhe chama *Novo Mundo.*

ÁMON — Cognome com que Júpiter era adorado em Tebas (do Egito) e em toda a Líbia (144). Ámon se chamava também um filho de Loth, e dele provieram os amonitas.

AMONITAS — Descendiam de Ámon (filho de Loth); era-lhes proibida a entrada no tempo de Deus (139).

ANDRÔMEDA — Foi filha de Cefeu e de Casíope. Condenada a ser devorada por um monstro marinho, por se presumir vaidosamente mais bela que as Nereidas, salvou-a Perseu, que dela se enamorou (122).

ANFÍSBENAS — Nome designativo de um grupo especial de cobras (381).

ANGOLA — Uma das riquíssimas províncias que Portugal conta nas suas colônias da África ocidental. Esta vasta e ubérrima região estende-se entre os rios Danda e Cuanza (422).

ANJO — Por este nome se designa genericamente qualquer dos espíritos que Deus criou para o servirem e povoarem o Céu. Os anjos distinguem-se em *anjos bons* e *anjos maus*: *anjo bom* se diz todo aquele que não acompanhou Satã em sua rebeldia; de *anjo mau* compete a qualificação ao próprio Satã como qualquer dos outros que o acompanharam na sua revolta contra Deus, e que por isso foram com ele precipitados no Inferno.

ANTÁRTICO — (Polo) Assim se denomina o polo do Sul, em contraposição ao polo ártico ou polo do Sul, em contraposição ao polo ártico ou polo do norte (313).

AÓNIA — (Montanha) — Era situada na Beócia, e consagrada às Musas (22).

APOCALIPSE — Livro bíblico em que se acham expostas as revelações do Evangelista São João (124). Constitui o final do Novo Testamento.

APÓSTOLOS — Os doze discípulos a quem Jesus Cristo encarregou de pregar o Evangelho (462).

AQUERONTE — Um dos rios do Inferno, segundo, a mitologia Greco-romana (78).

AQUILES — Filho de Tétis e de Peleu (rei da Tessália). Na guerra de Troia distinguiu-se entre os mais notáveis heróis gregos. Foi ele quem matou Heitor (310) para vingar a morte de seu amigo Pátroclo; por seu turno o matou Páris (irmão de Heitor), ferindo-o no calcanhar (único ponto vulnerável no corpo de Aquiles).

ARÁBIA — Grande península na parte ocidental da Ásia. É banhada a oeste pelo mar Vermelho, ao sul pelo mar da Índia, e a leste pelo golfo Pérsico (121). Produz grande abundância de perfumes (138).

ARCANJO — Nome designativo de certos anjos que na escala hierárquica ocupam o mais alto lugar.

ARGEL — País da África Setentrional, banhado pelo Mediterrâneo (422); *Argel* se chama também a capital deste importantíssimo Estado que a França tomou em 1830.

ARGESTES — Vento que, segundo Plínio, sopra do ocidente (390).

ARGOBE — Por este nome se designa na Bíblia uma cidade e o seu adjacente terreno, que demorava ao sul do rio Jordão (39).

ARGOS — Era um navio (assim denominado em consequencia de haver sido construído por Argos, filho de Frixo), e nele embarcaram os argonautas quando foram a Colchos conquistar o velocino áureo (97) — Pelo mesmo nome se designa também na mitologia greco-romana o filho de Arestor, do qual se diz tinha cem olhos e que por isso fora escolhido por Juno para vigiar a ninfa Io amada por Jove; foi estrategicamente morto por Mercúrio e depois transformado em pavão (412).

ARIEL — No poema de Milton é um dos generais do exército de Satã (232).

ÁRIES — Um dos signos do Zodíaco (372).

ARIMASPO — Os Arimaspos eram povos da Ásia, acerca dos quais se contavam diversas fábulas, tais como a de fazerem guerra aos grifos (seus vizinhos) para lhes roubarem o ouro de suas minas, cuidadosamente vigiadas por estes animais (194).

ARIOCHE — Assim denominava Milton um dos generais do exército de Satã (232).

ARMÓRICA — Assim se chamou na Gália antiga vasta região, banhada pelo Atlântico (46).

ÁRNON — Rio da Síria, entre o país dos moabitas e os do amorreus (39); nascia de um monte que tinha igual nome, e desembocava no lago Asfaltite ou mar Morto.

AROAR — Cidade da Palestina, banhada pelo rio Árnon (39); pertenceu primeiro aos amorreus, e depois à tribo de Rubem.

ARQU'INIMIGO — Nome com que Milton exclusivamente designa Satã, por ser o chefe de todos os maus anjos (inimigos de Deus.)

ARQUITIPO — O mesmo que Deus supremo (161, 185).

ARTUR ou ARTUS — Príncipe da Grã-Bretanha, que floresceu no século VI, e que, figurando nas lendas como núcleo do ciclo de poemas cavaleiresco da Távola-Redonda personifica o gênio heroico dos celtas na briosa resistência dos bretões à invasão dos saxões (46).

ASCALON — Cidade marítima da Síria, ao norte de Gaza; depois de pertencer aos filisteus, passou para a tribo de Judá (41).

ASFALTITE — Grande lago da Palestina, nos confins da Arábia Pétrea; nele desemboca o rio Jordão; também o denominam mar Morto (39).

ÁSIA — Constitui uma das cinco partes do mundo, e talvez o berço da espécie humana (371).

ASMODEU — Demônio que enamorado de Sara (filha de Raquel) lhe matou sucessivamente sete maridos (antes de consumadas as respectivas núpcias); só depois de o prender o arcanjo Rafael, é que Sara pôde finalmente consumar seu matrimônio com Tobias (138). Figura como general no exército de Satã (232).

ÁSPIDES — Uma das formas de cobra em que foram metamorfoseados alguns dos anjos rebeldes (381).

ASPRAMONTE — Lugar mui celebrado num poema italiano (de autor desconhecido), poema de cavalaria impresso em Milão (no século XVI) com o título de *Aspramonte* (46).

ASSÍRIA — Um dos mais poderosos impérios da Antiguidade; estendia-se desde o mar Cáspio até o golfo Pérsico, e desde a Mesopotâmia até os confins orientais da Pérsia (52).

ASTAROTE — Ídolo dos sindônios, a que o povo de Israel também prestou adoração (40). Salomão lhe edificou (perto de Jerusalém) um templo (outros dizem que fora, não em honra de ASTAROTE, mas de Astorete).

ASTARTE ou ASTORETE — Ídolo dos sidônios, representado na figura de uma novilha ou de uma mulher com hastes córneas na cabeça (40); também o povo de Israel lhe prestou adoração; há quem confunda esta entidade com ASTAROTE.

ASTRAKAN — Cidade da Rússia, banhada pelo Volga (376).

ASTREIA — Foi filha de Astreu (rei da Arcádia); outros derivam-na de Júpiter e de Témis (deusa da Justiça); pintam-na com uma balança não mão, simbolizando a justiça e a equidade; no Zodíaco forma (segundo os poetas) o signo de *Virgo* (174).

ATABALIPE — Foi o derradeiro monarca do Peru; traiçoeiramente o mandou matar Francisco Pizarro, conquistador daquele país (422).

ATENAS — Cidade famosa da Grécia antiga, e ainda hoje capital da moderna Grécia (337).

ATLANTE — Rei da Mauritânia, a quem a fábula atribui a invenção da esfera armilar. Por não querer hospedar Perseu, foi metamorfoseado em um monte que na África lhe ficou perpetuando o nome (Atlas ou Atlante) (423). Pinta-se na figura de um homem que sustenta sobre os ombros a esfera celeste (37, 70, 123). Dele dizem serem filhas as Plêiades, que formam o sete-estrelo (390).

AURÃ — Era a parte mais oriental do Éden (141).

AURORA — Era na mitologia greco-romana a formosa divindade do crepúsculo matutino (215).

AUSONIA — Nome com que os gregos designavam a Itália (52).

AVERNO — Lago da Itália (na Campânia) em um terreno vulcânico circundado por espessíssima floresta; nele fantasiaram Homero e Virgílio a entreda do Inferno; daí veio depois este nome a ficar tido como sinônimo da mansão infernal (45, 70).

AZAEL — O principal porta-estandarte do exército de Satã (44).

AZOTH — Cidade fortíssima da Fenícia, que sustentou cerco durante vinte e nove anos, ao cabo dos quais veio a ser tomada por Psamético, rei do Egito (41).

B

BAALIM — Ídolo adorado pelos sidônios (40).

BABEL — Por este termo (que significa literalmente "confusão") ficou designado o campo na terra de Senaar, onde começara a ser edificada a torre com que os homens pretendiam chegar aos Céus, e de cuja feitura tiveram afinal de desistir, porque Deus lhes confundiu as linguagens a ponto de não poderem reciprocamente entender-se (50, 118).

BABILÔNIA — Opulentíssima cidade, banhada pelo Eufrates; foi por largo tempo capital da Assíria, e desapareceu na voragem dos séculos a ponto de nem já ruínas existirem dela (52).

BACO — Na mitologia greco-romana é o deus do vinho. Filho de Júpiter e de Sêmele, teve de ser criado com muito recato e discrição para escapar à índole vingativa da ciumenta Juno, esposa de Júpiter (144).

BACTRIANA — Por este nome (376) designavam os gregos um grande país da Ásia, ao nordeste da Pérsia; corresponde-lhe hoje a Tartária.

BALANÇA ou BALANÇAS — Assim se denomina um dos signos do zodíaco (389); *Libra* a chamam também. A figura por que tal signo se representa graficamente na mitologia greco-romana, comemora as balanças de Astreia (122). Milton, no canto IV do seu poema, fantasia-lhe origem mais sublime (174).

BÁRATRO — O abismo infernal (252).

BARCA — País na zona setentrional da África, muito estéril, e quase deserto (92).

BASÃ — Província da Palestina, compreendida entre o Jordão e as montanhas de Galaade (39).

BEEMOTH — Assim é designado no Velho Testamento o elefante (276).

BELAZ — Um dos anjos que se conservaram fiéis ao Senhor (173).

BELEROFONTE — Foi filho de Glauco (rei de Corinto) e adquiriu celebridade por conseguir montar no cavalo Pégaso (256).

BELIAL — Nome de ídolo adorado em Sodoma. No poema de Milton é um dos generais do exército de Satã (43). Sua argumentação no congresso infernal (61). Sua entrada em batalha e seus motejos contra o exército do Onipotente (242).

BELO — Pai de Nino, e rei da Assíria; fez de Babilônia a sua capital (52).

BELONA — Uma das divindades em que a mitologia greco-romana personifica a guerra (93).

BELZEBU — ídolo adorado na Palestina. — Milton designa com este nome no exército infernal o general imediato a Satã. É ele o primeiro que se ergue do mar de fogo, ao brado do chefe (24). Seu discurso no congresso infernal (69).

BERSABE ou BERSABÉ — Cidade da Judeia na extremidade meridional da tribo de Judá (121).

BETEL — Cidade da Judeia na tribo de Benjamim. *Lura* foi a sua primeira designação. Era edificada sobre a montanha de Efraim (42).

BIZÂNCIO — Situada na extremidade meridional do Bósforo, que proporciona um dos mais belos portos do mundo, Bizâncio foi sucessivamente ocupada por gregos, persas e romanos. Chama-se hoje Constantinopla (421).

BIZERTA — Cidade africana, na Tunísia, banhada pelo Mediterrâneo; foi célebre como porto de piratas (46).

BÓREAS — Por esta denominação designavam os antigos o vento nordeste (390).

BÓSFORO — Ao que hoje se chama Canal de Constantinopla (entre o mar de Mármara e o mar Negro) chamavam na Antiguidade *Bósforo Trácio* (97).

BRETANHA — É na França uma extensa região, que outrora desfrutou foros de autonomia (47).

BRIAREU — Filho de Urano e da Terra, este enormíssimo gigante possuía cinquenta cabeças e cem braços (29).

BUSÍRIS — Foi um rei do Egito que mandava degolar, sacrificando às divindades, quantos estrangeiros pentravam em seus domínios. — Igual nome dá Milton no seu poema a um dos faraós, dele descendente (34).

C

CABO — Entende-se aqui por este vocábulo (82) o *cabo Tormentório ou cabo da Boa Esperança.*

CADMO — Filho de Agenor (rei da Fenícia). Casou com Hermione (filha de Marte e de Vênus). Tanto Cadmo como Hermione foram metamorfoseados em serpentes (331).

CAIRO — (Grão) — V. *Grão-Cairo.*

CALÁBRIA — Província na parte meridional da península itálica. A antiga Calábria ou mesápia abrangia o que hoje se denomina terra de Otranto (84).

CALDEIA — Antiga região da Ásia, que demorava entre a Mesopotâmia, a Assíria, e o golfo Pérsico (447).

CALPE — Monte na península ibérica, onde hoje se acha fundada a cidade de Gibraltar. Fica-lhe fronteiro o monte Abila (na África). Entre ambos há o chamado estreito de Gibraltar, que estabelece a comunicação do Mediterrâneo com o Atlântico. *Colunas de Hércules* se chamou nos tempos antigos ao Calpe e ao Abila (36).

CAM — Um dos filhos de Noé, o povoador do Egito (144). Foi o tronco da raça camita.

CAMBALU — Capital dos vastos domínios pertencentes ao Kan do Cataí, nas proximidades da "grande muralha da China" (421).

CAMOS — dolo dos moabitas; erigiu-lhe Salomão um templo defronte de Jerusalém. *Camos* se chama no poema de Milton um dos chefes do exército infernal (39).

CANAÃ — "Terra de Canaã" chama a Escritura Santa ao país prometido por Deus à posteridade de Abrão. Esta "terra da promissão" é a Palestina (487).

CÂNCER — Signo do Zodíaco, correspondente hoje ao solstício do verão (389).

CAOS — Por este vocábulo se designa o espaço em que os elementos se acham confusamente misturados, antes de convenientemente agrupados na constituição dos corpos: por ele se designa também essa confusão. Desses elementos, e numa determinada extensão do Caos, formou Deus os Céus e a terra (21). Como sinônimo de Caos também Milton usa do vocábulo Abismo. Nos limites do Caos acamparam legiões de anjos para obstarem à irrupção do exército infernal (62). Por Caos se entende também a divindade que preside àquele imenso espaço supracitado (44,66,94).

CAPITÓLIO — Adquiriu grande celebridade na antiga Roma este monte, no alto do qual havia o templo de Júpiter Capitolino (331). Subjacente ficava-lhe a rocha Tarpeia.

CAPRICÓRNIO — Signo do Zodíaco, hoje correspondente ao solstício de inverno (389).

CARIBDE ou CARÍBDIS — Um dos dois escolhos que tornam perigosas a travessia do estreito entre a Itália e a Sicília; fronteiro fica-lhe o cachopo de Cila (97).

CARLOS MAGNO — Filho de Pepino, o *Breve*, foi rei dos francos e imperador do Ocidente. Floresceu entre os séculos VIII e IX. Os largos horizontes do seu espírito, como conquistador e como político, marcam-lhe um lugar preeminentíssimo na História, e justamente o qualificam entre os mais notáveis monarcas do mundo. Foi todavia derrotado pelos árabes (46).

CARMELO — Monte ou (para melhor dizer) cadeia de montes na Síria; notam-lhe a configuração de uma harpa. Mui celebrado na Escritura Santa, este sítio era plantado de vinhas e oliveiras (448).

CASBIN — Grande cidade da Pérsia, onde muitos monarcas assentaram sua corte (376).

CÁSIO — Monte do Egito na extremidade ocidental do lago Serbônio (79).

CÁSPIO — (Mar) — Grandíssimo lago na Ásia, o maior do mundo (86); banha um vasto litoral, e nele desembocam importantes rios. *Mar Hircânio* o chamaram também na Antiguidade.

CASTÁLIA — Célebre fonte da Fócida (nas vizinhanças de Delfos); do Parnaso lhe nasciam as águas, e era consagrada às Musas (144, 255).

CÉCIAS — Vento mui tempestuoso do oriente (390).

CELTA — (Plaga) — Aqui poema de Milton (44) entende-se por esta expressão a larga faixa do território que na Europa Ocidental foi ocupada pelos Celtas.

CENTAURO — É o centauro Quiron, que a mitologia do paganismo figurou no signo zodiacal de Sagitário (372).

CERASTES — Um grupo especial de víboras em que se transformaram anjos rebeldes (80, 381).

CERBERINO — Pertencente, relativo, ou semelhante ao Cérbero (cão trifauce do Averno) (82).

CERES — Foi filha de Saturno e de Cibele (ou Reia). De Ceres e de Júpiter (seu irmão) nasceu Prosérpina, que Plutão raptou nas planícies de Ena (144, 326).

CÉU ou CÉUS — Por este vocábulo se entende, frequentemente, no poema de Milton, a morada de Deus e da sua corte (21); o aspecto do nosso sistema planetário, observado da Terra; o firmamento (265). Na mitologia Greco-romana, Céu ou Urano é o mais antigo dos deuses, pai de Titã e de Saturno (43).

CHINA — Grande império da Ásia oriental, separado da Tartária por uma colossal muralha (376).

CHINS — São os habitantes da China (254, 421).

CÍCLADAS ou CÍCLADES — Ilhas do mar Egeu, situadas em torno da ilha de Delos

(189); da forma circular, por que se achavam dispostas, lhes proveio a denominação.

CILA — Filha de Forco, monstro femíneo, que foi transformado num cachopo (84) fronteiro a Caribde.

CILÊNIO — Por este cognome (412) se entende Mercúrio (que nasceu numa caverna do monte Cilene).

CIPIÃO — Públio Cornélio Cipião, por cognome o *Africano*, foi o mais notável dos heróis romanos na guerra contra Cartago (331).

CIRCE — Filha do Sol e da ninfa Perse (ou Persa); tinha o poder mágico de transformar homens em brutos irracionais (332).

CIRENE — Cidade grega da antiga Cirenaica, na África Setentrional (92).

CLEÔMBROTO — Foi um filósofo, natural de Ambrácia; impressionado pela leitura dos escritos de Platão sobre a imortaidade da alma, suicidou-se precipitando-se no mar (118).

COCITO — Rio da Itália nas cercanias do Averno. Assim se chamou também um dos rios do Inferno (79).

COLOMBO — O genovês Cristóvão Colombo (356) foi nos tempos modernos (ano 1492) o descobridor da América.

COLUROS — São dois círculos máximos e imaginários da esfera, que cortam o equador e o Zodíaco em quatro partes iguais, correspondentes às quatro estações do ano (311).

CONFUSÃO — Divindade alegórica; faz parte do cortejo do Caos (94).

CONGO — Enorme e riquíssima região da África ocidental (422), atravessada pelo Zaire.

COROS — Por este nome vai designada no poema uma das jerarquias angélicas (111).

CRETA — Ilha do Mediterrâneo, ao sul da Grécia (43). *Cândia* também se chama hoje.

CRIADOR — Nome exclusivamente dado a Deus, como autor de tudo quanto existe (283).

CRÔNEO — (Mar) — Ao que na Antiguidade se chamava *mar Crôneo* ou *mar Crónio* (370), chama-se hoje Oceano Glacial Ártico.

CUSCO — É no Peru cidade formosa e antiquíssima: foi outrora sede da corte dos incas (423).

CZARINA — Pertencente ao czar ou imperador da Rússia (422).

D

DÃ — Por este nome se designava uma das doze tribos israelitas (nome proveniente de Dã, um dos filhos de Jacob). No canto I (42) parece que Milton quis indicar uma determinada povoação da Palestina.

DAFNE — Cidade da Síria, junto à foz do Oronte (144); nela havia um bosque e um templo consagrado a Apolo e a Diana.

DAGON — Ídolo do filisteus; a sua estátua fez-se em pedaços diante da Arca Santa. Milton escolheu-lhe o nome para com ele designar um dos chefes da milícia infernal (41).

DALILA — Mulher filisteia, cujas enganosas carícias induziram Sansão a revelar-lhe que a misteriosa proveniência da sua força extraordinária estava meramente nos seus cabelos; cortados estes, enquanto Sansão dormia, fácil foi a Dalila entregá-lo às mãos dos filisteus (353).

DAMASCO — Cidade importante na Turquia Asiática: foi outrora celebérrima; é a capital da Síria (41).

DAMIETA — Cidade do Baixo Egito, nas proximidades do lago Menzalê, e banhada por um dos ramos do Nilo (79).

DANITA — Pertencente à tribo de Dã. Por *Hércules Danita* designa Milton a Sansão (353), cujas forças prodigiosas se podem comparar com as de Hércules.

DANÚBIO — Grande rio da Europa, que atravessa a Áustria e desemboca no mar Negro (36).

DARDÂNIA — O mesmo que Troia (46).

DÁRIEN — Por este nome se designa aqui (313) o istmo de Panamá, que unia as duas partes da América (setentrional e meridional).

DAVID — Rei do povo israelita (455).

DÉLFICO — Pertencente a Delfos (cidade da Fócida, na encosta do Parnaso); em Delfos havia um famoso templo de Apolo, e neste templo residia a célebre sacerdotisa Pítia (43).

DÉLIA — É Diana, deusa da caça, filha de Júpiter e Latona (326).

DELOS — A menor das Cícladas, e entre elas a central, com uma formosa cidade do mesmo nome; ilha e cidade eram consagradas a Apolo e a Diana (188, 371).

DEMOGÓRGON — Divindade que Milton fantasia junto ao trono do Caos (94).

DEMÔNIOS — São os anjos rebeldes.

DEUCÁLIO — Deucálio ou Deucalião (rei da Tessália) era marido de Pirra; segundo a mitologia greco-romana eles únicos escaparam ao dilúvio (407).

DEUS — O supremo autor de toda a criação.

DEUSES — Por este nome se designam as divindades do paganismo: deste nome se apropriaram também os anjos rebeldes para inculcarem sua origem divina.

DÍCTEU — Cognome de Jove (384) por ter sido criado na montanha Dicte (em Creta).

DIPSAS — Grupo especial de serpentes em que foram transformados alguns dos anjos rebeldes (381).

DISCÓRDIA — Divindade que tem seu lugar junto ao trono do Caos (95); Milton em seu poema supõe-na filha do Pecado (391).

DITE — Cognome de Plutão (144).

DODONA — Cidade do Epiro. Aqui (43) toma-se pelo próprio Epiro.

DOMINAÇÕES — Uma das jerarquias angélicas (111, 209).

DOMÍNIOS — O mesmo que Dominações (58, 378).

DÓRICA (Terra) — A Grécia (43) habitada pelos dórios.

DÓRICO ou DÓRIO — Pertencente ou relativo aos dórios (51). Usado pelos dórios ou no estilo dos dórios (51).

DÓTÃ — Cidade da Palestina na tribo de Zabulon (414).

DOURADO — Por este nome (*El-dorado*) designaram os espanhóis a riquíssima cidade de Manoa (capital da Guiana), pelo muito ouro que nela acharam (422).

DRAGÃO — Satã transformado em serpente (381).

DRAGO — Por *drago* ou *dragão* se entende um monstro fabuloso em forma de serpente (80) com garras e asas.

E

ECÁLIA — Cidade da Lacônia, no Peloponeso (78).

ÉDEN — Por este nome se entende o Paraíso ou uma determinada parte dele.

EGÍPCIO — Natural do Egito; pertenente ou relativo ao Egito, *Egípcia terra* (50) é o Egito.

EGITO — Vasto país no canto nordeste da África, atravessado pelo Nilo (40, 42, 52).

ELÉALE — Cidade da Palestina, na tribo de Rubem (39).

ELISEU — Um dos profetas bíblicos (414).

ELÍSIO — Por *Elísio* ou *Campos Elísios* designava o paganismo greco-romano a residência onde as almas dos justos recebiam depois da morte a recompensa de suas boas ações (118).

ÉLOPES — Grupo especial de cobras (381).

EMPÉDOCLES — Filósofo siciliano, acerca do qual se conta que por vaidade se precipitara clandestinamente nas crateras do Etna, a fim de fazer crer que desaparecera raptado pelos Deuses (118).

EMPÍREO — É o Céu, a morada de Deus e da sua corte. Por este nome designavam os antigos astrônomos uma suposta região (no firmamento) para lá das estrelas fixas. — Tomado como adjetivo, este vocábulo tem a significação de "Celestial".

ENA — Antiga cidade da Sicília; perto dela havia uma caverna por onde se dizia que Plutão levara raptada para o Inferno sua sobrinha Prosérpina (144).

EOA — O mesmo que "oriental" ou "do oriente" (183, 189). *Eoo* se chamava um dos quatro cavalos que puxavam pelo carro do Sol.

EPÍDAURO — Cidade do Peloponeso, onde o paganismo prestava culto especial a Esculápio (Deus da medicina); por *Nume de Epidauro* (330) entende-se Esculápio.

EPIMETEU — Era irmão de Prometeu e marido de Pândora (162).

EQUADOR — A linha equinocial (388), círculo máximo que divide em duas partes iguais a esfera terrestre e que dista igualmente dos dois polos.

ÉRCOCO — Porto da Etiópia no mar Vermelho (421).

ÉREBO — O mesmo que Inferno (90).

ESAÚ — Era irmão primogênito de Jacob, com o qual andou em guerra (118).

ESCÂNDALO — Nome de um monte nas cercanias de Jerusalém (39).

ESCÓRPIO — Signo do Zodíaco entre o da Balança e o de Sagitário (173).

ESCORPIÕES — O mesmo que lacraus; nestes aracnídeos venenosos foram transformados por castigo alguns dos anjos rebeldes (380).

ESPARTA — Cidade importantíssima que na Grécia antiga constituiu uma florescente república. Os *Gêmeos de Esparta* (390) são Castor e Pólux (filhos gêmeos de Leda e de Júpiter), transformados depois numa constelação a que corresponde um dos signos do Zodíaco.

ESPÍRITO — Substância incorpórea por que no poema de Milton se designa umas vezes a essência das criaturas angélicas, outras vezes a alma humana. *Espírito inefável* é o Espírito Santo (uma das três pessoas da Santíssima Trindade).

ESTÍGIO — Por este nome se designa um lago ou rio do Inferno (78). Adjetivamente empregado (75) significa o mesmo que "infernal".

ESTOTILANDE — Território da América Setentrional sob o Círculo Polar Ártico (389).

ESTRONDO — Divindade alegórica; Milton lhe dá lugar junto ao sólio do Caos (93).

ETA — Monte na Tessália (77).

ETERNO — Epíteto dado por excelência a Deus.

ETIÓPIA — Vaga expressão com que na Antiguidade se designavam os países do interior da África habitados pela raça negra (81).

ETIÓPICO — Pertencente ou relativo à Eiópia, situado nela ou dela natural (143).

ETNA — Vulcão na Sicília (30, 85), onde a fantasia poética da Antiguidade supôs que estava soterrado o gigante Encelado; também ali a mitologia fantasiou as forjas de Vulcano e dos Ciclopes.

ETRÚRIA — País da antiga Itália (32); correponde-lhe hoje proximamente a Toscana.

EUBOICO — Pertence à Eubeia (77) ou Negroponto (uma das ilhas do arquipélago grego).

EUFRATES — Rio da Ásia, que nasce nas montanhas da Armênia e que se junta com o Tigre (39, 445).

EURÍNOME — Divindade grega (Filha do Oceano) que Milton compara com Eva (386).

EURO — Nome por que esse designa o vento sueste (389).

EUROPA — Uma das três grandes partes constitutivas do velho continente (370).

EUXINO — Por *Euxino* ou *Ponto Euxino* entendiam os antigos o que hoje se denomina mar Negro (312).

EVA — Foi a primeira mulher que existiu e que Deus deu por companheira ao primeiro homem (Adão).

EVANGELHO — É o conjunto dos quatro livros escritos pelos quatros evangelistas em referência à missão de Jesus. Aqui (461) significa a doutrina do mesmo Jesus.

EZEQUIEL — Um dos famosos profetas bíblicos (40).

F

FÁBULA — O mesmo que mitologia; representa a coleção das ficções poético-religiosas do paganismo (193).

FARAÓ — Título genérico por que se designavam os amigos monarcas egípcios (36).

FARFAR — Rio da Síria (42).

FAUNOS — Divindades masculinas que, segundo a mitologia romana, protegiam os bosques: fantasiavam-lhe configuração humana até à cintura, e caprina da cintura para baixo (162).

FEBO — O mesmo que Apolo; também significa o Sol. "A irmã de Febo" (84) é Diana ou a Lua.

FENÍCIOS — Os habitantes da Fenícia (40), país asiático à beira do Mediterrâneo.

FÉSOLO — Foi outrora uma importante povoação; hoje não passa de uma pequena aldeia na Toscana (*Fiezoli*). Milton alude a observações astronômicas de Galileu nessa localidade (33).

FEZ — Importante cidade do Império marroquino (422).

FILHO — Nome dado por excelência à segunda Pessoa da Santíssima Trindade. Por *Filho de Maria* (366) entende-se, Jesus Cristo.

FILISTEIA — Assim se fiz de Dalila (353) por ser ela do povo filisteu (um dos da Palestina).

FÍNEO — Rei da Paflagônia que, depois de cego, ficou adivinhando o futuro (101).

FLEGETONTE — Rio de fogo no Inferno (79).

FLEGRA — Campo na Tessália (46).

FLORA — Divindade mitológica, por quem Zéfiro se apaixonou; presidia ao desabrochar das flores (178).

FONTARÁBIA — Povoação espanhola na Biscaia (46).

FÚRIAS — Divindades infernais fantasiada pelo paganismo; atormentavam os condenados no Tártaro; a mitologia supunha-as em número de três; Milton admite poeticamente a existência de muitas (80).

G

GABAÁ — Cidade da Palestina, na tribo de Benjamin; ficou tristemente célebre pelo escandaloso desacato que uma noite seus viciosos habitantes praticaram (43).

GABAON — Cidade de Judeia, na tribo de Benjamim.

GABRIEL — Um dos arcanjos (156, 217, etc.).

GALILEU — Matemático e astrônomo celebérrimo (188), natural de Pisa; floresceu no século XVI. *Hábil toscano* é chamado neste poema (33).

GANGES — Rio notabilíssimo do Indostão (56, 82, 117, 313), que despeja suas águas no golfo de Bengala.

GÁSSEN — *Terra de Gássen* ou *Terra de Gessen* é o país que os hebreus habitaram no Egito (34).

GATH — Cidade da Palestina (41); foi (segundo a Escritura Santa) habitada por uma raça de gigantes.

GAZA — Cidade da Palestina, ao sul de Ascalon, mui célebre por suas riquezas e infortúnios (41).

GEENA — Vale da Judeia, ao sul de Jerusalém; nesse vale imolavam os amonitas (39) seus filhos em sacrifício a Moloch.

GÊMEOS — Entende-se aqui por esta expressão (389) Castor e Pólux (filhos de Leda e de Júpiter), que a mitologia greco-romana comemorou numa constelação.

GÊNIO DA MALDADE — Entende-se aqui Satã (329).

GERIÃO — Supõe-no a Fábula rei das ilhas Baleares; Hércules o matou. Tomando por fundamento aquela proveniência, filhos de Gerião (422) se denominam os habitantes de Espanha.

GIGANTES — Homens corpulentíssimos, que a Fábula supôs filhos da Terra, e que (segundo a mesma Fábula) ousaram fazer guerra aos Deuses (46).

GÓLGOTA — Monte, onde Cristo foi crucificado (118).

GÓRGONA — Nome dado por excelência a Medusa (uma das três Górgonas).

GÓRGONAS ou GÓRGONES — Eram três filhas de Forco, metamorfoseadas por Minerva em monstros que tinham cobras por cabelos (381).

GORGÓNEO — Pertencente ou relativo às Górgones, ou inerente a elas (80, 371).

GRAÇAS — São na mitologia três deusas lindíssimas (144), filhas de Jove; personificam a beleza e a graça.

GRAIO — Pertencente à Grécia; *Graios* se chamam também os gregos. Aqui (310) é o grego Ulisses, perseguido por Netuno.

GRÃO-CAIRO — Cidade importantíssima do Egito (52).

GRÃO-MOGOL — Antigo imperador nos estados indianos, cujas principais cidades foram Agra e Laor (421).

GRÉCIA — País que foi na Europa o berço das artes, das letras, e das ciências, que tanto por elas, como pelas armas, adquiriu na Antiguidade um nome glorioso (52, 371). O que hoje forma o reino da Grécia, representa apenas uma parte da Grécia antiga.

GREGO — Natural da Grécia ou pertencente à Grécia.

GRIFO — Animal fabuloso, velocíssimo, com cabeça de águia, corpo de leão e vigorosas garras (94).

GUIANA — País da América Meridional (ao norte do Brasil); teve por capital a cidade de Manoa (422).

H

HAMATH — Era nesta região o término setentrional da chamada "terra da promissão" (447).

HARÃ — Cidade do interior da Mesopotâmia (447), banhada pelo rio Chabur (afluente do rio Eufrates).

HELESPONTO — Hoje se lhe chama "estreito dos Dardanelos"; comunica o mar do Arquipélago (o antigo mar Egeu) com o mar de Mármara (a antiga Propontide); por ali penetrou Xerxes na Europa (371).

HELI — Grão sacerdote do povo de Israel, residente em Silo (43); seus filhos se tornaram execrandos pela devassidão em que viviam.

HÉRCULES — Foi filho de Júpiter e de Alcmene; Alcides lhe chamam também; tornou-se famoso pelas façanhas que praticou, devidas à sua robustez e coragem; daqui vem empregar-se-lhe o nome (353), como sinônimo de "homem extremamente forte".

HERMES — O mesmo que Mercúrio (163), o emissário de Júpiter.

HERMÍONE — Filha de Marte e de Vênus; foi esposa de Cadmo, e, como ele, transformada em serpente (331).

HERMON — Serra na Palestina, ao sul do Taabor (447).

HESEBON — Cidade na tribo de Rubem (39).

HESPÉRIA — Usavam os gregos deste nome genérico para designarem os países que (tais como o Epiro, a Itália, a Espanha) lhes ficavam a ocidente (44). *Hespérias Ilhas*, ou "ilhas Afortunadas", são as Canárias (306).

HÉSPERO — Filho de Japeto e pai das Hespérides (122), foi transformado numa estrela (157).

HIBLA — Cidade na costa oriental da Sicília (101).

HISDASPE — Rio afluente do Indo (117).

HIDRAS — Serpentes fabulosas com muitas cabeças (80).

HIMENEU — Divindade alegórica das núpcias (428).

HINON — Vale vizinho de Jerusalém (39).

HISPAÃ — Célebre cidade que foi outrora capital de toda a Pérsia e uma das mais famosas do Oriente (421).

HOMEM — Nome genérico da criatura humana, afeiçoada por Deus à sua imagem. No verso do canto I (20) por *Homem* entende-se Jesus Cristo (o filho de Deus) humanizado; *Homem Deus* se lhe chama também (111).

HORAS — Filhas de Júpiter e de Témis (144); segundo a mitologia, guardavam as portas do Céu.

HORONAÍM — Cidade na tribo de Rubem (39).

HÓRUS — Ídolo egípcio em forma de bezerro (42).

HOSANA — Voz hebraica, que significa *Salvai-nos*: cântico com honra de Deus (223).

I

IDA — Monte na ilha de Creta; foi lá que Vênus pleiteou contra Minerva e Juno o célebre "pomo da Beleza" (194).

IGREJA — A congregação dos que professam o cristianismo, representada pelo seu chefe visível (139).

ILÍRICO — (País) — A Ilíria (331), região fronteira à Itália e banhada pelo mar Adriático.

IMAÚS — Nome genérico da cordilheira que, principiando em Sião, atravessa obliquamente a Ásia (117).

INDIANO — Habitante ou natural da Índia; pertencente à Índia (54, 354).

INDO — Grande rio da Ásia (56, 313); ele e o Ganges formam os dois principais da Índia ou Indostão.

INFERNO ou INFERNOS — Lugar de condenação, destinado para residência de Satã e seus sequazes.

IRAS — Divindade que Milton coloca junto ao trono do Caos (94).

ÍRIS — Era (segundo a mitologia) a mensageira de Juno, que a metamorfoseou no arco-íris (416).

ISAAC — Filho de Abrão, patriarca dos hebreus (453).

ÍSIS — Divindade feminina adorada pelos egípcios (42).

ISRAEL — Nome que Deus pôs a Jacob (454); *povo de Israel* é o povo hebreu (40,42).

ITURIEL — Nome com que Milton designa um dos anjos que descobriram Satã no Paraíso (167).

J

JACOB — Filho de Isaac, e neto de Abraão; irmão de Esaú; apesar de ser Esaú o primogênito, coube a Jacob a glória de continuar o tronco genealógico principiado em Abraão como chefe do povo eleito (119).

JANO — Rei da Itália, comumente representado com dois rostos (411).

JAVÃ — Filho de Japeto; dele preendiam descender os jônios (43).

JEOVÁ — Nome que em hebraico significa Deus; o Deus Onipotente (42, 281).

JESUS — O Filho de Deus, Redentor do Mundo (366). Houve quem desse este nome a Josué ou Josuá (454).

JORDÃO — Rio da Palestina mui citado na Bíblia; no Asfaltite (121, 447).

JOSIAS — Virtuoso rei de Judá (40).

JOSUÁ ou JOSUÉ — Foi ele quem à frente do povo de Israel entrou na "terra da Promissão" (454).

JOVE — Filho de Saturno e de Reia; era o maior dos deuses do paganismo (29, 43, 144, 163, 331).

JUDÁ — Uma das tribos da Palestina (41).

JUNO — Filha de Saturno e Reia; irmã e esposa de Júpiter (153, 310).

JÚPITER — Na mitologia é o esmo Jove (153).

K

KAN — Vocábulo tártaro que significa "chefe". Aqui (421) é o soberano de Catai.

L

LÁCTEA — (Via) — Assim se chama no firmamento uma das mais notáveis constelações (279); dela faz parte o nosso sistema planetário.

LAERTES — Rei de Ítaca e pai de Ulisses (328).

LAOR — Grande cidade na Índia (421).

LAPÔNIA — País que constitui a parte mais setentrional da Suécia e da Rússia Europeia (84).

LAURENTINA — Cognome de Lavínia (310), filha do rei Latino (cujos estados tinham Laurência por capital).

LEÃO — Um dos doze signos do Zodíaco (389).

LEBANON — Povoação na Palestina (41).

LEMNOS — Ilha do mar Egeu (52), consagrada a Vulcano.

LETES — Um dos rios do Inferno pagão (79). Quem bebia de suas águas esquecia-se do passado (232).

LEVIATÃ — Nome por que na Bíblia se designa a baleia (29, 271).

LEBÉQUIO — Vento sudoeste, mui violento no Mediterrâneo (390).

LÍBIA — Por este nome designaram os gregos a África (192).

LÍBIO — O mesmo que africano.

LICAS — Companheiro de Hércules, foi por ele precipitado no mar Euboico (78) em um dos acessos furiosos que o herói padeceu depois de envergar a túnica empeçonhada, a célebre "túnica de Nesso".

LUA — É o satélite da Terra e seu grande luzeiro durante as noites (54,118, 129, 157, 268).

LÚCIFER — Nome de Satã antes da sua rebelião (260).

LUZ — Emanação do Sol e das estrelas, criada por Deus (segundo a Bíblia) antes mesmo de haver criado aqueles corpos (101, 264).

M

MAANAIM — Cidade na tribo de Judá (414).

MAFOMA ou MAOMÉ — Foi o criador do Islamismo ou Maoetismo (religião muçulmana) e simultaneamente o fundador de um poderoso império no Oriente (53).

MAGALHÃES — Este de quem fala Milton em seu poema (390) é Fernão de Magalhães, que, despeitado pela ingratidão do rie de Portugal para com seus relevantes serviços na Ásia, passou a oferecer seus serviços ao rei de Espanha, em cujos navios realizou uma importante viagem de circunavegação, descobrindo a passagem da Europa para a Ásia pelo sul da América.

MAIA — Filha de Atlante e de Plêione, foi amada por Júpiter, de quem houve Mercúrio (189).

MANOA — Antiga capital da Guiana (422).

MANON — Com este nome, que em siríaco significa "o deus das riquezas", designa Milton um dos generais de Satã (50, 66).

MARIA — É a Virgem Santíssima (194), Mãe de Jesus Cristo (366).

MARROCOS — Grande império na África Setentrional; sua capital se chama Rabat (46, 422).

MÉDIA — Foi outrora um poderoso império na margem austral do mar Cáspio (138).

MEDUSA — Foi a mais notável das Górgonas (80); Minerva lhe impôs o nefasto condão de petrificar quantos para ela (Medusa) olhassem.

MEGERA — Uma das três fúrias infernais (383).

MELIBEIA — Cidade na Tessália (416), célebre assaz pela cor da púrpura que nela fabricavam.

MELINDANAS — (Praias) — São as praias de Melinde (422), cidade e reino na costa de Zanguebar (África Oriental).

MENÔNIO — Fundado por Menon ou em honra de Menon; *Menónia* chamavam os gregos à cidade de Susa (371).

MEÔNIDE — Natural da Lídia (ou Meónia), Milton refere-se aqui a Homero (100).

MEÓTIDE — (Lagoa) — Correspondia ao que se denomina *Mar Azof* (313) ao sul da Rússia.

MESSIAS — Jesus Cristo, filho de Deus e Salvador do Mundo (209, 245).

MÉXICO — Riquíssimo país na América setentrional (422). *México* se chama cidade do méxico a capital da nação.

MIGUEL — Um dos mais notáveis e dos mais poderosos arcanjos (69, 217, 223, 233).

MISÉRIA — Divindade alegórica, aqui fantasiada por Milton, e precursora da Morte (310).

MOAB — Filho de Loth, e tronco dos moabitas (39).

MOÇAMBIQUE — País na costa oriental da África (138).

MOGOL (Grão) — V. *Grão-Mogol.*

MOISÉS — Irmão de Aarão e chefe do povo israelita (448), para cujo engrandecimento contribuiu formulando-se um código de leis

MOLOCH — Ídolos dos moabitas, em cuja honra Salomão ergueu um templo; Milton faz dele um chefe no exército de Satã (39, 59, 230).

MOMBAÇA — Cidade da África oriental, na costa de Zanguebar (422), ao sul de Melinde.

MONTALBÃN — Cidade de Espanha (46) no Aragão.

MONTEZUMA — Antigo imperador do México (422). Foi em seu tempo que Fernando Cortez realizou brutalmente a conquista daquele país.

MOREB — Vale na Palestina (447).

MORTE — Terminação da existência material. Com este nome fantasiou Milton um monstro (88), filho do Pecado e de Satã.

MOSCOU — A capital da Rússia (421).

MÚLCIBER — O mesmo que Vulcano (52), deus do fogo.

MULHER — Nome genérico da fêmea do gênero humano. Em acepção especial designa umas vezes Eva (145), outras a Virgem Maria (458).

MUNDO — Designa-se por este termo ora o globo terrestre (21), ora o sistema solar, ora finalmente o complexo da Criação.

MUSA EMPÍREA ou MUSA CELESTE — Entidade ideal, fantasiada por Milton, e por ele invocada como guia dos seus cânticos sublimes, (20, 100).

MUSAS — As nove divindades femininas que habitavam no Parnaso (100); protegiam as letras, as artes, e as ciências.

N

NAPEIAS — São as ninfas dos vales (194).

NATUREZA — Significa o poder criador (284), ou a força vital (299), ou o Universo (99), ou o conjunto da matéria-prima (238), ou o conjunto dos seres criados (301).

NEBO — Cabeço na cordilheira de Abarim (39).

NEGO — Nome dado ao célebre Preste-João das Índias, rei da Abissínia (422).

NETUNO — Era na mitologia romana irmão de Jove e deus dos mares.

NIFATE — O mais alto monte da Armênia (129).

NÍGER — Rio importantíssimo na África (422).

NILO — Célebre rio do Egito (36, 39, 121); desemboca no Mediterrâneo por várias bocas.

NINFAS — Divindades subalternas que presidiam aos montes, aos bosques, às fontes, etc. (162).

NISA — Cidade africana, onde se criou Baco (144).

NISROCH — Ídolo dos assírios. Um dos chefes no exército infernal (235).

NOITE — Divindade alegórica, esposa e companheiro do Caos (44, 63, 94).

NORUEGA — País na Europa setentrional (29, 33), vizinho à Suécia.

NORUMBECA — País na América do Norte (390), próximo ao círculo polar.

NOTO — Vento sul ou antes su-sudoeste (390).

NUME — Entidade puramente espiritual, com essência divina. *Nume-Filho* é o Filho de Deus (207, 208); por *Nume-Mestre* entende-se Jesus Cristo, o Divino Mestre.

O

OBI — Grande rio na Sibéria (313); desemboca no Oceano Glacial Ártico.

OCEANO — O conjunto dos mares (121). Por *Oceano* se designa também cada uma das grandes divisões em que hidrograficamente se distribuem os diversos mares.

OFION — Gigante com formas de dragão (384).

OFIR — Nome antigo de Sófala (422).

OFIÚCO — A constelação de Hércules (85).

OFIUSA — Antigo nome da ilha Formentera (381), outrora abundante em serpentes.

OLÍMPIA — Mãe de Alexandre Magno (331).

OLÍMPICOS (Jodos) — Famosos certames públicos na Grécia antiga, em honra de Júpiter (77).

OLIMPO — Monte elevadíssimo da Tessália (43, 255). O Céu; a corte de Júpiter (384).

ONIPOTENTE — Epíteto relativo ao poder universal de Deus.

ONISCIENTE — Epíteto relatativo à universal sabedoria de Deus (324).

ÓPIS — Divindade egípcia; o mesmo que Reia (384).

OPRÓBRIO — Monte contíguo a Jerusalém (39).

ORBE — O planeta terrestre, considerado em toda a sua extensão.

ORCO — O mesmo que Inferno.

OREBE — Monte na Arábia Pétrea (21, 42, 410), mui próximo do Sinai.

ORFEU — Poeta lendário, filho de Apolo e de Calíope (100). *Trêicio Bardo* se lhe chama aqui (256).

ORIENTE — O lado donde nasce o sol. O mesmo que Aurora (73). A Ásia (58).

ÓRION — Constelação da qual se diz que excita tempestades (34).

ORONTE — O lado principal rio da Síria (144, 313).

OSÍRIS — Legislador egípcio em forma de Bezerro (43).

OTOMANAS — (Luas) — Entende-se aqui o império turco (377), cujo distintivo é a lua em quarto crescente.

OXO — Rio da Ásia central (422), na Tartária.

P

PÃ — No paganismo é o deus dos campos (145, 163).

PALES — Divindade romana, protetora dos rebanhos e dos pastores (327).

PALESTINA — É a chamada "terra da Promissão". Estendia-se, à beira do Mediterrâneo, desde a Síria até a Arábia (25, 42).

PANDEMÔNIO — Palácio e cidade de Satã (54, 377).

PANDORA — Foi a esposa de Epimeteu; brindaram-na os deuses com várias prendas (163).

PARAÍSO — Jardim delicioso que Deus destinou para a residência do primeiro homem e da primeira mulher (130, 138). Dentre as diversas árvores, que o sombreavam, destacavam-se mormente duas, no centro do jardim: — *Árvore da Vida* e a *Árvore da Ciência*.

PATMOS — Ilha no mar Egeu, onde o evangelista São João escreveu as páginas do Apocalipse (131).

PECADO ou FÚRIA PECADO — Monstro feminino, filho de Satã (88).

PEDRO — Aqui (119) é o apóstolo São Pedro.

PÉGASO — Cavalo com asas fantasiado pela poesia do paganismo (256).

PELORO — Promontório notável ao sul da Sicília (32).

PEQUIM — Capital da China (422); é cidade enorme e populosíssima.

PÉRSICO — Pertencente ou relativo à Pérsia (422).

PERU — Rico país da América Meridional (423), Cusco era a sua antiga capital.

PETZORA — Rio e território no norte da Rússia (372).

PIGMEUS — Povo fabuloso, constituído por criaturas pequeníssimas que andavam em continuada guerra contra os grous (47, 55).

PIOR — Um dos nomes por que também foi conhecido o ídolo Caos (40).

PIRRA — A esposa de Deucálio (408).

PÍTICO (Certâmen) — Os jogos píticos, em honra de Apolo (78).

PÍTIO (Chão) — O Parnaso, consagrado a Apolo (382).

PÍTON (Chão) — Enorme serpente, morta por Apolo (382).

PLATÃO — Célebre filósofo grego (119), que nos deixou interessantíssimos escritos.

PLÊIADES — São as filhas de Atlas e de Plêione, transformadas no sete-estrelo (270). V. *Atlante*.

PLUTO — Divindade anexa ao trono dos Caos (95). No paganismo Pluto ou Plutão era o deus do Inferno.

PLUTÔNIO — Pertencente a Pluto ou Plutão; infernal ou próprio do Inferno.

PODER — Por *Poder* (108), *grão Poder* (151), *Poder supremo*, ou *Poder excelso*, entende-se Deus.

PODERES — O mesmo que Potestades (112, 210).

POMONA — Divindade romana, protetora dos jardins e das frutas (195), amada por Vertuno (327).

PONTO — Antigo país da Ásia Menor (193).

POTESTADES — Jerarquia especial de anjos (59).

PRINCIPADOS — Designa-se por este vocábulo uma das jerarquias dos anjos (210).

PRÍNCIPES — Aqui, no poema de Milton, este vocábulo é também sinônimo de *Principados*.

PROMISSÃO (Terra da) — A Palestina (122).

PROMONTÓRIO (Verde) — É Cabo Verde, na costa ocidental da África (307).

PROSÉRPINA — Filha de Ceres e de Júpiter, esposa de Plutão (145, 327).

PRÓTEU — Era na mitologia o pastor dos rebanhos marítimos (125).

PROVINDÊNCIA — A sabedoria de Deus na direção do Universo (22,28).

Q

QUERSONESO — Deram na Antiguidade a várias penínsulas este nome; aqui devemos entender a *Quersonesos Áurea* (422), — a península de Málaca, onde, capitaneados pelo insigne Afonso de Albuquerque, os portugueses praticaram famosas façanhas.

QUERUBINS — Constituíram na corte celeste uma jerarquia especial.

QUILOA — Cidade da África Oriental na costa de Zanguebar (423), ao norte de Moçambique, ao sul de Melinde e ainda ao sul de Mombaça. Abundam-lhe as cercanias em arvoredo e vegetação; por toda a parte pululam-lhe as palmeiras alterosas e elegantíssimas; com a flora dos trópicos casa-se-lhe a flora dos climas temperados; ao derredor espreguiça-se-lhe pinturescamente o mar das Índias.

R

RABA — Era a capital dos amonitas (40).

RAFAEL — Arcanjo poderosíssimo (188).

RAMIEL — Um dos chefes do exército infernal de Satã (233).

REIA — Filha do Céu e da Terra, esposa de Saturno (44, 145). Também lhe chamara *Cibele*.

RENO — Importante rio da Alemanha (37).

RIMON — Ídolo da Síria. Um dos chefes do exército de Satã (42).

RÓDOPE — Cordilheira a noroeste da Trácia (257).

ROMA — Cidade antiguíssima e notabilíssima da Itália, banhada pelo Tibre (332, 338, 423).

RUBRO-MAR — É o mar Vermelho (34) entre a Ásia e a África.

RUSSAS (Hostes) — O exército da Rússia (377).

S

SALOMÃO — Magnificente rei de Israel (40). *Rei sábio* lhe chama o poeta.

SAMARCANDE — Cidade onde Tamerlão estabeleceu sua principal residência (422).

SAMÓIDES — Povos que habitam na região boreal da Sibéria (391).

SAMOS — Ilha do mar Egeu (189).

SANSÃO — Personagem bíblico, célebre por suas prodigiosas forças (354).

SANTOS — Aqueles que, por suas extraodinárias virtudes enquanto homens, mereceram fazer parte da corte de Deus.

SATÃ — O arcanjo que arvorou a rebelião contra Deus (25); *Lúcifer* se chamava, antes de rebelar-se. No auge da sua dor, lança, imprecações contra o Sol (132).

SATURNO — Filho do Céu e da Terra, irmão de Titã, sucedeu no trono a seu pai, mas foi depois destronado por seu filho Júpiter (45, 385).

SECHEM — Antiga cidade na Samária (448).

SEIR — Território na parte sul da Palestina (448), próximo da Arábia.

SELÊUCIA — Antiga cidade banhada pelo Tigre (142).

SENAAR — País entre o Tigre e o Eufrates (119).

SENHOR — Um dos epítetos antonomásticos de Deus como supremo denominador do Universo.

SEON — Cidade da tribo de Issacar na Palestina (40).

SERAFINS — Anjos de elevada jerarquia.

SERÁPIS — Divindade egípcia; é exatamente o mesmo que Osíris (53).

SERBÔNIO (Paul) — Lago no Egito (80), próximo ao Mediterrâneo.

SERICANA — País que Milton identifica com a China (118).

SERRA LEOA — Costa na África ocidental (391).

SIÃO — Uma das colinas de Jerusalém (22, 39, 42, 101), muito citada na Bíblia.

SIBMA — Cidade na tribo de Rubem (40).

SIDÔNEO — Natural de Sidon (na Fenícia) (41).

SÍLOE — Fonte célebre da Palestina (22), a cujas águas Cristo enviou o cego de nascença.

SILVANO — No paganismo é o deus das florestas (163).

SINAI — Monte onde Deus entregou a Moisés as tábuas da lei (21).

SÍRIA — Foi um reino poderosíssimo (41); é hoje um país relativamente pequeno. *O salteador monarca da Síria*, a que Milton se refere (45), é Benadad.

SÍRIO — Pertencente ou relativo à Síria; habitante da Síria ou natural da Síria (42, 43).

SIROCO — Assim chamam os italianos ao vento sueste violentíssimo (391).

SITIM — Lugar nas cercanias do Jordão (40).

SODOMA — Cidade da Palestina junto do Asfaltite (44, 385); devorada pelo fogo do Céu, em castigo de sua devassidão.

SÓFALA — Povoação e território na província de Moçambique (423).

SOFI — Título do rei da Pérsia.

SOLDÃO — Título do imperador dos turcos.

SUS — Província no império de Marrocos (423).

SUSA — Antiga residência dos reis persas (372). *Menônia* chamavam os gregos à cidade de Susa, supondo-a construída por Menon ou em honra de Menon.

T

TAMERLÃO — Célebre imperador da Pérsia (422).

TAMIRES — Famoso cantor da Trácia, a quem as Musas por despeito tornaram cego (101).

TAMUZ — General do exército de Satã (42).

TÂNTALO — Por seu execrando proceder foi condenado no Tártaro ao tormento da sede (estando, aliás, banhado em água até o pescoço) (81). O "suplício de Tântalo" ficou sendo citado como expressão proverbial.

TÁRSEA — Antiga cidade na Cilícia (30).

TARTÁREO — Pertenceu ou relativo ao Tártaro; proveniente do Tártaro (61, 87, 92, 218).

TÁRTAREO — Pertencente ou relativo ao Tártaro; proveniente do Tártaro (61, 87, 92, 218).

TÁRTARO — Sinônimo de Inferno. Na mitologia greco-romana era o lugar destinado ao tormento dos grandes criminosos.

TÁRTAROS — Os habitantes da Tartária (118, 377).

TÁURIS — Rica cidade na Pérsia (377), de intenso comércio.

TAURO — Assim se denomina uma das cordilheiras da Ásia. É também o nome de um dos signos do Zodíaco (54).

TEBAS — A antiga capital do Egito (47, 190), cidade opulentíssima e muito afamada por suas cem portas.

TELASSAR — Povoação na Mesopotâmia (142).

TÊMIS — Assim se chamava na mitologia greco-romana a divindade alegórica da Justiça (408).

TENERIFE — A maior das ilhas Canárias (175).

TERNATE — Uma das ilhas Molucas (83), na Índia.

TERRA — O planeta que habitamos (55, 98, 128, 203); também a divindade mitológica que o simboliza (30, 44).

TERRA-SANTA — O mesmo que Palestina (122).

TESSÁLIA — Uma das regiões da Grécia antiga (79).

TEUCRO — Troiano ou habitante de Têucria. Aqui (311) é Enéias perseguido por Juno.

TIBRE — Rio que banha a cidade de Roma (423).

TIDOR — Uma das ilhas Molucas (83).

TIESTES — Era irmão de Atreu, cujo tálamo desonrou; Atreu vingou-se matando-lhe o filho e dando-lho a comer; ante esse crime verdadeiramente execrando, fugiu horrorizado o Sol (391).

TIFEU — Gigante corpulentíssimo e temeroso, que tinha cem cabeças (78).

TIFON — O mesmo que Tifeu (30).

TIGRE — Rio da Ásia, que se junta com o Eufrates (314); depois de reunidos ambos, desembocam no Golfo Pérsico.

TIRÉSIAS — Adivinho célebre, a quem Minerva cegou (102).

TIRO — Foi capital da antiga Fenícia (417).

TITÃ — Irmão primogênito de Saturno (44).

TITÃS — Gigantes, filhos da Terra (55).

TOBIAS — Varão virtuoso (139), cujo filho (igualmente chamado Tobias) casou com Sara (188). V. *Asmodeu.*

TOFET — Lugar no vale de Hinon (40).

TONANTE — Epíteto de Júpiter, como deus do trovão. Aqui é dado a Jeová (72).

TORMENTÓRIO — (Cabo) — O Cabo da Boa Esperança (139) que foi primeiramente conhecido pela designação de *Cabo das Tormentas* ou *Cabo Tormentoso*. A Bartolomeu Dias coube a glória de pela primeira vez o dobrar, seguiu-se lhe Vasco da Gama. Luís de Camões, personificando-o poeticamente no fantástico Gigante Adamastor, colheu nele assunto para um dos mais assombrosos episódios dos *Lusíasdas*.

TOSCANO — Pertencente à Toscana. O hábil Toscano (34) é Galileu.

TOURO — É aqui o mesmo que Tauro (390). V. Tauro.

TRÁCIA — Antigo país da Europa Ocidental (47); corresponde-lhe hoje a Romênia.

TRÁSCIAS — O vento noroeste (391).

TREBISONDA — Antiga capital da Anatólia (47).

TRÊICIO — Natural da Trácia. *Trêicio bardo* (257) é o poeta Orfeu, tão afamado pela maviosidade da sua lira como célebre pelas desventuras da sua existência e pelo seu fim trágico.

TREMECÉM — Cidade e província da Argélia (423).

TRINÁCRIA — Antigo nome da Sicília (85).

TRITÃO — Rio da Líbia (145) mui citado nas lendas da antiga Grécia.

TROIA — Cidade célebre dos tempos antigos, na Ásia menor (311).

TRONOS — Uma das jerarquias angélicas (27, 112, 210).

TURCO — Pertencente à Turquia (422).

TURNO — Rei dos Rútulos, e noivo de Lavínia, morto em duelo por seu rival Eneias (311). V. *Laurentina*.

U

ULISSES — Um dos heróis gregos no cerco de Troia; no regresso à pátria, padeceu inúmeras contrariedades e naufrágios (98).

UNIGÊNITO — Filho de Deus (213, 248, 249).

UNIVERSO — O conjunto de tudo quanto existe (280).

UR — Antiga região da Mesopotâmia (448).

URÂNIA — Mitologicamente é a Musa da Astronomia. Aqui (257) é a sabedoria de Deus personificada.

URIEL — Anjo que dirige o curso do Sol (126, 156, 233).

UZIEL — Ajudante de ordens do arcanjo Gabriel (166).

V

VALDARNO — Território da Itália, banhado pelo Arno (34); é à beira deste rio que assenta Florença, a formosa capital da Toscana.

VALUMBROSA — Pinturesca localidade nos montes Apeninos (34).

VERBO — Jesus Cristo, filho de Deus (107, 213, 262).

VERTUNO — O Deus do outono, protetor dos frutos e dos jardins, amante de Pomona (327).

VÉSPER — A chamada "estrela da tarde" (260).

VIRGEM — O signo de Virgo no Zodíaco (390).

VIRTUDES — Coro especial de anjos (210).

VITÓRIA — Divindade mitológica. Aqui (248) é a personificação alegórica do triunfo.

X

XERXES — Célebre rei da Pérsia, que, lançando uma ponte o Bósforo, atravessou da Ásia para a Europa no intuito de subjugar a Grécia (372). Dele se diz que, para simbolicamente deixar bem acentuado o seu domínio sobre o mar, fustigara com vergastas a superfície das vagas.

Z

ZÉFIRO — O amante de flora (179); personiofica o vento oeste-sudoeste (391).

ZÉFON — Um dos anjos que aprisionaram Satã, quando este se achava traiçoeiramente escondido no Paraíso em forma de sapo (168).

ZODÍACO — Círculo que o Sol parece percorrer em seu giro anual pelo firmamento; é dividido em doze partes ou signos, correspondentes aos doze meses do ano.

ZOFIEL — Um dos querubins da milícia celeste (240).

Este livro foi composto com a tipografia Times New Roman
e impresso pela Meta Brasil.